Jürgen Kehrer

Münsterland ist
ABGEBRANNT

Kriminalroman Rowohlt Taschenbuch Verlag

2. Auflage Mai 2013

Originalausgabe
Veröffentlicht im Rowohlt Taschenbuch Verlag,
Reinbek bei Hamburg, Mai 2013
Copyright © 2013 by Rowohlt Verlag GmbH,
Reinbek bei Hamburg
Umschlaggestaltung yellowfarm gmbh, Stefanie Freischem
(Abbildung: Andy & Michelle Kerry / Trevillion Images)
Satz DTL Dorian PostScript (InDesign)
Gesamtherstellung CPI – Clausen & Bosse, Leck
Printed in Germany
ISBN 978 3 499 26650 8

ro
ro
ro

Jürgen Kehrer wurde 1956 in Essen geboren und lebt seit langem in Münster. Er hat bisher 18 Krimis mit seinem einzigartigen Helden, dem sympathischen, aber unter chronischem Geldmangel leidenden Privatdetektiv Georg Wilsberg, veröffentlicht. Teilweise wurden die Stoffe vom ZDF verfilmt. Jürgen Kehrer schreibt außerdem Drehbücher und Sachbücher. Die Gesamtauflage seiner Bücher beträgt über 700000 Exemplare. Jürgen Kehrer ist verheiratet mit der Autorin Sandra Lüpkes. «Münsterland ist abgebrannt» bildet den Auftakt zu einer neuen Krimireihe mit ungewöhnlichen Charakteren.

Südchina, 1990

Vom Lugu-See aus fuhren sie noch eine Stunde, dann wurde der Weg so steil und schmal, dass die Jeeps nicht mehr weiterkamen. Den letzten Teil der Strecke legten sie mit ihren schweren Rucksäcken zu Fuß zurück. Als sie schließlich das Dorf erreichten, in dem sie die nächsten Wochen verbringen sollten, waren die drei Deutschen – zwei Männer und eine Frau – am Ende ihrer Kräfte. Aber auch ihre chinesischen Begleiter schnauften in der dünnen, gegen Abend empfindlich kühlen Höhenluft. Das Dorf, falls man es überhaupt so nennen wollte, bestand aus wenigen verstreut in einer Talmulde liegenden Höfen, die alle nach dem gleichen u-förmigen Schema errichtet waren. Bo, der Dolmetscher, hatte ihnen erklärt, dass die abgelegene Siedlung für ihre Zwecke geeigneter sei als die dichter bewohnten Ufer des Lugu-Sees.

Bo, der ein paar Jahre in Deutschland verbracht hatte, führte sie zu einer kleinen Anhöhe am Rande der Siedlung, auf der das größte Holzhaus thronte. Schon auf dem Trampelpfad dorthin wurden sie von einer Horde kreischender Kinder empfangen. Das Geschrei der Kleinen lockte nun auch Erwachsene an, nach und nach kamen etwa zehn Männer und Frauen aus dem Gebäude. Die Älteren gaben sich Mühe, ihre Neugier nicht so offen zu zeigen wie die Kinder, doch auch sie staunten über die Kleidung und vor allem über die riesigen Rucksäcke der Fremden. Zuletzt trat eine ältere Frau aus dem Hauptgebäude. Während die Jüngeren meist Hosen und chinesische Jacken trugen, hatte sie einen weißen Wickelrock angelegt, darüber einen breiten roten Gürtel und ein blumengemustertes Oberteil. Das schwarze, von silbernen Fäden durchzogene Haar steckte zum größten Teil unter einem kunstvoll geschlungenen Turban. Für die Deutschen war es schwierig, dem dunkelbraunen, vom Leben in den Bergen gegerbten Gesicht ein Alter zuzuordnen, es mochte irgendwo zwischen vierzig und sechzig liegen. Der Blick, mit dem sie die Neuankömmlinge bedachte, und die Art, wie sie dabei ihre selbstgerollte Zigarette rauchte, machten allerdings unmissverständlich klar, dass sie hier das Sagen hatte.

«Das die *Dabu*, die Hausherrin», kommentierte Bo.

Der Dolmetscher begrüßte die Mosuo-Frau und übergab ihr einige Geschenke – Kleidung, Lebensmittel und Geld. Die Mitbringsel stießen auf Wohlwollen, auf dem zuvor skeptischen Gesicht der Dabu breitete sich ein Lächeln aus, das eine Reihe brauner Zähne enthüllte. Dann sprach sie ein paar Worte mit dem Dolmetscher.

«Wir bekommen jetzt Zimmer gezeigt», wandte sich Bo wieder an die Deutschen. «Danach man erwartet uns zum Essen im Haupthaus.»

Die Gästezimmer lagen über den Stallungen in einem Seitenflügel des Haupthauses. Die beiden deutschen Männer bekamen ein gemeinsames Zimmer zugeteilt, die Frau erhielt ein eigenes. Das, betonte Bo, entspräche den Sitten der Mosuo, es sei verpönt, Frauen zusammen mit Männern in einem abgeschlossenen Raum unterzubringen.

«Und wie entstehen die kleinen Mosuo?», erkundigte sich der hagere Deutsche ein wenig spöttisch. Mit seinem fusseligen Vollbart und der ins Haar geschobenen Sonnenbrille sah er aus wie ein Bergsteiger auf dem Weg zum Himalaya-Gipfel. «Doch nicht etwa heimlich?»

«In gewisser Weise», nickte Bo. «Sehen Sie Räume dort drüben?» Er deutete auf den gegenüberliegenden Seitenflügel. «Da sich befinden die Blumenzimmer. Sie vorbehalten Frauen in gebärfähigem Alter.»

Der Dolmetscher und ein weiterer Chinese logierten im selben Gebäudetrakt wie die Deutschen, alle übrigen Wissenschaftler der Expedition sowie die Fahrer und Soldaten bezogen ihr Quartier in anderen Höfen des Dorfes.

Nachdem sie ihr Reisegepäck und ihre Ausrüstung provisorisch gelagert hatten, schlossen sich die drei Deutschen Bo an, der sie schon vor dem Eingang zum Hauptgebäude erwartete.

Als sie den großen Raum im Haupthaus betraten, brauchten sie ein paar Sekunden, bis sich ihre Augen an das Dämmerlicht gewöhnt hatten. Es gab keine Fenster, und die einzige Lichtquelle war eine Feuerstelle in der Mitte, in der Holzscheite loderten. Der Rauch, soweit er sich nicht im Raum verteilte und als Ruß an den geschwärzten Wänden ablagerte, zog durch winzige Ritzen im Dach ab. Mit Fellen behangene Bänke an den Seiten dienten als Schlafstätten, weiche Matten auf einem Holzpodest oberhalb der Feuerstelle luden zum Sitzen ein. Unter einer goldglänzenden Buddha-Statue standen Schalen mit Opfergaben.

«Setzen!», sagte Bo. Während der gesamten Forschungsreise kümmerte sich der Dolmetscher so intensiv um die Deutschen, dass nicht klar war, wo die Betreuung aufhörte und die Kontrolle begann. Keinen Schritt konnten die drei machen, ohne dass Bo und mehrere zivil gekleidete Männer auftauchten und sich an ihre Seite hefteten.

«Zur Begrüßung ...» Bo lächelte. «... wir bekommen eine Tasse Buttertee.»

Das Getränk schmeckte ranzig und zugleich salzig.

«Was ist das denn?» Die Deutsche, deren bleiches Gesicht seit der schlingernden Fahrt über die Bergpässe grünlich schimmerte, unterdrückte den Impuls, den Buttertee sofort wieder auszuspucken.

«Nicht Sache von jedermann», strahlte Bo. «Ich mag ihn auch nicht.»

Nach dem Buttertee wurden Tabletts mit verschiedenen Speisen herumgereicht: Reiskuchen, Würste, Nüsse und Früchte. Dazu trank man einen süßlichen Wein. Nach und nach füllte sich der Hauptraum mit immer mehr Menschen. Anscheinend war das halbe Dorf eingeladen, die Fremden zu begutachten. Dabei verhielten sich die Mosuo sehr höflich und zurückhaltend. Man plauderte locker miteinander wie bei einem Familienfest, nur ab und zu warfen die jungen Frauen den beiden deutschen Männern spöttische Blicke zu. Auch einige chinesische Uniformierte saßen jetzt in der Nähe des Eingangs.

Unterdessen trug die Hausherrin ein weiteres Tablett herein. An dem feierlichen Gesichtsausdruck, mit dem sie es neben der Feuerstelle absetzte, erkannten die deutschen Forscher, dass sich in den Schalen eine besondere Köstlichkeit befinden musste. Umso enttäuschter waren sie, als sie eine undefinierbare gräuliche Masse erblickten, die entfernt an eine sehr alte Speckschwarte erinnerte.

«Wundervoll», schwärmte Bo. «Das Beste schon am ersten Abend.»

«Es sieht aus wie ausgekotzt», zischte der korpulente Deutsche.

«Chris! Reiß dich zusammen», ermahnte ihn die Frau.

Bo nahm sich eine Schale und stopfte sich einen Klumpen in den Mund. «Das sein *Bocher*. Zehn Jahre altes Schweinefleisch.»

Chris schluckte. «Und das ist genießbar?»

«Unbedingt», antwortete Bo. «Probieren Sie! Deshalb sind wir hier. Zu ergründen die Geheimnisse der Mosuo.»

Die Frau steckte sich ebenfalls ein Stück Fleisch in den Mund und kaute tapfer. «Was macht das Fleisch denn so haltbar?»

«Die Mosuo verwenden Salz und bestimmte Kräuter.»

«Die Kräuter interessieren mich.»

«Natürlich.» Bo lächelte. «Man sagt, Kraut hat besondere Wirkung. Vor allem für alte Frauen. Sie bleiben gesund und stark. Sehen Sie die Dabu an. Sie ist zweiundsiebzig.»

Die Frau blickte zu dem Bärtigen. «Hast du das gehört, Ujo?»

Der Angesprochene verzog das Gesicht. «Freu dich nicht zu früh, Hel! In jedem abgelegenen Tal der Welt schwören die Einheimischen auf irgendein Wunderkraut, das sich bei näherem Hinsehen als ganz gewöhnlich erweist.»

«Sei nicht so pessimistisch!», widersprach Hel. «Mein Gefühl sagt mir, dass wir hier auf eine Goldader stoßen könnten.»

«Goldader …» Bo kicherte. «Sehr gut.»

Plötzlich gellte irgendwo draußen der Angstschrei einer Frau. Die Gespräche im Raum verstummten. Einige Mosuo sprangen auf, wurden jedoch von den Soldaten davon abgehalten, das Haus zu verlassen.

«Was hat das zu bedeuten?», fragte Ujo.

«Nehmt und esst!» Der Dolmetscher zeigte auf die Schalen, als sei nichts geschehen.

«Wahrscheinlich hat einer der Chinesen die Sache mit dem Blumenzimmer falsch verstanden und sich über eine Mosuo hergemacht», sagte Hel.

«Und du denkst, das geht uns nichts an?», fragte der Bärtige.

«Genau.» Hel trank einen Schluck Wein. «Und jetzt hör endlich auf mit dem Gequatsche, Ujo. Wir sind Wissenschaftler und haben einen Auftrag. Alles andere interessiert uns nicht.»

Eins

Abgesehen von den bräunlichen Flecken auf dem Parkettboden, war die Einrichtung perfekt. Eine kuschelige Sofaecke, so groß, dass eine ganze Grundschulklasse darauf hätte herumhüpfen können. Alte Schränke und Hightech, alles aufeinander abgestimmt. Die Bilder an den Wänden waren sicher keine billigen Drucke, und der Farbton der blutroten Landschaft neben dem Kamin passte exakt zu dem klotzigen Kronleuchter, an dem der Hausherr baumelte. Von da oben hatte man bestimmt einen phantastischen Blick über die sanft abfallenden Wiesen bis zum Waldrand.

Bastian Matt dachte an seine schäbige Zweizimmerwohnung im münsterschen Geistviertel. Nie im Leben würde er es in so eine Villa schaffen. Dazu musste man schon mit einem satten Vorschuss auf die Welt kommen und den entsprechenden Lebensstil mit der Muttermilch aufsaugen. Falls er selbst mal zu Geld kommen würde, was schon deshalb unwahrscheinlich war, weil er nie Lotto spielte, hätte er sicher Mühe, es in etwas anderes als ein dickes Auto und das neueste Technikspielzeug zu investieren. Zu mehr reichte sein Geschmack nicht. Aber er lebte – und Carl Benedikt Mergentheim nicht mehr. Das ganze Geld, die schönsten Privilegien und ein vermutlich gottähnliches Selbstvertrauen hatten den Bank-Manager nicht davon abgehalten, sich einen Strick um den Hals zu legen, auf einen Stuhl zu steigen und diesen mit der letztmöglichen freien Willensentscheidung umzustoßen. Danach sah es nämlich aus. Dass Mergentheim seinem Leben selbst ein Ende gemacht hatte.

Hinter Bastian quietschten die Gummisohlen der Uniformierten auf dem Parkett. In Altenberge war Mergentheim eine große Nummer. Die Chance, einen Blick in seine gute Stube zu werfen, hatte gleich fünf Streifenwagenbesatzungen angelockt.

Bastian drehte sich um. «Nur fürs Protokoll: Habt ihr euch im Haus umgesehen?»

«Wir sind ja nicht blöd», sagte der Polizist mit dem grauesten Schnurrbart. «Wir haben bloß gecheckt, ob noch jemand da ist.»

«Und?»

«Niemand.»

«Bis auf die Putzfrau», korrigierte Bastian.

«Die hat uns sofort angerufen, als sie die Sauerei gesehen hat.»

«Okay.» Bastian klatschte in die Hände: «Und jetzt raus hier! Gleich taucht die KTU auf. Die mögen es nicht, wenn man auf ihren Spuren herumtrampelt.»

Murrend verzog sich die uniformierte Truppe nach draußen. Bastian blieb regungslos stehen und versuchte, den Gestank zu ignorieren. Leute, die sich selbst aufhängten, unterschätzten, wie lang sich die Sekunden dehnen konnten, bis man das Bewusstsein verlor. Und was der Körper alles anstellte, um dem Ende zu entgehen. Sich in die Hose zu machen, sei ein Fluchtreflex, hatte Bastian mal gehört.

Auf dem Tisch, den Mergentheim vor seiner Kletteraktion zur Seite gerückt hatte, lag ein Blatt Papier. Nicht weiß, sondern aus diesem edlen, handgeschöpften Büttenpapier. Bastian streifte die Latexhandschuhe über, die er für solche Zwecke immer dabeihatte, und trat näher. Nach den Spurenfetischisten von der Kriminaltechnischen Untersuchung würde das KK 11 auf der Bildfläche erscheinen, die Mord- und Totschlagsexperten, die Elitetruppe des Präsidiums. Bei einem so prominenten Mann wie Mergentheim würde die Todesursache sicher gründlich ermittelt werden, schon um den Vorwurf der Schlampigkeit zu vermeiden. In jedem Fall konnte es nicht schaden, mit sachdienlichen Informationen zu glänzen. Vor einem Jahr hatte Bastian bei einer Mordkommission mitgewirkt und danach den Antrag gestellt, dauerhaft ins KK 11 versetzt zu werden. Bis jetzt war daraus nichts geworden, allerdings hatte man ihm Hoffnung auf eine der nächsten frei werdenden Stellen gemacht. Bis dahin versuchte Bastian, die Arbeit bei seiner jetzigen Dienststelle, der K-Wache, so positiv wie möglich zu sehen. Immerhin kam man viel herum, stand immer als Erster am Tatort, schaute den Opfern, den Zeugen und manchmal auch den Tätern in die Augen, bevor sie sich komplizierte Lügengeschichten ausdenken konnten. Doch sobald die eigentlichen Ermittlungen begannen, übergab man das Material den zuständigen Fachdezernaten. Zudem schlauchte der Schichtdienst, die K-Wache war rund um die Uhr besetzt.

Bastian beugte sich über das Papier. Eine schwungvolle, nach rechts strebende Handschrift: «Meine liebe Gerlinde, es tut mir leid, dass es so enden musste …» Na also, ein Abschiedsbrief.

«Fass bloß nichts an!» Udo Deilbach, der K-Wachen-Kollege, mit dem er von Münster hierhergefahren war.

«Ich doch nicht.»

«Mann, Mann, Mann», sagte Udo. «Wenn ich so eine Hütte besitzen würde, wären mir alle anderen Probleme so was von egal, die würde ich auf einer Arschbacke aussitzen.»

«Du vielleicht. Wer genug Geld hat, denkt nicht darüber nach.»

«Trotzdem. Eine Schande ist das», beharrte Udo. «Unsereins muss mit tausendfünfhundert im Monat auskommen, den Unterhalt für die Ex und die Brut abgezogen – und der da scheißt auf alles.»

Bastian schaute nach oben. Noch für den Tod hatte Mergentheim auf korrekte Kleidung geachtet: dunkelblauer Anzug, weißes Hemd, schwarze, glänzend polierte Schuhe. Allerdings fehlte die Krawatte, und das halblange, granitgraue Haar hing ungefestigt herunter. Ein wenig nachlässig war der Banker also doch geworden.

«Was sagt die Putzfrau?»

«Nicht viel», berichtete Udo. «Ist ziemlich durch den Wind. Kann man ja verstehen.»

«Mochte sie ihn?»

Udo nickte. «Sie meint, er hat kaum Dreck gemacht, war fast nie da und hat immer mal einen Extraschein unter die Kaffeetasse gelegt. So einen Job musst du erst wieder finden.»

|||||

Die Sonne brannte saharamäßig vom Himmel, obwohl es noch keine zehn Uhr war. Das Hoch Armin hatte Mitteleuropa seit Tagen fest im Griff.

Bastian und Udo suchten sich einen schattigen Platz unter einer großen Linde vor der Villa. Der weiße Sprinter der KTU, der Kriminaltechnischen Untersuchung, parkte direkt vor der Haustür. Bei dieser Hitze in geschlossenen weißen Overalls und mit Mundschutz herumzulaufen, musste die Hölle sein.

Udo wischte sich den Schweiß von der Stirn und sog an seiner Zigarette. «Großer Bahnhof.» Er deutete mit dem Kinn zur Straße. Mehrere Limousinen rollten die gekieste Auffahrt herauf. Das halbe KK 11 schälte sich aus den Sitzen. Sogar Olaf Brunkbäumer, der Leiter des Kommissariats, der sein Büro normalerweise nie verließ, hatte sich auf den beschwerlichen Weg gemacht. Dazu Dirk Fahlen, der vermutlich die Leitung der Mordkommission übernehmen würde, Susanne Hagemeister, mit der Bastian in der Kantine gelegentlich Tratsch austauschte, und einige jüngere Kollegen. Aus dem hintersten Wagen stieg Thomas Neumann, einer der für Kapitalverbrechen zuständigen Staatsanwälte. An seiner Seite ein braun gebrannter Sechzigjähriger mit gezwirbeltem Schnurrbart und Föhn-Frisur, das Fernsehgesicht der münsterschen Ermittlungsbehörden.

«Oberstaatsanwalt Willenhagen», sagte Udo und trat seine Zigarette aus. «Die erwarten wohl, dass hier gleich ein paar Kameras am Zaun stehen.»

«Na klar», sagte Bastian, «bei so einer Geschichte kommen sie alle aus ihren Löchern.»

Die beiden Erstermittler schlenderten zu ihren Kollegen hinüber. Allgemeines Genicke und Begrüßungsgemurmel. Bastian fasste zusammen, was sie wussten. Viel war das natürlich nicht. Der Anruf aus Altenberge war kurz nach Beginn der Tagschicht gekommen. Unterwegs hatten sie sich telefonisch ein paar Informationen über Carl Benedikt Mergentheim geben lassen: Vorstandssprecher der Münsterländischen Privatbank van Waalen. Altes niederländisches Geld. Irgendwann hatte ein Mergentheim eine van Waalen geheiratet, von da an übernahmen die Mergentheims das Kommando. Carl Benedikt, sechsundfünfzig Jahre alt, alleinlebend, war seit elf Jahren im Amt und seit fünf Jahren geschieden. Sein Sohn Veit Constantin, der designierte Nachfolger, saß ebenfalls im Vorstand der Bank.

«Keine Einbruchspuren, nichts, was auf Fremdeinwirkung hindeutet», kam Bastian zum Ende. «Auf dem Tisch im Wohnzimmer liegt ein Abschiedsbrief.»

«Danke, Matt», sagte Fahlen grimmig. «Das schauen wir uns lieber selber an. Bis zum Mittag erwarte ich euren Bericht auf meinem PC.»

Susanne Hagemeister schickte ein kleines verlegenes Lächeln hinterher. Und das war's dann. Bastian fühlte sich abserviert, wie ein unerwünschter Gast auf einer Beerdigungsfeier. Den Kranz durfte man noch ablegen, aber Kaffee gab's nur für die anderen.

Udo Deilbach klatschte ihm eine Hand auf die Schulter. «Nimm's nicht persönlich. Der Fahlen ist ein sturer Bock, der kann nicht anders.»

Als sie in ihren Dienstwagen stiegen, rollte ein Kombi mit buntem RTL-Logo die Straße entlang. Der erste Geier hatte die Leiche entdeckt.

Während sie durch Altenberge zur B 54 fuhren, ließ Udo das Fenster herunter und blies den Zigarettenqualm nach draußen. Bastian hasste es, wenn sein Kollege im Auto rauchte, die Kleidung stank anschließend nach Nikotin, und Ärger konnten sie auch bekommen, schließlich war in den Dienstwagen das Rauchen verboten. Im Radio warnte ein Meteorologe vor der Gefahr von Waldbränden. Bastian dachte an seine Mutter, deren Haus in Horstmar nur einen Steinwurf von einem kleinen Wald entfernt stand. Er musste sie unbedingt mal wieder besuchen. Am nächsten Wochenende, nahm er sich vor.

Udo warf die Kippe auf die Straße. Das Fenster surrte nach oben, die Klimaanlage arbeitete auf Hochtouren.

«Hast du nicht zugehört?», sagte Bastian. «Eine Zigarettenkippe kann einen Waldbrand verursachen.»

«Siehst du hier irgendwo einen Wald?» Udo verschränkte die Hände hinter dem Kopf. Es müffelte nach kaltem Zigarettenrauch. «Ach ja, entschuldige. Ich vergaß dein Trauma.»

«Ich hab kein Trauma.»

«Nee, du gehst nur seit zwei Jahren zu unserer Psychologin.»

«Vorschrift», brummte Bastian. «Ich bin dazu verdonnert worden.»

«Die Hagemeister steht auf dich», wechselte Udo unvermittelt das Thema. Bastian erschien es allerdings nicht weniger heikel.

«Tatsächlich?», fragte er.

«Ja. Wie sie dich angeguckt hat. Ich kenn mich da aus, glaub mir.»

Seit ihn seine langjährige Freundin Lisa verlassen hatte, trat Bastians Privatleben ebenso auf der Stelle wie seine Karriere. Doch auch das wollte er jetzt nicht mit Udo erörtern. «Hab ich nicht gemerkt.»

«Deswegen sage ich es dir ja.»

«Und wenn schon. *Don't fuck in the factory* – weißt du doch.»

|||||

Um zehn vor zwölf schickten sie ihren Bericht ab. Kurz darauf klingelte das Telefon.

«Glückwunsch», sagte Susanne Hagemeister. «Du bist Mitglied der Mordkommission. Ich habe mit deinem Kommissariatsleiter schon alles geklärt.»

«Gibt es denn irgendwelche Zweifel?»

«Erzähl ich dir unterwegs. Wir fahren zur Rechtsmedizin, um bei der Obduktion dabei zu sein. In fünf Minuten auf dem Hof.»

«Ja!» Bastian knallte den Hörer auf die Halterung und sprang auf. «Ich bin in der MK.»

«Mordkommission?», schnaubte Udo, dessen Schreibtisch gleich neben Bastians stand. «Wer hat sich denn diesen Schwachsinn ausgedacht?»

«Keine Ahnung. Hauptsache, ich bin dabei.»

|||||

«Eigentlich ist das mehr Show als Notwendigkeit», erklärte Susanne Hagemeister, als sie vom Polizeipräsidium am Friesenring in Richtung Gievenbeck fuhren. «Vor der Presse kommt es einfach besser, wenn Willenhagen sagt, dass vierzig Beamte an den Ermittlungen beteiligt sind.»

«Ihr geht also auch von Suizid aus?», fragte Bastian.

«Es gibt bis jetzt nichts, was dagegenspricht. Aber wir müssen auch die Plausibilität klären: Steckte Mergentheims Bank in finanziellen Schwierigkeiten? Hatte er private Probleme? War er vielleicht depressiv oder todkrank? Brunkbäumer und Willenhagen möchten am liebsten bis siebzehn Uhr ein komplettes Ergebnis auf dem Tisch haben. Und damit sind vierzig Leute gut beschäftigt.» Susanne bog vor der Hautklinik in eine schmale Nebenstraße ab. Das Institut für Rechtsmedizin befand sich hinter dem Klinikkomplex.

Susanne parkte vor dem Institutsgebäude und stöckelte auf hohen Absätzen zum Eingang. «Bin ich froh, dass Mergentheim noch halbwegs frisch ist. Ich hasse Gammelleichen. Den Geruch kriegt man nicht mehr aus der Kleidung.»

Sie trug einen schwarzen Hosenanzug. Das sah auf den ersten Blick ziemlich seriös aus, auf den zweiten etwas tantenhaft. Nein, Bastian konnte sich nicht vorstellen, mit Susanne etwas anzufangen. Falls Udo recht hatte mit seiner Vermutung, dass Susanne es auf ihn abgesehen hatte, waren die Gefühle sehr einseitig verteilt.

Drinnen wartete bereits das Obduktionsteam. Es bestand aus zwei Rechtsmedizinern und einem Sektionsassistenten. Der männliche Rechtsmediziner war groß und blond, seine Kollegin klein und zierlich. Auf ihren asiatischen Zügen lag ein Lächeln, so klar und rein wie eine Bergquelle im Himalaya.

«Yasi Ana», sagte sie und reichte Bastian die Hand. «Ich freue mich.» Der kaum merkliche Akzent machte die Stimme noch attraktiver. Und ihre fast schwarzen Augen musterten ihn so offen, dass er schlucken musste. Zum letzten Mal war er so taxiert worden, als er versehentlich eine Schwulenbar betreten hatte. Bastian fragte sich, ob er ihren Blick persönlich nehmen durfte oder ob sie jeden Fremden so behandelte, als wäre er der potenzielle Vater ihrer Kinder.

Die beiden Polizisten folgten dem Obduktionsteam durch verwinkelte Flure und einen Innenhof. Der Sektionssaal lag in der Nähe des Hintereingangs, so kamen die Leichen ohne großen Umweg auf den Metalltisch.

Als die Rechtsmediziner mit ihrer Arbeit begonnen hatten und die Knochensäge kreischte, stellte Bastian die Frage aller Fragen: «Wer ist sie?»

«Kommt aus China», sagte Susanne. «Hat in Deutschland studiert. Soll sehr begabt sein.» Bastian spürte den Blick der Hauptkommissarin. «Und sieht gut aus, findest du nicht?»

«Nicht mein Typ», antwortete er eine Spur zu schnell.

In den nächsten Stunden löste sich Mergentheims Leiche in ihre Einzelteile auf, Herz, Lunge, Leber, Nieren und Gehirn wurden fotografiert, gewogen und kleine Proben zu den Labors in den anderen Abteilungen des Instituts geschickt. Yasi Ana und der blonde Rechtsmediziner erklärten ab und zu, was sie gerade machten. Und Bastian hatte Mühe, nicht ständig auf den schmalen Augenstreifen zu starren, der zwischen Anas Mund- und Haarschutz sichtbar war. Wobei sie ihn regelmäßig dabei ertappte, dass er es doch tat.

«Also …» Der Blonde räusperte sich. «Vorbehaltlich der noch ausstehenden Ergebnisse der Labortests kann man zum jetzigen Zeitpunkt sagen …» Erneutes Räuspern. «Der Geschädigte befand sich vor seinem Tod in einer guten körperlichen Verfassung. Keine chronischen Krankheiten, die Funktionsfähigkeit der

Organe scheint, unter Berücksichtigung des biologischen Alters, jeweils im optimalen Bereich zu liegen. Von daher lässt sich der Tod problemlos durch Erhängen erklären.»

«Kampfspuren?», fragte Susanne Hagemeister.

«Nein. Weder äußere noch innere Verletzungen. Typische Kampf- oder Abwehrspuren sind ja gewöhnlich an den Händen zu erkennen, hier haben wir lediglich Abdrücke des verwendeten Seils. Ebenso fehlen Griffspuren, wie sie bei der Mitwirkung einer zweiten Person häufig entstehen.»

«Warte mal.» Yasi Ana schüttelte das Gefäß, in dem sich der Mageninhalt des Toten befand. Dann fischte sie mit einem pinzettenähnlichen Gerät ein kleines blaues Ding aus der schleimigen Masse.

Bastian erkannte die charakteristische Rautenform: «Viagra.»

«Richtig», sagte die Chinesin. Bastian war sich sicher, dass sie ihn anlächelte. «Der Geschädigte muss die Tablette kurz vor seinem Tod geschluckt haben. Wir sollten einen Abstrich am Penis machen.»

‖‖‖

Später – Mergentheims Organe lagen mehr oder weniger an ihren ursprünglichen Plätzen, und der Körper war wieder zugenäht – saßen sie zu viert um einen kleinen Konferenztisch.

«Ein Laborergebnis liegt uns schon vor.» Der Rechtsmediziner schaute auf einen Ausdruck, der vor ihm lag. «Der Blutalkoholgehalt betrug zum Zeitpunkt des Todes eins Komma eins neun Promille.»

Das war ein gepflegter Rausch, aber noch kein Komasaufen. Bastian dachte an die leere Flasche Rotwein, die er in Mergentheims Küche gesehen hatte.

«Könnte das seine Koordination erheblich beeinträchtigt haben?», fragte Susanne.

«Sie meinen, ob er damit nicht mehr in der Lage war, sich selbst zu töten?» Der Rechtsmediziner legte den Kopf schief. «Das ist nicht eindeutig zu beantworten, sondern hängt davon ab, wie oft und wie viel er getrunken hat. Regelmäßige Trinker leiden bei eins Komma zwei Promille kaum unter Beeinträchtigungen, Ausnahmetrinker dagegen schon.»

«Falls er also pro Woche ein paar Flaschen Rotwein geköpft hat …»

Der Blonde nickte.

«Das Einzige, was nicht ins Bild des einsamen Selbstmörders passt», ergriff nun Yasi Ana das Wort, «ist die Tatsache, dass er sein Stehvermögen verbessern wollte.» Sie hielt ein kleines Plastiktütchen mit der Viagra-Tablette hoch.

«Und? Hatte er Sex?», fragte Bastian.

«Möglicherweise. Jedenfalls hat der Abstrich am Penis ergeben, dass er ein Kondom getragen hat. Meine Kenntnisse des europäischen Sexualverhaltens sind nicht tiefgründig genug, um Selbstbefriedigung gänzlich auszuschließen.»

Auf den Wangen des Rechtsmediziners blühten rote Flecken.

Yasi Ana wandte sich Bastian zu. «Aber wenn Sie das Kondom finden, können wir sagen, ob er einen Spatz in der Hand oder eine Taube im Bett hatte.»

Susanne stöhnte. «Geht das auch weniger blumig?»

Die Chinesin tat erstaunt. «Deutsches Sprichwort. Sagt man nicht: Lieber einen Spatz in der Hand …»

Der Kopf ihres Kollegen glühte inzwischen wie eine Birne. «Das ist kein Sprichwort, Yasi.»

«Entschuldigen Sie, aber wir haben nicht endlos Zeit», maulte Susanne und stand auf. «Kommst du, Bastian?»

«Was ich damit sagen wollte ...» Yasi Ana ließ sich nicht beirren und schaute Bastian in die Augen. «Falls eine zweite Person im Spiel war, hat sie wahrscheinlich DNA-Spuren auf dem Kondom hinterlassen.»

Zwei

Susanne Hagemeister war nicht begeistert, sie fürchtete, zu spät zur Sitzung der Mordkommission zu kommen. Bastian musste schon seinen ganzen Charme aufbieten und zudem versprechen, alle Schuld auf sich zu nehmen, bevor sie dem Abstecher zu Mergentheims Villa zustimmte.

In Rekordgeschwindigkeit prügelte Bastian den Dienstpassat über die B 54 ins nördliche Münsterland, kurvte durch Altenberge bis zu dem Hügel, der der Kleinstadt nicht nur ihren Namen, sondern dem Banker auch reichlich Baugrund für seinen Protzbau verschafft hatte. Der weiße Sprinter parkte noch vor dem Eingang, die Leute von der KTU würden eine Weile brauchen, bis sie alle Räume durchkämmt hatten.

«Da darfst du nicht rein!», rief Millitzke, der Chef des Trupps, als Bastian zur Haustür stürmte.

Bastian blieb stehen. «Wart ihr schon im Schlafzimmer?»

Millitzke schaute auf sein Klemmbrett. «Bislang nur oberflächlich.»

«Habt ihr ein benutztes Kondom entdeckt?»

Der Spurensicherer grinste. «Glaubst du, er hat letzte Nacht eine Nummer geschoben? Die muss ja wahnsinnig schlecht gewesen sein, wenn er sich gleich anschließend aufgehängt hat.»

«Habt ihr, oder habt ihr nicht?»

«Nee, das hätte sich herumgesprochen.»

Bastian ging nicht auf das Gefrotzel ein. «Und wie sieht das Bett aus? Hat Mergentheim alleine darin gelegen?»

«Falls du auf Körperflüssigkeiten anspielst, die zwischen Mann und Frau ausgetauscht werden: Auch davon ist mir nichts bekannt.»

Bastian gab sich Mühe, freundlich zu klingen: «Darf ich mich im Schlafzimmer umgucken? Nur ein paar Minuten.»

«Du kennst ja die Vorschriften.» Millitzke deutete zum Kastenwagen. «Ohne Vermummung geht gar nichts. Und bring nichts durcheinander.»

Susanne Hagemeister schaute demonstrativ auf ihre Armbanduhr, während Bastian in einen weißen Plastikanzug stieg und zwei Hüllen aus dem gleichen Material über die Schuhe streifte.

Das plüschige französische Bett sah tatsächlich nicht nach einer wilden Nacht aus, die Tagesdecke war ordentlich gefaltet und das Kopfkissen aufgeschüttelt. Vielleicht hatten sie es gar nicht hier, sondern gleich unten auf dem Wohnzimmertisch getrieben, überlegte Bastian. Andererseits: Passte es zu Mergentheim, dass er derart über eine Frau herfiel? Ein Mann von Welt, der auf die sechzig zuging, ließ es vermutlich lieber ruhiger angehen. Bastian kniete sich auf den Boden und leuchtete mit einer Taschenlampe unter das Bettgestell. Wäre ja auch zu schön gewesen, wenn er das Kondom einfach hätte einsammeln können.

Er stand wieder auf und betrachtete die lackierten Schränke und Kommoden. Was machte man normalerweise mit einem benutzten Kondom? Sein Blick blieb an einer Seitentür hängen. Dahinter befand sich Mergentheims schnuckeliges kleines Badezimmer, kaum größer als der Jungenumkleideraum einer Turnhalle. Und wesentlich sauberer. Mergentheim schien nicht der Typ gewesen zu sein, der benutzte Gegenstände einfach in eine Ecke warf. Bastian schaute in den Abfalleimer. Nichts. Blieb noch als Möglichkeit die Entsorgung im Klo. Bastian hockte sich vor die Marmorschüssel, als wolle er sich übergeben, und streckte die behandschuhte Rechte ins Wasser. Bei seinem K-Wachen-Job bekam er eine Menge ekelhafter Sachen zu sehen, ein Griff ins Klo war da noch eine der leichteren Übungen. Hinter dem Knick ertastete er etwas Weiches. Als er es herauszog, musste er sich beherrschen, um nicht in Triumphgeheul auszubrechen.

Nach einem kleinen Disput mit Millitzke, der das Kondom zum Eigentum der Spurensicherung erklären wollte, hielt Bastian seiner Kollegin den durchsichtigen Plastikbeutel vor die Nase.

Susanne tat gelangweilt. «Glückwunsch. Und was machen wir jetzt?»

«Wir geben es auf dem Rückweg in der Rechtsmedizin ab. Es hat zwar im Wasser gelegen, aber mit etwas Glück finden sie noch eine DNA-Spur.»

Die Hauptkommissarin blies genervt eine Haarsträhne nach oben. «Ich kann schon den Anschiss hören, den wir gleich bekommen.»

IIIII

Die Konferenz hatte natürlich längst begonnen, die Luft im Sitzungssaal der Mordkommission roch nach Schweiß, Deorollern und Konzentration. Auch KK-11-Chef Brunkbäumer, Staatsanwalt Neumann, Oberstaatsanwalt Willenhagen und Kriminalrat Biesinger, der zuständige Gruppenleiter, hatten sich unter die rund vierzig Ermittler gemischt, den Vorsitz allerdings Dirk Fahlen überlassen. Bastian sah gleich, dass Fahlen mächtig unter Dampf stand, so viel hohen Besuch gab es bei einer MK-Sitzung selten. Neben Fahlen saß Norbert Willschrei, ein älterer Kollege aus dem Kommissariat Organisierte Kriminalität, der gerade über die wirtschaftliche Lage der Münsterländischen Privatbank referierte. Bastian und Susanne suchten sich so unauffällig wie möglich zwei freie Stühle und zogen die Köpfe ein.

Bis zur ersten Atempause des Redners ging alles gut, dann giftete Fahlen in ihre Richtung: «Schön, dass ihr es auch noch zu uns geschafft habt. Seit wann dauern Autopsien vier Stunden?»

«Wir ...», begann Susanne.

«Später», schnitt ihr Fahlen das Wort ab. «Zuerst kommen die an die Reihe, die pünktlich waren.»

Arschloch, dachte Bastian. Kontrollfreaks wie Fahlen würden nie begreifen, dass man mit Disziplin zwar eine Horde Menschen herumscheuchen, aber keinen Fall lösen konnte. Dazu brauchte es nämlich einen Schuss Kreativität. Und falls Fahlen das Wort überhaupt kannte, hielt er es vermutlich für die Vorstufe einer psychischen Störung.

«Ich bin auch schon fast am Ende», sagte der OK-Spezialist. «Zusammenfassend kann man festhalten, dass die Privatbank die Turbulenzen auf den Finanzmärkten, die wir in den letzten Jahren erlebt haben, weitgehend unbeschadet überstanden hat. Seiner konservativen Klientel entsprechend, hat sich Mergentheim aus riskanten Spekulationen herausgehalten und in sichere Anlagen investiert. Beton und Gold, um das mal in Schlagworten zu formulieren. Vor dem Ruin stand er jedenfalls nicht.»

«Hat heutzutage nicht jede Bank ein paar Leichen im Keller?», warf Staatsanwalt Neumann ein.

Willschrei nickte. «Keine Frage. Aber um die zu finden, müssten wir etliche Wochen, wenn nicht Monate graben. Und sie werden nicht so stinken wie die der Großbanken, denen der Staat Milliarden in den Arsch bläst.»

Kriminalrat Biesinger stoppte die einsetzende Heiterkeit mit einem trockenen Räuspern.

«Na schön», sagte Fahlen. «Kommen wir zur Familie.»

Auch hier waren die Ermittler, die mit Mergentheims Exfrau, seinem Sohn und den engsten Mitarbeitern in der Bank gesprochen hatten, auf nichts Dramatisches gestoßen. Einen Rosenkrieg hatte es bei der Scheidung anscheinend nicht gegeben, Gerlinde Mergentheim behauptete, dass man sich im Guten getrennt und bis in die jüngste Zeit ein freundschaftliches Verhältnis gepflegt habe, eine Aussage, die von dem gemeinsamen und einzigen Sohn Veit Constantin bestätigt wurde.

«Irgendeinen Grund für die Scheidung wird es doch wohl gegeben haben», warf Fahlen ein. «Oder haben sie angefangen sich zu gruseln, wenn sie sich morgens im Badezimmer begegnet sind?»

«Sie hatten getrennte Schlaf- und Badezimmer», sagte die Oberkommissarin aus dem Morddezernat mit den kurzen platinblonden Haaren, die die Ergebnisse der Ermittlergruppe vortrug. «Und ja, es gab einen Grund: Mergentheim hatte eine Affäre mit seiner damaligen Sekretärin, nicht die erste Affäre und nicht die erste Sekretärin, wenn man seiner Exfrau glauben will.»

«Na also.» Fahlen schnappte nach der Information wie ein englischer Jagdhund nach einem Fuchs. «Da haben wir es doch. Was ist mit der Sekretärin?»

«Arbeitet inzwischen bei einer anderen Bank und in einer besseren Position. Mergentheim hat die Beziehung etwa zeitgleich mit seiner Ehe beendet. Das sagen jedenfalls Veit Constantin und Mitarbeiter der Bank, die das mitbekommen haben.»

«Kommt schon: Er wird eine Neue gehabt haben. Und es würde mich nicht wundern, wenn es seine aktuelle Sekretärin ist.»

Die Oberkommissarin schüttelte den Kopf. «Kein Treffer. Die derzeitige Sekretärin entspricht nicht seinem Beuteschema. Über Mergentheims Sexleben seit der Scheidung ist nichts bekannt.»

«Dann war er eben ein einsamer, alter, des Lebens überdrüssiger Mann», sinnierte Fahlen.

«Entschuldigung.» Oberstaatsanwalt Willenhagen zwirbelte seinen Schnurrbart. «Mit sechsundfünfzig ist man noch kein alter Mann, das weiß ich aus eigener Erfahrung. Im Gegenteil. Ein attraktiver Mann wie Mergentheim – und ich meine attraktiv in jeglicher Hinsicht – zieht sich nicht einfach aus dem Leben zurück, so einen Quatsch kann ich der Presse nicht verkaufen. Also lassen Sie sich gefälligst etwas Besseres einfallen.»

«Wir haben noch den Abschiedsbrief», zog KK-11-Chef Brunkbäumer den Joker.

«Stammt der überhaupt zweifelsfrei von Mergentheim?», grollte Willenhagen mit seiner Dröhnstimme. Fahlen hatte ihn eindeutig auf dem falschen Fuß erwischt.

«Zu neunundneunzig Prozent», bestätigte Olaf Gerhard, der Leiter des KK 31, das für den Erkennungsdienst und die Kriminaltechnische Untersuchung zuständig war, «unser Handschriftenexperte legt sich da fest.»

«Allerdings enthält der Brief keine Hinweise auf den Suizid», sagte Staatsanwalt Neumann. «Mergentheim drückt vage sein Bedauern aus, wofür auch immer.»

«Das ist nicht untypisch für Selbstmörder», antwortete Brunkbäumer. «Statt die Tat und die Gründe genau zu beschreiben, flüchten sie ins Philosophische.»

Neumann guckte genervt. Auch Willenhagen schien allmählich die Geduld zu verlieren: «Leute, in einer Viertelstunde müssen wir zur Pressekonferenz. Mergentheim hat das Potenzial, es bis in die *Tagesschau* zu schaffen, also liefert mir verdammt noch mal eine gute Pointe. Selbstmord oder Mord, aber kein Wischiwaschi. Wenn ich sage, dass es ein Selbstmord war, darf es daran keine Zweifel geben.»

«Da wir schon bei der KTU sind, sollten wir hier weitermachen», schlug Fahlen vor. Der MK-Leiter klang jetzt erheblich kleinlauter als noch vor wenigen Minuten.

Gerhard sagte, dass er mit dem Team vor Ort in ständiger Verbindung stehe, man noch ein bis zwei Tage brauche, bis alle Räume der Mergentheim'schen Villa durchforstet seien. Schon jetzt ließe sich definitiv festhalten, dass kein gewaltsamer Einbruch stattgefunden habe, ebenso fehlten Kampfspuren oder verwertbare Hinweise auf die Anwesenheit einer oder weiterer Personen in der Todesnacht, alle Fingerabdrücke, die man gefunden habe, stammten von Mergentheim und seiner Putzfrau.

An dieser Stelle seiner Ausführungen schaute Gerhard kurz zu Bastian. Es war klar, dass Millitzke seinen Chef über ihren Abstecher nach Altenberge informiert hatte. Doch warum erwähnte Gerhard das Kondom im Abflussrohr nicht?

«Na also», stellte Fahlen fest. «Dann sollten wir den Sack jetzt zumachen. Oder hat die überaus langwierige Autopsie eine Überraschung gebracht?»

Die Frage war an Susanne Hagemeister gerichtet, Bastian wurde vom MK-Leiter keines Blickes gewürdigt.

Susanne errötete. «Der Tod ist durch Erhängen eingetreten, so viel steht fest. Und Mergentheim hat sich nicht dagegen gewehrt. Aber ...» Sie schaute Hilfe suchend zu Bastian.

Der begriff endlich, was gespielt wurde. Seine Entdeckung, für die er noch bei Betreten des Konferenzsaals Lob und Anerkennung erwartet hatte, würde bei Fahlen und Brunkbäumer nicht gut ankommen, weil sie die Legende vom lupenreinen Selbstmord zerstörte. Deshalb überließen Gerhard und Susanne ihm den Schwarzen Peter.

Bastian holte Luft. «Aber es gab doch eine zweite Person im Haus. Eine Frau, es sei denn, Mergentheim ist im Alter schwul geworden.» Das Spannungslevel im Saal, das im Laufe der Sitzung abgeflacht war, schoss kerzengrade nach oben. «Mergentheim hat kurz vor seinem Tod eine Viagra-Tablette geschluckt. Und er hat ein Kondom benutzt. Deshalb sind wir übrigens zu spät gekommen, wir haben in Altenberge …»

«Keine Anekdoten, Matt», sagte Fahlen. «Komm zur Sache.»

«Das Kondom lag in Mergentheims Klo. Die Rechtsmediziner sind skeptisch, ob sie DNA der Frau finden.»

«Was für eine Scheiße», sagte Neumann.

Drei knisternde Sekunden lang herrschte Stille.

«Und selbst wenn», versuchte es Fahlen. «Er kann Sex gehabt und sich anschließend umgebracht haben. Wir müssen die Selbstmordgeschichte nicht umschreiben.»

«Hören Sie doch auf, Fahlen», widersprach Neumann. «Heute sagen wir, es war Selbstmord und er war allein – und morgen rennt die Frau zu einem Boulevard-Magazin und erzählt eine andere Story. Dann können wir alle einpacken. Nein, wir müssen die Frau finden, daran geht kein Weg vorbei.»

«Leute.» Oberstaatsanwalt Willenhagen stand auf. «Ich sage euch, was wir machen: Wir gehen da jetzt raus und verkünden, dass Mergentheim sehr wahrscheinlich Selbstmord begangen hat, die Ermittlungen aber noch weiterlaufen. Damit sind wir auf der sicheren Seite, egal was passiert. Die MK hat nur noch einen Auftrag: Cherchez la femme. Suchen Sie die Frau – für die Nichtfranzosen unter Ihnen.»

IIIII

Bastian betrat die K-Wache und ging zu dem Schreibtisch, an dem er normalerweise arbeitete. Udo Deilbach hatte längst Feierabend, die Kollegen von der Nachtschicht machten es sich auf den Sesseln gemütlich und warteten auf den ersten Einsatz. Richtig rund ging es meist erst nach Mitternacht, wenn Alkohol und Drogen ihre Wirkungen entfalteten.

Kriminalrat Biesinger hatte nach dem Abgang von Willenhagen und Neumann entschieden, die MK auf zehn Ermittler zu verkleinern. Da es ausschließlich um das Aufspüren einer Zeugin ginge, sei ein größerer Aufwand nicht zu rechtfertigen. Ein paar bange Minuten lang hatte Bastian befürchtet, seine Zeit bei den Mordermittlern sei damit schon wieder beendet und die erhoffte Versetzung zum KK 11 in weite Ferne gerückt, doch dann hatte sich Brunkbäumer für ihn eingesetzt und Fahlen empfohlen, den Mann von der K-Wache weiter mitmachen zu lassen, schließlich habe der die Suche nach der unbekannten Frau ins Rollen gebracht. Eine späte, wenn auch nicht zu späte Anerkennung seiner Leistung, wie Bastian fand.

Eigentlich sollte er nach Hause gehen. Er war seit über zwölf Stunden im Dienst und hundemüde. Und gleichzeitig total aufgekratzt. Die Vorstellung, in seiner aufgeheizten Dachgeschosswohnung, die er nach der Trennung von Lisa gemietet hatte, auf der Couch zu liegen und mit einem Bier in der Hand auf den Fernseher zu starren, reizte ihn ganz und gar nicht. Überhaupt ging ihm seit einiger Zeit das Alleinsein auf die Nerven. Doch mit wem konnte er sich verabreden? Der Einzige, der ihm spontan einfiel, war Udo Deilbach. Der würde sich allerdings nur widerwillig von der Terrasse seines Reihenhauses in Gievenbeck locken lassen. Und besonders unterhaltsam würde der Abend auch nicht werden.

Bastian zog die Visitenkarte von Yasi Ana aus der Hemdtasche, die ihm die Rechtsmedizinerin bei seinem zweiten Besuch gegeben hatte. Er dürfe sie jederzeit anrufen, hatte sie gesagt. Eine Höflichkeitsfloskel, was sonst. Es war absurd, überhaupt daran zu denken. Sie hatte Medizin studiert und einen Doktortitel, stand bildungsmäßig zwei Klassen über einem einfachen Oberkommissar, warum sollte sie sich für ihn interessieren? Erst ab fünfzig begannen Frauen, jüngere und weniger gebildete Männer in Betracht zu ziehen. Davon war Yasi Ana noch rund zwei Jahrzehnte entfernt.

Trotzdem, anrufen konnte er sie, so tun, als habe er eine dienstliche Frage. Falls sie sich überhaupt noch in der Rechtsmedizin aufhielt und nicht längst nach Hause gegangen war.

Nach dem dritten Klingeln hätte er beinahe schon aufgelegt. «Yasi Ana.»

Er sagte seinen Namen.

Sie lachte. «Ach, der Kommissar! Na, so schnell sind wir auch nicht, da müssen Sie sich schon bis morgen gedulden. Oder geht es gar nicht um das Kondom?»

«Doch … Nein, äh … also, ich …»

«Vielleicht möchten Sie mich ja fragen, ob ich mit Ihnen irgendwohin gehe, wo es etwas Kühles zu trinken gibt?»

Machte sie sich über ihn lustig?

«Und wenn es so wäre?»

«Würde ich nicht nein sagen. Sie kennen sich in Münster besser aus als ich. Was schlagen Sie vor?»

Wo konnte man am besten draußen sitzen? «Den Kreativkai am Hafen?»

«Gut. In einer Stunde.»

Nachdem sie den genauen Treffpunkt vereinbart hatten, legte Bastian auf.

Nie im Leben hätte er heute Morgen um fünf, als sein Wecker klingelte, daran gedacht, dass der Tag eine solche Wendung nehmen würde.

|||||

Im olivfarbenen Wasser des Hafenbeckens spiegelte sich der alte Kran, der längst nicht mehr in Betrieb war, sondern als Kulisse für die Kneipenszene auf der anderen Uferseite diente. Ein paar Yachten spielten Marina, Skipper mit Goldkettchen und vollbusigen Begleiterinnen nahmen huldvoll die Prozession der Schaulustigen ab, während sie aus langstieligen Gläsern Champagner tranken. Schon vor mehr als zehn Jahren hatte sich die Industrie aus dem Hafen zurückgezogen, die verbliebenen Reste der alten Kultur warteten auf ihren Abriss oder die Verlegung an den Stadtrand. An die Stelle der Hafenbetriebe waren Investoren getreten, die Neubauten errichteten und ehemalige Silos in Ateliers oder Büroräume verwandelten. Und unterhalb der Büros, in denen Werbemenschen, Architekten und Verlagsangestellte arbeiteten, reihten sich Restaurants, Cafés und Clubs wie Perlen auf einer Kette. An warmen Sommerabenden war es trotzdem nicht einfach, einen freien Platz auf einer der Holzterrassen zu ergattern.

Yasi Ana hatte es geschafft. Bastian entdeckte sie sofort. Aus der Menge der blonden, langhaarigen Frauen in dezentem Chic, die Münster und vor allem die Hafenszene bevölkerten, stach sie heraus wie ein grüner Papagei aus einem Schwarm Krähen. Sie trug eine schwarze Dreiviertelhose, eine bunt gemusterte Bluse und einen Strohhut. Ein bisschen sah sie aus wie eine Reisbäuerin, die kurz ihren Tragekorb abgestellt hatte. Sie winkte ihm zu, und er winkte zurück.

«Ich habe mir schon etwas bestellt.» Sie zeigte auf ein Cocktailglas, in dem geschichtete Flüssigkeiten einen Regenbogen bildeten. «Ein durstiger Bauch hat keine Ohren.»

Bastian beschloss, vorerst nüchtern zu bleiben, und orderte ein alkoholfreies Weizenbier. Dann erzählte er von der Sitzung im Polizeipräsidium und der Wirkung, die das Kondom erzielt hatte. Denn im Grunde genommen war es ja nicht sein, sondern Yasi Anas Verdienst, dass die Ermittlungen in eine neue Richtung liefen.

Nachdem die Arbeit abgehakt war, fragte Bastian, wieso es Yasi Ana nach Münster verschlagen habe. Und sie begann zu erzählen. Von ihrer Kindheit in Südchina, wo sie mit ihrer Mutter und ihren Verwandten auf einem großen Bauernhof gelebt habe und wie alle anderen bei der Feld- und Hausarbeit mitmachen musste. Dass man in der Dorfschule ihre überdurchschnittliche Begabung entdeckt habe und sie dank eines staatlichen Förderprogramms zuerst in die nächstgrößere Stadt und dann nach Peking gekommen sei, wo sie an der Universität der nationalen Minderheiten studiert und einen deutschen Professor näher kennengelernt habe, der ihr zur Ausreise nach Deutschland und zum Abschluss ihres Medizinstudiums in Hamburg verhalf. «In Münster bin ich schließlich zufällig gelandet, weil hier eine Stelle in der Rechtsmedizin frei wurde.»

«Dafür, dass Sie erst wenige Jahre in Deutschland sind, sprechen Sie sehr gut Deutsch.»

«Oh, ich habe schon in Peking Deutsch gelernt. Ich lerne sehr schnell, und auch in China werden viele Sprachen gesprochen.»

Bastian hatte nur eine vage Vorstellung von China und eine noch vagere von Südchina. Offenbar gab es da Völker, die nicht so aussahen wie die Chinesen, die er von Zeitungs- und Fernsehbildern kannte.

Yasi Ana lachte, als er ihr sein Unwissen eingestand. «Ursprünglich stammen die Mosuo aus Tibet. Seit dem dreizehnten Jahrhundert, als die mongolischen Eroberungen die Völker Chinas durcheinanderwirbelten, ist ihre Existenz verbürgt. Kublai Khan ließ damals seine Reiter am Ufer des Lugu-Sees rasten, und bestimmt fließt auch etwas mongolisches Blut in unseren Adern.»

Yasi Ana sog an dem Strohhalm in ihrem Cocktailglas. «Aber reden wir nicht nur von mir. Was ist mit Ihnen?»

«Mein Leben ist bei weitem nicht so spannend wie Ihres. Ich bin in einem kleinen Dorf im Münsterland geboren.»

«Jedes Leben ist spannend.» Die Chinesin griff nach Bastians Hand und drückte sie. «Wir sollten uns duzen, findest du nicht?»

«Gerne.» Vielleicht sollte ihn jemand kneifen, damit er sicher sein konnte, nicht zu träumen. «Ich heiße Bastian.»

«Yasi.» Sie kicherte und hob ihr Glas. «Ihr Deutschen seid manchmal sehr kompliziert.»

«Wie meinst du das?»

«Ihr schleicht herum wie Katzen um die heiße Milch.»

Fragend sah Bastian sie an. Meinte sie den sprichwörtlichen heißen Brei?

«Wenn ihr jemanden toll findet», fuhr sie fort, «versucht ihr, es zu verbergen. Ihr hofft auf Zufälle und Gelegenheiten, und selbst dann seid ihr spröde wie Reispapier.»

Bastian schluckte. «Und du denkst, ich steh auf dich?»

«Ja. So wie du mich angeschaut hast – im Sektionssaal.»

«Du bist eine schöne Frau. Ich war …», Bastian fiel kein besseres Wort ein, «… fasziniert.»

«Na klar.» Yasi lachte. «Die Frau, mit der du gekommen bist, ist auch schön.»

«Susanne?»

«Und sie mag dich.»

«Das hast du gleich gemerkt?»

«Ich bin eine Frau.» Yasi nahm den Strohhut ab und fächelte sich Luft zu. «Ich habe Fühler für solche Schwingungen.»

«Susanne ist eine Kollegin. Das ist etwas anderes.»

«Findest du? Bin ich nicht auch eine Art Kollegin?»

War das echt? Machte sich die Frau Dr. Rechtsmedizinerin über ihn lustig? War er zu blöd, den Hintersinn zu bemerken, die versteckte Absicht, ihn hereinzulegen? Oder machte ihn Yasi gerade ganz direkt an? Und warum, verdammt noch mal, sollte er nicht darauf eingehen?

«Nein», sagte Bastian. «Du bist keine Kollegin. Du bist eine Erscheinung aus einer anderen Welt.»

Yasi kicherte. «Erscheinungen schwitzen nicht, wenn es warm ist.»

Vielleicht war sie ja wirklich eine Frau aus Fleisch und Blut.

Drei

Professor Weigold konnte sich nicht auf die Doktorarbeit konzentrieren, die er begutachten sollte. Im Minutenrhythmus blickte er aus dem Fenster seines privaten Arbeitszimmers. Jenseits der staubtrockenen Maisfelder schlängelte sich die Landstraße am Fuß der Baumberge entlang, weiter hinten war der Zwiebelturm von St. Martinus in Nottuln zu sehen. Weigold hielt Ausschau nach einem Auto, das am Straßenrand geparkt war. Er hatte den Wagen in den letzten Tagen häufiger in der Nähe seines Hauses gesehen. Einmal war er daran vorbeigefahren. Auf den Vordersitzen saßen zwei junge Männer, die ihn demonstrativ ignorierten. Einen der beiden, einen Langhaarigen mit fettigen schwarzen Haaren, glaubte er wiedererkannt zu haben, der lungerte nämlich seit kurzem immer dann vor dem Pharmakologischen Institut in Münster herum, wenn er sein Büro verließ. Auch heute hatte der Typ wieder auf dem Parkplatz auf ihn gewartet.

Weigold nahm das Fernglas vom Schreibtisch und suchte die Halteplätze unter den Bäumen ab. Das kleine Taschenfernglas, das ihm seine Frau zu Weihnachten geschenkt hatte, war inzwischen sein ständiger Begleiter. Anfangs hatte er sich noch eingeredet, dass die Burschen es nicht unbedingt auf ihn abgesehen haben mussten, doch mittlerweile gestand er sich ein, dass so viele Zufälle mit jeder Wahrscheinlichkeitsrechnung kollidierten.

Vollends in Panik geraten war er allerdings erst heute, als er vom Tod Mergentheims hörte. Die Polizei gehe von einem Selbstmord aus, setze die Ermittlungen jedoch fort, hieß es. Allein die Formulierung bot jede Menge Interpretationsspielraum. Und Mergentheim war kein Mensch, der Selbstmord beging. Es war zwar schon einige Zeit her, dass Weigold den Bankier getroffen hatte, doch er konnte sich nicht vorstellen, dass dessen kraftstrotzende, lebenslustige Art sich inzwischen in ihr Gegenteil verkehrt hatte. Nein, an Mergentheims Tod war etwas faul.

Der Professor stand auf und ging in die Küche, wo seine Frau Karin die Reste des Abendessens beseitigte. «Ich gehe noch mal mit dem Hund raus.»

«Du warst doch eben erst.»

«Dann gehe ich eben ein zweites Mal», sagte er barscher, als er beabsichtigt hatte. «Max freut sich.»

Wie zur Bestätigung sprang der Foxterrier aus seinem Körbchen und wedelte mit dem Schwanz, als er das Geräusch der Hundeleine hörte.

Karin guckte besorgt. «Was ist los?»

«Nichts. Gar nichts. Ich bin ein bisschen nervös. Stress. In der Uni. Das Übliche.» Er klinkte die Leine in das Hundehalsband und ließ sich von Max zur Haustür ziehen, bevor Karin weitere Fragen stellen konnte.

Von dem Haus am Rand der Baumberge, das sie seit zehn Jahren bewohnten, waren es nur wenige hundert Meter bis zum Wald. Als er den Fußweg erreichte, der über den Höhenrücken der Hügelkette verlief, ließ Weigold den Hund von der Leine. Max raste los, einem echten oder eingebildeten Kaninchen hinterher. Menschen waren weit und breit nicht zu sehen. Der Professor folgte dem Foxterrier in gemächlichem Tempo. Er versuchte, sich zu entspannen, das Gefühl der Beklemmung in der Brust durch regelmäßiges, tiefes Atmen abzubauen. Karin merkte, dass mit ihm etwas nicht stimmte, aber was sollte er ihr sagen? Vielleicht hatte es ja gar nichts mit der alten Geschichte zu tun, vielleicht spielten die beiden jungen Männer, die ihn beobachteten, einfach nur ein Spiel mit ihm. Mobbing war doch heutzutage in Mode, das Internet quoll über davon. Allerdings versteckten sich diejenigen, die in öffentlichen Foren über ihre Lehrer, Professoren oder Arbeitgeber herzogen, zumeist hinter Phantasienamen. Die beiden Burschen gingen einen Schritt weiter. Das musste jedoch nicht bedeuten, dass sie ihm ernsthaft schaden wollten, möglicherweise sahen sie es schon als Erfolg an, ihn verunsichert zu haben. Wahrscheinlich hatten die Typen bei ihm studiert, und er hatte sie ungerecht behandelt. So etwas kam vor. Wie sollte er sich an all die tausend Studenten erinnern, die bei ihm eine Vorlesung oder ein Seminar besucht hatten? Und falls es so war, falls sich das Ganze als kleinlicher Racheakt entpuppte, würde der Spuk hoffentlich bald ein Ende finden.

Der Gedanke beruhigte ihn. Er erschien ihm so logisch, dass er sich wunderte, warum er nicht früher darauf gekommen war. Und er gab ihm den Mut, den einzigen Menschen anzurufen, mit dem er offen über Mergentheims Tod reden konnte, jetzt, wo ihm die Angst nicht mehr aus allen Poren kroch.

Weigold aktivierte sein Handy und wählte die Nummer seines Freundes. Zumindest sah er Ulrich Vogtländer noch als Freund an. Ob der das umgekehrt auch so empfand, wusste er nicht. Seitdem Vogtländer auf Spitzbergen lebte, hatte er nach und nach alle Brücken zur Vergangenheit gekappt. Mittlerweile war ihr letztes Telefonat über ein Jahr her.

Unter das Tuten mischte sich ein Rauschen und Pfeifen, als ginge das Signal nicht ins nördlichste Europa, sondern gleich zur internationalen Raumstation.

«Christian!», schrie Vogtländer. «Das ist ja eine Überraschung.» Weigold hörte Gläserklirren und Stimmen, die sich mit knurrigen Kehllauten etwas zuriefen. «Wo bist du?»

«In Barentsburg. Einen russischen Forscherkollegen besuchen.»

Weigold wusste, dass Barentsburg eine alte russische Bergbausiedlung war. Die Russen hatten den unrentablen Außenposten auf Spitzbergen nicht geräumt, weil sie sich dadurch Schürfrechte sicherten – und vor allem Präsenz demonstrierten.

«Du glaubst nicht, wie es hier aussieht», sagte Vogtländer. «Du denkst, du bist in der Sowjetunion gelandet. Überall Schrott und Zerfall. Sozialistische Parolen und Malereien an den Häusern, in denen keine Menschen mehr leben, sondern Möwen. Und Löcher in den Straßen, in denen kann man ganze Kleinwagen versenken.» Vogtländer lachte. Ein Lachen, das in ein Husten überging. «Dagegen hilft nur Wodka. Viel Wodka.» Vogtländer sagte etwas auf Russisch.

«Ulrich, ich muss mit dir reden.»

«Klingt so, als wolltest du eine Beziehung beenden. Warte mal, ich gehe raus, draußen ist es ruhiger.»

Weigold hörte, wie die Stimmen leiser wurden, eine knarrende Tür, dann ein Rauschen, das wohl von einem heftigen Wind verursacht wurde.

«Ein phantastisches Wetter heute. Arktischer Bilderbuchsommer. Vierundzwanzig Stunden Sonne und sieben Grad plus. Heißer wird's hier nie.» Vogtländer hustete erneut.

«Bist du krank?»

«Nein. Nur eine kleine Erkältung. Erzähl! Um was geht es?»

«Ich glaube, ich werde verfolgt.»

«Glaubst du, oder wirst du? Im ersten Fall würde ich zum Arzt gehen, im zweiten zur Polizei.»

Weigold erzählte von den zwei Männern, die ihn ständig beobachteten. «Und Mergentheim von der Münsterländischen Privatbank van Waalen ist tot. Angeblich Selbstmord.»

«Was regst du dich auf? Ein Banker weniger, der das Wirtschaftssystem ruinieren kann.»

«Mergentheim war nicht der Typ für Selbstmord.»

«Irgendwann müssen wir alle abtreten, Christian. Manche bevorzugen die freiwillige Variante.»

«Dein Humor in Ehren …» Weigold wurde langsam wütend. «Du bist da oben weit ab vom Schuss. Dir kann das alles egal sein.»

«Richtig», sagte Vogtländer unbeeindruckt. «Das überlegt sich jeder Mörder zweimal, ob er die lange Reise nach Longyearbyen auf sich nehmen soll, um mich zu erledigen. Außerdem profitiere ich nicht von der alten Geschichte. Im Gegensatz zu dir.»

Das stimmte natürlich, Vogtländer hatte sich nie die weiße Weste schmutzig gemacht, dafür war er allerdings auch leer ausgegangen. Weigolds Vermögen war dagegen allein im letzten Jahr um mehr als fünfhunderttausend Euro gewachsen, neben dem schmucken Ferienhaus in Südfrankreich verfügte er rechnerisch über etliche Millionen.

«Was soll ich machen?», fragte Weigold versöhnlich. «Gib mir einen ehrlichen Tipp.»

«Nichts.»

«Wie nichts?»

«Mach einfach gar nichts, dann erledigt sich die Sache von selbst. Schlimmstenfalls haben es die Typen auf dein Bargeld abgesehen. Falls das so ist, spiel nicht den Helden, Geld hast du ja genug.»

«Und das mit Mergentheim?»

«War ein gottverdammter Zufall, nichts weiter.»

«Danke», sagte Weigold unschlüssig. «Wir sollten öfter telefonieren, findest du nicht?»

«Klar. Du weißt ja, wie du mich erreichst. Nur in der Samenbank gibt's keinen Empfang. Aus Strahlenschutzgründen.»

Weigold beendete das Gespräch. Er war sich nicht sicher, ob Vogtländer sich über ihn lustig gemacht hatte. Der Biologe war schon immer ein Zyniker gewesen, die Arktis schien diese Eigenheit noch zu verschärfen. Andererseits arbeitete Vogtländer für die globale Samenbank – im Dienste der Menschheit sozusagen. Auf Spitzbergen wurden Samen von Pflanzen aus allen Ländern eingelagert, als Reserve für den Fall, dass die Pflanze in der Natur ausstarb. So gesehen war es dann doch wieder ein Zynikerprojekt: eine Arche Noah der Pflanzen, notwendig geworden durch die Unvernunft der Menschheit, die ihre eigene Existenzgrundlage vernichtete.

Während er über Vogtländer nachdachte, hatte Weigold die Gegenwart vergessen. Erst jetzt fiel ihm auf, dass er Max schon längere Zeit nicht mehr gesehen hatte. Er rief nach dem Hund. Normalerweise entfernte sich Max nie außer Rufweite und antwortete sofort mit einem Bellen. Heute nicht. Die Angst kehrte zurück, als hätte er von einem Boxer mit Tarnkappe einen Schlag in die Magengrube bekommen.

«Max!», rief er erneut, noch lauter als vorher. Keine Antwort.

Weigold lief in die Richtung, in die der Hund entschwunden war, verfing sich im Unterholz, stolperte. Da, ein Bellen. Ein braunweißer Wollknäuel jagte ihm entgegen.

Max guckte so schuldbewusst, als sei ihm klar, dass sich sein Herrchen Sorgen um ihn gemacht hatte. Doch Weigold brachte es nicht übers Herz, das Tier zu bestrafen.

«Komm her, Max», sagte er fast zärtlich. «Komm her, wir gehen schnell nach Hause.»

Vier

Bastian stand in dem brennenden Haus. Er sah die Frau und den Jungen. Für beide reichte seine Kraft nicht, er würde sich entscheiden müssen. Die Frau oder den Jungen. Er blickte sich um, der Qualm kratzte in seinem Hals. Es gab nur noch einen Weg, der aus dem Haus führte: einen tunnelartigen Gang, der an einem Fenster endete. Auf allen anderen Seiten loderten Flammen. Er musste sich bald entscheiden, sonst war es zu spät. Die Frau trug ein Kopftuch und ein blaues Kleid, der Junge Jeans und T-Shirt. Beide waren bewusstlos und lagen auf niedrigen Holzbänken. Die Frau oder den Jungen? Warum konnte er sich nicht entscheiden? Seine Füße waren wie festgenagelt, er spürte die Hitze im Gesicht. Mühsam hob er den rechten Fuß, machte einen Schritt auf den Jungen zu. Er hatte sich entschieden, endlich. Plötzlich kippte die Bank mit dem Jungen nach hinten und verschwand im Fußboden. Der Junge war weg. Bastian wandte sich um. Dann eben die Frau. Er keuchte vor Anstrengung. Auf einmal öffnete sie ihre Augen und schaute ihn vorwurfsvoll an. Er brachte es nicht fertig, sie hochzuheben, er schaffte es einfach nicht. Die Bank mit der Frau kippte ebenfalls und verschwand im Fußboden. Wie das Bühnenbild eines Theaters. Bastian spürte den Kloß im Hals. Er hatte versagt. Jetzt blieb ihm nur noch, sich selbst zu retten. Das Fenster am Ende des Gangs war fast vollständig von Flammen umschlossen. Er musste losrennen, sofort. Und er rannte. Aber er kam dem Fenster keinen Schritt näher. Es fühlte sich an wie ein Hundertmetersprint im Treibsandbecken.

Bastian wachte auf und schnappte nach Luft. Schweiß lief ihm über das Gesicht und die nackte Brust, nach ein paar Sekunden normalisierte sich die Herzfrequenz. Er kannte den Traum, früher hatte er ihn jede Nacht geträumt, inzwischen nur noch drei- oder viermal in der Woche. Manches variierte, die Inneneinrichtung des Hauses, seine Fähigkeit, sich zu bewegen, die Zeit, die er brauchte, um sich zu entscheiden. Aber die Frau und der Junge blieben gleich.

Bastian richtete sich auf, draußen war es schon hell und das Bett neben ihm leer. Hatte er verschlafen? Er suchte nach seinem Handy und fand es in der Hose, die er auf dem bunt gemusterten Teppich vor dem Bett verloren hatte. Yasi liebte offenbar Farben, ihre Wohnung war eine einzige Farbenexplosion. Bastian schaute auf das Display. Kurz nach sieben. Zeit genug, um zu duschen und einen Kaffee zu trinken.

Während er die Boxershorts anzog, dachte er an die letzte Nacht. Die beste seit undenklichen Zeiten, vielleicht seine beste überhaupt. Yasi war unglaublich. Wie konnte es sein, dass so eine Frau keinen Freund oder Ehemann hatte? Sie war schön, sie war intelligent, sie war humorvoll, und vor allem war sie entschlossen, sich das zu nehmen, worauf sie Lust hatte. Und gestern Abend hatte sie Lust auf ihn gehabt. Definitiv. Bastian hätte niemals den Mut aufgebracht, schon nach dem ersten Glas vorzuschlagen, gemeinsam ins Bett zu gehen. Aber bei Yasi hatte es wie eine logische Konsequenz geklungen. Warum Zeit vergeuden und bis zum zweiten oder dritten Date warten, wenn beide wussten, dass es darauf hinauslaufen würde?

Sie waren zu ihr gefahren, ins Erphoviertel. Yasis Wohnung

unterschied sich in der Größe kaum von seiner eigenen, allerdings kam es ihm so vor, als hätten sie irgendwo zwischen Hafen und Erphoviertel den Äquator überquert. Bastmatten, bunte Tücher, Buddha-Statuen, überall Kerzen und Blumen und der Geruch von Räucherstäbchen. Ein Tempel oder eine Lasterhöhle oder das Wunschbild einer anderen Welt. Falls es in Yasis Heimat so aussah, würde er dort gerne eine Weile verbringen.

Etwas wahrgenommen von der Einrichtung hatte Bastian jedoch erst, als sie später wieder aufstanden, um eine Kleinigkeit zu essen. Gleich nachdem sie die Wohnung betreten hatten, waren sie übereinander hergefallen, hatten sich die Kleider vom Leib gerissen und waren stolpernd und lachend in dem großen Bett mit Baldachin gelandet. In das Bett kehrten sie nach dem Zwischenstopp in der Küche wieder zurück, kein bisschen müder als vorher.

Bastian hörte Geklapper aus der Küche. Yasi trug Jeans und eine schlichte Bluse, ihre Arbeitskleidung, vermutlich.

«Hi!»

«Guten Morgen.» Sie stellte den Teller auf den Tisch, kam zu ihm und gab ihm einen flüchtigen Kuss auf den Mund. «Wie geht's dir?»

«Gut. Sehr gut. Darf ich duschen?»

«Nein.»

«Was?»

«Ich möchte, dass du gehst.»

«Sofort? Bist du in Eile?»

«Nein. Ich will nicht, dass du zum Frühstück bleibst.»

«Ach. Und warum nicht?» Er fand selbst, dass er wie ein beleidigter Junge klang, den die große Schwester nicht zum Spielplatz mitnehmen will.

«Sieh mal, Bastian, eine Liebesnacht ist das eine, ein Frühstück danach hat etwas viel Intimeres. Noch dazu im Haus der Frau. Du könntest auf die Idee kommen, dass wir eine Beziehung haben, dass wir verpflichtet sind, darüber zu reden, wo und wie und mit wem wir die Abende und Nächte verbringen.»

Er begriff immer noch nicht, was da gerade ablief. «Entschuldige, habe ich irgendwas verkehrt gemacht? Habe ich etwas gesagt oder getan, das dir nicht gefallen hat?»

«Nein, hast du nicht.» Sie strich mit dem Handrücken über seine Wange. «Es war schön mit dir, eine tolle Nacht. Und vielleicht wiederholen wir sie irgendwann. Wenn ich Lust dazu habe. Und du auch.»

«Schön. Vielleicht erklärst du mir dann ja, was mit dir los ist.» Bastian drehte sich um, marschierte in seinen Boxershorts ins Schlafzimmer zurück, zog sich hastig an und verließ die Wohnung ohne ein Wort des Abschieds. Das Knallen der Tür dröhnte ihm noch in den Ohren, als er auf der Straße stand. So nackt und gedemütigt wie in diesem Moment hatte er sich zuletzt gefühlt, als er von seinem Erdkundelehrer beim Onanieren auf der Schultoilette erwischt worden war. Was sollte das? War Yasi eine Nymphomanin, die für jeden abgeschleppten Kerl eine Kerbe in ihr Teakholzbett ritzte? *Vielleicht wiederholen wir das Ganze. Wenn ich Lust dazu habe.* Na toll. *Rufen Sie nicht uns an, wir rufen Sie an.* Wäre ja auch zu schön gewesen, wenn eine solche Nacht keinen Haken gehabt hätte.

Er schloss sein Fahrrad auf und fuhr nach Hause. Wenn er sich beeilte, schaffte er es, zu duschen und zu frühstücken, bevor Susanne aufkreuzte, um ihn abzuholen. Mit viel Glück würde er bis dahin seine Fassung zurückgewonnen haben und sich nichts anmerken lassen.

IIIII

Susanne war schon da. Eine halbe Stunde zu früh. Saß in ihrem Wagen, der halb auf dem Bürgersteig parkte, und spielte mit ihrem Handy. Eine Sekunde später klingelte Bastians Gerät in der Jackentasche.

Er stellte das Fahrrad vor dem Haus ab und ging zu Susanne, die inzwischen ausgestiegen war. «Ich musste schnell noch was erledigen.»

Sie musterte ihn skeptisch. Wahrscheinlich fiel ihr auf, dass er dieselben Sachen wie am Vortag trug und sich nicht rasiert hatte. Frauen hatten einen Blick für so was.

«Wie heißt sie denn? Kenne ich sie?»

«Susanne!»

«Okay. Ich dachte, du bietest mir einen Kaffee an.»

«Lass uns unterwegs einen besorgen, ja?» Bastian ging zur Beifahrerseite und warf sich demonstrativ auf den Sitz. Das, was er jetzt am wenigsten brauchte, war eine Beichte. Zumal ohne Beichtgeheimnis. Die Nachricht, dass er die neue Rechtsmedizinerin gevögelt hatte, würde im Präsidium so schnell die Runde machen, dass sie am Abend schon am Schwarzen Brett hing. Unter der Rubrik *Wussten Sie schon?*.

Die ersten Minuten fuhren sie schweigend. Susanne guckte starr auf die Straße, als wäre zwischen Fahrer- und Beifahrersitz eine unsichtbare Scheibe hochgegangen. Als auf der rechten Seite eine Tankstelle auftauchte, sagte Bastian: «Halt mal an, ich hole uns zwei Kaffee.»

Bastian dachte sogar daran, dass Susanne ihren ohne Milch und Zucker trank. Das taute die Stimmung im Wagen ein wenig auf, wenngleich bis Nordwalde kein Frühling ausbrach. Bastian war froh, als sie endlich den kleinen Ort nördlich von Altenberge erreichten.

Mergentheims Putzfrau, die ihnen bei der Arbeitsaufteilung am Vortag zwecks einer erneuten Befragung zugeteilt worden war, wohnte in einem kleinen Klinkerbau an einer vielbefahrenen Straße.

Die Putzfrau stammte aus Polen, lebte aber schon so lange im Münsterland, dass sie sich nur noch gelegentlich in deutschen Satzkonstruktionen verhedderte. Die Polizisten fragten, ob ihr in letzter Zeit mal eine Frau in Mergentheims Haus begegnet sei.

«Nein. Begegnet nicht.»

Bastian schaute die Frau auffordernd an. Da kam doch noch was.

«Aber …»

«Ja?»

«Ich glaube, dass eine Frau war da. Oder mehrere. Verschiedene, meine ich.»

«Wie kommen Sie denn darauf?»

«Weil da so ein Geruch nach Frau war im Haus, vor allem im Schlafzimmer von Herrn Mergentheim. Sie wissen schon, Körpergeruch und Parfüm. So ein Parfüm, das Herr Mergentheim nicht benutzt. Süßlicher.»

«Wie oft haben Sie diese Gerüche bemerkt?», fragte Susanne.

«Oh, nicht oft. Vielleicht einmal im Monat.»

«Und Sie denken, dass es sich um unterschiedliche Frauen handelte?»

«Ja, das denke ich. Nur so ein Gefühl.»

«Und warum haben Sie davon bei Ihrer ersten Befragung nichts erwähnt?», hakte Bastian nach.

«Weil Ihr Kollege mich nicht danach gefragt hat.»

Das kaufte ihr Bastian ohne weiteres ab. Udo Deilbach war

nicht dafür bekannt, dass er andere als die naheliegendsten Fragen stellte.

«Gut», sagte Susanne. «Kommen wir zum gestrigen Morgen, als Sie Herrn Mergentheim tot aufgefunden haben. Haben Sie da etwas bemerkt? Einen Geruch oder etwas anderes?»

Die Frau knetete ihre Hände. «Nein. Aber ich konnte auch nicht. Ich hatte gleich Alarm.»

Bastian kam das seltsam vor. «Wieso denn? Als Sie die Haustür aufschlossen, wussten Sie doch nicht, dass Mergentheim tot war. Oder sind Sie vorher ums Haus herumgegangen und haben durchs Wohnzimmerfenster geschaut?»

«Nein.» Die etwa fünfzigjährige Frau nahm ihre Brille ab und wischte sich über die Augen. Bastian wollte etwas sagen, doch Susanne stoppte ihn mit einem minimalistischen Kopfschütteln.

«Sie verstehen nicht. Wenn man so lange bei jemandem arbeitet, kennt man seine Gewohnheiten. Ich wusste gleich, dass Herr Mergentheim noch da war. Sein Autoschlüssel hing am Brett im Flur. Sonst ist er um diese Zeit immer weg, wenn ich komme, im Büro in Münster. Ich bin dann in die Küche und sehe, dass kein Frühstück auf dem Tisch steht. Herr Mergentheim lässt Sachen für mich stehen, damit ich wegräume. Ich denke, Herr Mergentheim ist vielleicht krank, und rufe nach ihm. Aber er antwortet nicht. Ich bin jetzt schon sehr a-larm…»

«Alarmiert», half Bastian.

Die Putzfrau nickte und strich imaginäre Falten aus ihrem Kleid. «Also will ich nach oben, um zu sehen, ob Herr Mergentheim vielleicht im Bett liegt und zu schwach ist für eine Antwort. Die Treppe ist gleich neben dem Wohnzimmer, und die Tür zum Wohnzimmer stand offen. Heilige Maria.» Sie bekreuzigte sich. «Wie ich Herrn Mergentheim da hängen sehe, bin ich gleich nach draußen gerannt und habe die Hundertzehn gewählt.»

«Und Sie haben das Haus vor Eintreffen der Polizisten nicht wieder betreten?», vergewisserte sich Susanne.

«Nein. Nein. Bestimmt nicht.» Allein der Gedanke an den toten Mergentheim verursachte bei der korpulenten Frau ein heftiges Bibbern. «Ich hatte solche Angst.»

|||||

Kurz vor Altenberge standen sie vor der geschlossenen Bahnschranke und warteten auf die Regionalbahn nach Enschede.

«Unterschiedliche Frauen, etwa einmal im Monat. Weißt du, was ich denke?», fragte Susanne.

«Nutten», sagte Bastian. «Obwohl das bei Leuten wie Mergentheim sicher nicht so heißt. Auch die Frauen nennen sich vermutlich anders. Hostess. Callgirl, wie auch immer.»

«Wir haben Mergentheims Privatanschluss und sein Handy gecheckt. Er hat an dem Tag vor seinem Tod nur seinen Sohn, seine Sekretärin und einige Geschäftskunden angerufen.»

«Einer seiner Geschäftskunden könnte nebenbei eine kleine Agentur für spezielle Dienstleistungen betreiben. Oder Mergentheim hat eine E-Mail geschickt, ist auf eine entsprechende Homepage gegangen oder hat eines der Firmentelefone benutzt.»

Die Regionalbahn jagte mit einem schrillen Signalton über die Straße.

«Darum müssen sich die Kollegen kümmern, die die Bank beackern», meinte Susanne.

«Wir könnten Mergentheims Ex einen Besuch abstatten», schlug Bastian vor. «Möglicherweise kennt sie die Vorlieben des Bankers aus ihrer gemeinsamen Zeit.»

Die Schranke ging hoch, der Wagen quälte sich den Hügel hinauf.

«Da müssen wir erst Dirk Fahlen fragen», widersprach die Hauptkommissarin.

«Ach, komm schon, nur eine kurze Nachfrage. Gestern war unsere Enthüllung doch der Knüller.» Er betonte das Wort *unsere*, Susanne sollte sich als Teil ihrer kleinen verschworenen Gemeinschaft fühlen.

«Wenn ich mich recht erinnere, hielt sich die Begeisterung in Grenzen.» Aber ihr Lächeln verriet, dass sie den Widerstand aufgab. «Du bringst mich noch in Teufels Küche.»

‖‖

Die Annette-Allee war eine der nobelsten Adressen Münsters. Gerlinde Mergentheim wohnte in einem luxuriösen Penthouse, das zu einem mehrstöckigen Gebäudekomplex gehörte. Von der einen Seite ihrer Dachterrasse musste sie eine grandiose Sicht auf den Aasee haben, während sie auf der anderen Seite das Geschehen auf dem Zentralfriedhof verfolgen konnte. Bastian schätzte, dass die Wohnungsbesitzerin derzeit die Friedhofsseite favorisierte, sie hatte nicht nur den Namen ihres Exmannes beibehalten, sie trug auch Schwarz und tränenverschmierte Wimperntusche. Bastian und Susanne tauschten einen wissenden Blick aus: Vor ihnen stand eine Möchtegernwitwe, die die Scheidung anscheinend nie verwunden hatte.

Nur widerwillig erhielten die Polizisten Einlass, sie habe doch schon alles gesagt, murmelte Frau Mergentheim und verschwand erst einmal für ein Telefonat im Nebenraum.

«Ich glaube, wir machen einen Fehler», flüsterte Susanne.

Auch Bastian fühlte sich unbehaglich, mochte es aber nicht zugeben. «Ach was. Nur ein paar Fragen, dann sind wir weg.»

Als das Telefonat erledigt war, blieb die Trauernde so wortkarg wie zuvor. Nein, abgesehen von den Affären mit den Sekretärinnen, wisse sie nichts über das Liebesleben ihres Mannes. Und das, was die Dame und der Herr von der Polizei da andeuteten, dass Carl Benedikt professionelle Dienste in Anspruch genommen habe, das sei eine blanke Unverschämtheit.

Nachdem sie ein paar Mal auf ihre Armbanduhr und zur Wohnungstür geschaut hatte, war sich Bastian sicher, dass die Mergentheim jemanden zu ihrer Unterstützung herbestellt hatte. Und tatsächlich dauerte es nicht lange, bis sich die Tür öffnete und ein etwa dreißigjähriger Mann mit hochrotem Kopf und Business-Anzug in die Gesprächsrunde platzte: «Wie kommen Sie dazu, meine Mutter zu überfallen? Falls es noch etwas zu besprechen gibt, melden Sie sich bitte vorher an. Wir werden dann unseren juristischen Beistand hinzuziehen.»

«Schon gut.» Susanne stand auf. «Wir werden Sie nicht länger belästigen.»

Veit Constantin stemmte seine rosigen Fäuste in die Hüften. «Das will ich hoffen.»

Das Macho-Gehabe des Prinzen wirkte lächerlich. Allerdings nur halb so lächerlich wie ihr eigener unrühmlicher Abgang, fand Bastian.

«Was für eine Scheiße», maulte Susanne, als sie aus dem Schattenreich des Hausflurs in die glühend heiße Mittagssonne traten. «Ich hätte mich nicht auf deine blöde Idee einlassen sollen. Das riecht nach Ärger.»

|||||

Der Ärger kam in Gestalt von Dirk Fahlen. Sie hatten gerade ihre Berichte abgeschickt, Bastian nutzte dazu einen verwaisten Schreibtisch im Büro seiner Kollegin, da stürmte der MK-Leiter ohne Vorwarnung herein: «Ratet mal, wen ich gerade am Telefon hatte?»

Susanne verdrehte die Augen: «Ich kann's mir denken.»

«Den Rechtsanwalt der Familie Mergentheim. Und wisst ihr was? Der Mann hat sogar recht. Was hat euch das Gehirn vernebelt, die Frau mit so einem Mist zu behelligen?»

«Es war den Versuch wert», kam Bastian seiner Kollegin zu Hilfe. «Wir hatten Grund zu der Annahme …»

«Ach ja?», unterbrach der MK-Leiter. «Schön, dass ihr eure Annahmen sofort irgendwelchen Zeugen mitteilt. Soll ich dir den Dienstweg aufmalen, Matt? Zuerst informiert ihr mich. Und ich entscheide, was dann passiert.»

Bastian stöhnte innerlich und berichtete, was sie von der Putzfrau erfahren hatten.

Fahlen grinste gönnerhaft. «Das wissen wir längst, wir haben einen Tipp von einem ehemaligen Manager der Bank bekommen. Mergentheim hat nach ein paar Gläsern mal durchblicken lassen, dass er sich ab und zu eine Frau nach Hause bestellt. Ich bin sicher, wir werden die Prostituierte bald haben. Geräuschlos.» Der MK-Leiter ging zur Tür. «Übrigens, Matt: Noch so ein Alleingang und du bist schneller zurück in der K-Wache, als du bis drei zählen kannst.»

Fahlen verschwand grußlos. Und seine Drohung erschien Bastian fast wie eine Verheißung. Verglichen mit dem harschen Ton bei den Mordermittlern, war die K-Wache die reinste Kuschelgruppe.

«Ich bin mal für zwei Stunden weg», sagte Susanne und schnappte ihren Autoschlüssel von der Schreibtischplatte. «Meine Tochter hat einen Termin beim Gynäkologen.»

Bastian erinnerte sich, dass Susanne alleinerziehende Mutter war. «Wie alt ist sie denn?»

«Vierzehn. Und ich sage dir, die Pubertät bei Mädchen ist keine vergnügungssteuerpflichtige Veranstaltung. Lies die Akten, bis ich zurück bin, zur MK-Sitzung müssen wir auf dem aktuellen Stand sein.»

«Keine Angst», erwiderte Bastian. «Ich werde ganz brav sein.»

Kaum hatte Susanne den Raum verlassen, ging Bastian ins Internet. Etwas beschäftigte ihn schon den ganzen Vormittag. Er gab den Begriff *Mosuo* ein und las sich durch das, was ihm die Suchmaschine anbot. Viele Jahrhunderte lang, so erfuhr er, lebten die Mosuo fast völlig abgeschieden von der Außenwelt. Es gab einen Fürsten, der über die Bauern herrschte, doch in den Familien hatten die Frauen das Sagen. Bis in die heutige Zeit. Ob es sich deshalb bei der Mosuo-Kultur um ein Matriarchat handelte, war unter den Verfassern der verschiedenen Texte umstritten. Einig waren sich alle Autoren lediglich darin, dass Nachkommen immer in der Familie ihrer Mutter blieben und eine Frau als Familienoberhaupt anerkannten. Ehen zwischen Männern und Frauen existierten kaum, stattdessen etwas, das als *Besuchsehe* bezeichnet wurde: Männer besuchten ihre Partnerinnen in der Nacht und kehrten dann in ihre eigenen Familien zurück. Nicht mal den Kommunisten, die 1956 die Mosuo von ihrem «Feudaljoch befreien» wollten, war es gelungen, sie zur Aufgabe ihrer alten Sitten und Gebräuche zu bewegen. Nachdem der Spuk der Kulturrevolution vorüber war, kehrten die Mosuo zu ihrem gewohnten Leben zurück.

Bastian ging in den Sitzungsraum des KK 11 und zapfte sich eine Tasse Kaffee aus dem Kaffeespender. Einiges an Yasis Verhalten war ihm jetzt klarer. Anscheinend lebte sie noch immer nach den Vorstellungen ihres Volkes und betrachtete ihn als Besucher, der morgens wieder zu verschwinden hatte. Allerdings war sie schon so lange in Deutschland, dass sie wissen musste, wie deutsche Männer tickten. Wie konnte sie ihn derart vor den Kopf stoßen?

Auf dem Flur wäre Bastian beinahe mit einer älteren Frau zusammengeprallt.

«Ach, Herr Matt», sagte Anna Warmbier. «Wir sehen uns diese Woche noch, nicht wahr?»

«Ja», brachte Bastian heraus. Obwohl sie seit zwei Jahren miteinander redeten, schaffte es die Psychologin immer noch, ihn in Alarmstimmung zu versetzen.

Fünf

Am nächsten Morgen stand Susanne Hagemeister in der Bürotür. «Wir haben sie.»

«Wen?» Bastian hievte sich aus dem Schreibtischstuhl hoch. Er verfluchte sich dafür, dass er am Abend zuvor, nach der frustrierenden MK-Sitzung, ein paar Biere zu viel getrunken hatte. Jetzt bezahlte er die Rechnung mit einem Brummschädel.

«Wen wohl? Die Nutte, die bei Mergentheim war. Liebherr und Strothkamp, die beiden Kollegen vom KK 12, haben sie in einem Studentenwohnheim aufgegabelt und sind auf dem Weg hierher.»

«Sie ist Studentin?»

«Und finanziert ihr Studium mit kleinen Handreichungen und körperlichem Einsatz. BAföG muss man ja dummerweise zurückzahlen.»

Bastian massierte seinen Nacken. «Hast du zufällig eine Kopfschmerztablette?»

«Du siehst blass aus.» Susanne kramte in ihrer Handtasche. «Liebeskummer? Geht's um die Frau, bei der du neulich warst?»

«Susanne! Bitte!»

«Was denn? Wir sind Kollegen. Darf ich mir keine Sorgen machen?»

«Und du bist eine Frau.»

«Schön, dass du das auch mal bemerkst.» Sie warf ihm ein kleines Tütchen zu. «Kannst du ohne Wasser schlucken.»

Bastian seufzte. Yasi Ana war nur zum Teil für seine Kopfschmerzen verantwortlich. Nach der MK-Sitzung, bei der Fahlen es sich nicht hatte nehmen lassen, ihn und Susanne vor versammelter Mannschaft zu kritisieren, war Bastian nicht sofort nach Hause gefahren. Stattdessen hatte er eine Weile überlegt, ob er Yasi anrufen und um eine Aussprache bitten sollte. Doch je länger er darüber nachdachte, desto mutloser wurde er. Nein, er würde einfach abwarten, ob sie sich noch einmal meldete. Falls nicht, wäre er um eine Erfahrung reicher. Wobei er nicht sicher war, welcher Teil des Erlebnisses am Ende die Oberhand behalten würde: der tolle Anfang, der grandiose Mittelabschnitt oder das beschissene Ende.

Auf dem Nachhauseweg fiel ihm ein, dass er eine neue Jeans kaufen könnte. Ein guter Vorwand, um mit dem Fahrrad einen Abstecher in die Innenstadt von Münster zu machen und den Zeitpunkt, an dem er mit sich allein war, noch ein bisschen hinauszuschieben.

Allerdings war das, was sich auf dem Prinzipalmarkt und dem Domplatz abspielte, nicht dazu angetan, seine Stimmung zu heben. In den Straßencafés saßen lauter gutgelaunte Menschen, die das Ende des rekordverdächtig heißen Tages mit dem Stemmen von Biergläsern begingen. Als jemand, dem nicht gerade zum Lachen zumute war, fühlte sich Bastian wie ein Nordkoreaner, den es versehentlich auf das Oktoberfest verschlagen hat.

Dann sah er Lisa.

Sie war schon so nah, dass er nicht wie zufällig auf die andere Straßenseite wechseln konnte. Und sie war nicht allein. Sie zog einen gegelten Typen hinter sich her, der die drei obersten Knöpfe seines Hemdes geöffnet hatte, damit das Goldkettchen auf dem

Brustpelz besser zur Geltung kam. Und: In dem Bauch, den Lisa stolz vor sich hertrug, wartete ein neues Wesen darauf, das Licht der Welt zu erblicken.

Bastian war so geschockt von dem Anblick, dass er es nicht einmal schaffte, Lisas roboterhaftes Lächeln zu erwidern.

«Hallo, Bastian. Wie geht's dir?»

Jedes Mal, wenn sie darüber geredet hatten, war Lisa gegen ein Kind gewesen. *Zumindest vorläufig. Zuerst kommen die Karriere und die finanzielle Absicherung. In ein paar Jahren sieht es vielleicht anders aus.* Und kaum lernte sie diesen behaarten Affen kennen, ließ sie sich von ihm schwängern.

«Gut. Mir geht's gut.» Dass er immer noch von Albträumen geplagt wurde und alle zwei Wochen zur Polizeipsychologin ging, wollte Lisa sicher nicht wissen.

«Schön.» Lisa strich über ihren Bauch. «Wie du bemerkt hast, sind wir bald zu dritt.»

«Das ist ja … phantastisch. Äh, herzlichen Glückwunsch!», stammelte Bastian. «Du, ich muss …» Er eilte davon. Noch eine Minute länger und er hätte der werdenden Mutter vor die Füße gekotzt. Oder, besser noch, dem mutmaßlichen Vater in die Eier getreten. Zum Glück hatte der Kerl nicht ein einziges Mal den Mund aufgemacht. Sonst hätte Bastian womöglich noch eine schweißfeuchte Hand schütteln und erfahren müssen, dass der Goldkettenträger einen menschlichen Vornamen besaß.

Den Einkauf verschob er auf eine andere Gelegenheit, was er jetzt brauchte, war eine Höhle, in der man den blauen Himmel und die Leichtigkeit des Lebens für ein bloßes Gerücht hielt. Nur ein paar Schritte vom Erbdrostenhof entfernt, betrat Bastian eine schummrige Kneipe. Ganz am Ende der Theke standen die Menschen mit den grauen Gesichtern und schütteren Haaren, deren Hände zitterten, bis der Thekenmann das nächste volle Glas vor ihnen abstellte. Bastian gesellte sich zu ihnen und trank mit, so lange, bis ihm Yasi und Lisa nicht mehr so wichtig waren.

IIIII

Als die Prostituierte durch das Präsidium geführt wurde, hatten plötzlich alle irgendetwas auf dem Flur zu erledigen. Bastian versuchte gar nicht erst, seine Neugierde zu kaschieren. Er lehnte am Türrahmen von Susannes Büro und schaute der Frau entgegen. Sie sah aus wie Tausende andere Studentinnen in Münster: mittelgroß, weder schlank noch dick, mit mittellangen dunklen Haaren, Hornbrille, Jeans, Schlabbertop und Sneakers. Bastian schätzte sie auf Mitte zwanzig. Jeden Tag radelten Klone dieses Frauentyps an ihm vorbei. Und nie war er auf den Gedanken gekommen, dass sie sich in der Nacht in Gespielinnen für reiche Männer verwandeln könnten.

So unscheinbar die Frau wirkte, so wenig schien es ihr auszumachen, von allen Seiten angestarrt zu werden. Beinahe hatte Bastian den Eindruck, dass sie die Aufmerksamkeit genoss. Um ihre Lippen spielte ein leicht spöttisches Lächeln, sie hielt sich gerade und blickte ihm direkt in die Augen, als sie vorbeiging.

«Die ist nicht leicht zu knacken», sagte Susanne. «Weißt du, worin bei Vernehmungen der Unterschied zwischen Männern und Frauen besteht?»

«Frauen lügen besser?», sagte Bastian.

«Das auch. Frauen bleiben bei ihrer Version, egal welche Fakten man ihnen um die Ohren knallt. Männer versuchen, ständig neue Geschichten zu erfinden, die zur Beweislage passen, bis sie sich hoffnungslos in ihrem Lügengebilde verstricken.»

«Ich schaue mir an, ob sie gut lügt oder nicht», erklärte Bastian. «Wie steht es mit dir?»

«Kein Interesse.» Susanne setzte sich an ihren Schreibtisch. «Ich muss noch ein paar Akten aufarbeiten.»

Als Bastian den Raum verließ, war sie schon in ein Schriftstück vertieft.

IIIII

Dirk Fahlen hatte sich selbst für die Vernehmung eingeteilt, zusammen mit der platinblonden Oberkommissarin vom KK 11, von der Bastian inzwischen wusste, dass sie Ruth Winkler hieß und mit einer Frau verheiratet war.

Die Vernehmung wurde von einer Kamera an der Decke aufgezeichnet, die mit einem Monitor im Büro der Kommissariatssekretärin verbunden war. Logisch, dass sich in dem kleinen Raum bald etliche Mitglieder der Mordkommission einfanden, um die Übertragung zu verfolgen.

«Was ist los?», protestierte die Sekretärin. «Habt ihr nichts zu tun?»

Klaus Strothkamp, einer der Männer, die die Studentin geholt hatten, grunzte. «Das hängt vom Ausgang des Spiels ab. Geht sie sauber hier raus, ist die Sache gelaufen. Falls nicht, müssen wir in die Verlängerung.»

Im Vernehmungsraum hatten Fahlen und Winkler inzwischen die Angaben zu Name und Alter sowie die anderen Formalitäten abgehakt und begannen mit allgemeinen Fragen. Annika Busch, so hieß die Studentin, erzählte bereitwillig. Sie habe während des Studiums eine Kommilitonin kennengelernt, die für einen Escort-Service arbeitete und sie mit der Agentur in Kontakt gebracht habe. Ja, Bedenken seien ihr schon gekommen, sie habe vereinbart, jederzeit aussteigen zu können, und weder ihre Eltern noch ihre engsten Freunde wüssten etwas von ihrem Nebenverdienst. Und ja, es sei möglich gewesen, die Jobs zu verheimlichen, schließlich habe sie nur ein bis zwei Termine pro Monat angenommen, genug, um finanziell gut über die Runden zu kommen.

Wie gut, wollte Fahlen wissen.

Das gehe nur sie und das Finanzamt etwas an, antwortete Annika Busch.

Allgemeines Gelächter hinter dem Schreibtisch der Sekretärin.

Fahlen konterte mit einer Provokation. Wenn er sie so sehe, könne er sich kaum vorstellen, dass sie Männern wie Carl Benedikt Mergentheim den Kopf verdrehe.

Jetzt lachte Busch. «Bei der Arbeit sehe ich etwas anders aus, Herr Kommissar. Glauben Sie mir, gewöhnliche Frauen wie ich können sich mit Hilfe von Schminke, Kontaktlinsen, einer Blondhaarperücke, Netzstrumpfhosen und hochhackigen Schuhen in ein Luder verwandeln, bei dessen Anblick den meisten Männern der Sabber aus dem Mund läuft.»

«Tatsächlich?» Fahlen schaute kurz zu Ruth Winkler, ein Zeichen, dass sie übernehmen sollte.

Das Schwarz-Weiß-Bild, das auf den Monitor übertragen wurde, war zu unscharf, um Winklers Gesichtsausdruck exakt deuten zu können, doch Bastian war sicher, dass die Oberkommissarin ein Grinsen unterdrückte. «Wie war Mergentheim denn so?»

«Ein guter Kunde.»

«Was heißt das?»

«Er hielt sich an die Regeln ...»

«Welche Regeln?», unterbrach Winkler.

«Na, dass nur die Sachen laufen, die wir vorher vereinbart haben. Ich stehe nicht darauf, gefesselt oder geschlagen zu werden. Wenn ein Kunde mittendrin auf die Idee kommt, Sauereien auszuprobieren, ist bei mir Feierabend. Ich habe keine Lust, mit blauen Flecken oder offenen Wunden nach Hause zu gehen, nicht mal für ein paar hundert Euro extra.»

«Eine löbliche Einstellung», sagte Fahlen.

«Danke, Herr Kommissar.» Annika Busch zog einen Schmollmund. «Ich mag Männer, die mich verstehen.»

«Hauptkommissar, nur fürs Protokoll.»

«Kommen wir auf Carl Benedikt Mergentheim zurück», sagte Ruth Winkler. «Er war also ein braver Kunde?»

«Ja. Er war sauber, hat sich vorher immer ordentlich geduscht, keine ekligen Dinge gemacht und mehr als anständig gezahlt. Was will man mehr?»

«Das war alles? Sie sind hingegangen, es kam zum Geschlechtsverkehr und dann haben Sie sich verabschiedet?»

«Nein.» Busch tippte sich an den Kopf. «Den Unterleib hinhalten, damit der Typ seinen Schwanz reinsteckt, das kann jede Nutte, die hinter der Halle Münsterland rumsteht. Mein Tarif liegt etwas höher. Ich werde dafür bezahlt, dass ich mich mit den Herren unterhalte, bevor es zum Äußersten kommt.»

«Und worüber reden Sie so?», fragte Fahlen.

«Über alles Mögliche. Aktienkurse, Außenpolitik, Literatur, Kunst, Filme. Was gerade so interessiert. Ich bekomme ein Profil des Kunden und bereite mich darauf vor.»

«Welche speziellen Interessen hatte Mergentheim?»

«Er hatte ein Faible für moderne amerikanische Literatur. Da haben wir uns getroffen. Eines meiner Studienfächer ist nämlich Amerikanistik.»

Die Tür zum Büro der Sekretärin öffnete sich und Staatsanwalt Neumann kam herein. «Mein Gott, was ist das hier für eine Luft. Kann mal jemand ein Fenster aufmachen?»

Die Sekretärin tat ihm den Gefallen, vom Friesenring vor dem Polizeipräsidium drang Verkehrslärm herein.

Neumann quetschte sich zwischen die Mordermittler. «Wie sieht's aus?»

«Sie sind noch beim Vorspiel», sagte Strothkamp.

Annika Busch berichtete, dass sie insgesamt drei Mal bei Mergentheim gewesen sei, nach dem ersten Besuch habe der Bankier sie gezielt angefordert.

«Er war also mit Ihnen zufrieden?», sagte Winkler.

«So kann man das deuten.»

«Wie lief denn Ihr letzter Besuch ab, der vor drei Tagen?», fragte Fahlen.

«Schlecht.»

«Können Sie das etwas erläutern?»

«Sicher, Herr Kommissar. Entschuldigung, Herr *Haupt*kommissar.» Annika Busch zeigte keine Anzeichen von Verunsicherung. «Als ich ankam, merkte ich gleich, dass Charly schlecht drauf war.»

«Charly?»

«Er mochte es, wenn ich ihn so nannte. Versuchen Sie mal, am Ohrläppchen zu knabbern und erotisch Carl Benedikt zu flüstern.»

«Verstehe», sagte Fahlen.

Busch leckte sich mit spitzer Zunge über die Oberlippe und grinste.

«Volltreffer», jubelte Strothkamp im Sekretärinnenbüro.

«Ruhe!», sagte Staatsanwalt Neumann.

Im Vernehmungsraum blieb Fahlen cool. «Lassen Sie das, Frau Busch. Hier geht es um den Tod eines Menschen. Da sind Ihre plumpen Scherze unangebracht.»

«Entschuldigung, Herr Hauptkommissar. Wo waren wir stehen geblieben? Ach richtig, bei Charlys Laune. Sehen Sie, er konnte sehr charmant sein. Normalerweise lief es so ab, dass wir uns erst einmal ins Wohnzimmer setzten, er legte klassische Musik auf, wir tranken Rotwein und plauderten. Aber an diesem Abend bot er mir gar nichts an. Er sagte nur, ich solle schon mal raufgehen.»

«Damit meinte er sein Schlafzimmer?», sagte Winkler.

«Richtig.»

«Und das haben Sie gemacht?»

«Nein.»

«Wieso nicht?», fragte Fahlen. «Ist das nicht genau der Job, für den Sie bezahlt werden?»

«Sie haben mir nicht zugehört, Herr Hauptkommissar. Wer eine schnelle Nummer sucht, soll in ein Bordell gehen. Ich bin Hostess, ich arbeite für einen Escort-Service. Mit manchen Männern gehe ich essen oder ins Theater. Danach trinken wir noch ein paar Gläser in einer Hotelbar oder bei ihm zu Hause. Sex ist nur die Sahne auf den Erdbeeren, nicht jeder ist scharf darauf. Worauf ich aber gar keinen Bock habe, ist, zum Abreagieren herhalten zu müssen. Wer mich darauf reduzieren will, ist an der falschen Adresse.»

«Und das heißt?»

«Charly und ich hatten einen kurzen Wortwechsel. Dann habe ich mich in meinen Wagen gesetzt und bin zurück ins Wohnheim gefahren.»

«Das Honorar war Ihnen gleichgültig?»

Annika Busch beugte sich vor. «Meine Selbstachtung bedeutet mir mehr. Die Typen müssen im Voraus an die Agentur zahlen und kennen die Philosophie. Vielleicht hätte Charly beim nächsten Mal einen Rabatt bekommen, aber das war mir in diesem Moment scheißegal.»

«Sie lügt», sagte Bastian vor dem Monitor. «Das Kondom beweist, dass sie oben war.»

«Reg dich ab, Matt», sagte Strothkamp. «Das kommt schon noch.»

«Ruhe, verdammt noch mal!», sagte Staatsanwalt Neumann.

Ruth Winkler hatte das Plastiktütchen mit dem Kondom bereits vor Annika Busch auf den Tisch gelegt. «Wissen Sie, was das ist?»

Busch lächelte wie eine Fernsehmoderatorin, die einen besonders schmierigen Studiogast in der Talkrunde begrüßt. «Ist das eine Scherzfrage? Davon habe ich immer eine Auswahl in meiner Handtasche. Ohne läuft nämlich gar nichts.»

«Schauen Sie genauer hin», verlangte Winkler.

Busch tat ihr den Gefallen. «Okay, Schwester. Ich korrigiere mich: Es handelt sich um ein benutztes Kondom.»

Die Oberkommissarin sagte scharf: «Mein Name ist Winkler, nicht Schwester.»

Busch nickte. «Okay, okay. Herr Hauptkommissar und Frau Winkler.»

Fahlen übernahm: «Wir haben das Kondom in der Nähe von Mergentheims Bett im ersten Stock gefunden. Sie haben uns nicht die Wahrheit gesagt. Sie waren mit Charly intim.»

Annika Busch lehnte sich zurück und schwieg. Hinter dem Sekretärinnenschreibtisch hielten alle die Luft an. Vom Friesenring wehte der beleidigt klingende Ton einer Autohupe herüber.

Drei Sekunden vergingen. Vier.

«Nun mach schon», stöhnte Strothkamp.

«Warum soll dieses Kondom etwas mit mir zu tun haben?»

«Seien Sie nicht albern!», lachte Winkler. «Für das, was Mergentheim von Ihnen wollte, braucht man in der Regel ein Kondom.»

«Wie ich schon sagte: Wir sind nicht so weit gekommen.»

«Das hier …», die Oberkommissarin zeigte auf die Plastiktüte, «… beweist das Gegenteil.»

«Tatsächlich?» Busch ließ ein mitleidiges Lächeln aufblitzen. «Beweisen Sie es!»

Fahlen schaltete sich wieder ein: «Dann haben Sie bestimmt nichts dagegen, dass wir von Ihnen eine DNA-Probe nehmen?»

Die Studentin drehte ihren Kopf langsam zum MK-Leiter. Zwischen den Lippen erschien ihre Zungenspitze, sie schien angestrengt nachzudenken. «Nein, ich habe nichts dagegen, eine DNA-Probe abzugeben.»

«Die ist eiskalt wie eine Hundeschnauze», sagte Strothkamp.

«Sie weiß, dass das Kondom im Wasser lag und ein Abgleich kaum möglich ist», meinte Bastian.

«Vielleicht.» Strothkamp war beeindruckt. «Vielleicht auch nicht.»

«Wie erklären Sie denn die Tatsache, dass Mergentheim an jenem Abend ein Kondom benötigte?», fragte der MK-Leiter.

«Muss ich das?», gab Busch zurück. «Aber warten Sie, ich habe einen Vorschlag, nein, sogar zwei: Charly hat nach mir noch eine andere Frau bestellt. Oder er hat sich einen Porno angeguckt. Charly war ein reinlicher Mensch, er hätte bestimmt Angst um seinen Teppich gehabt. Wie ist er eigentlich ums Leben gekommen?»

Winkler sagte es ihr.

Annika Busch schnaubte. «Na toll. Sie verdächtigen mich, Charly ermordet zu haben? Er war zwanzig Zentimeter größer als ich und dreißig Kilo schwerer. Wie hätte ich es denn schaffen sollen, ihn an den Kronleuchter zu hängen?»

«Wir verdächtigen Sie nicht», sagte Fahlen. «Wir befragen Sie als Zeugin, um die Todesumstände von Carl Benedikt Mergentheim aufzuklären.»

Busch wirkte erleichtert. «Sind wir dann durch? Ich habe heute Nachmittag zwei Seminare an der Uni, die ich ungern verpassen würde.»

«Sie können gehen, nachdem Sie das Protokoll unterschrieben haben», seufzte Fahlen. «Aber halten Sie sich bitte zur Verfügung, falls wir noch weitere Fragen haben.»

Sechs

Was für ein schöner Abend. Im weichen Licht der orangefarbenen Sonne erholten sich die Pflanzen von der Mittagshitze, braune Pferde mit blonden Mähnen standen träge auf den Weiden und glotzten den wenigen Autos hinterher, und am Horizont thronten die grünen Kegel der Baumberge über der flachen Parklandschaft. Professor Weigold hatte den Weg über Roxel genommen. Er summte den Popsong im Autoradio mit und fühlte sich zum ersten Mal seit längerer Zeit wieder unbeschwert. Vielleicht sogar glücklich, das kam auf die Definition von Glück an. Falls man unter Glück eine Augenblicksaufnahme verstand, eine flüchtige Mischung aus unbändiger Lebenslust und Selbstzufriedenheit, hätte er unterschreiben können, glücklich zu sein.

Und das alles nur, weil etwas fehlte. Vordergründig die beiden jungen Männer, die sich seit gestern nicht mehr hatten blickenlassen. Viel mehr ins Gewicht fiel allerdings, dass seine Angst verschwunden war, diese Schraubzwinge, die ihm den Lebensmut aus dem Leib gepresst hatte. Es war vorbei. Ulrich Vogtländer hatte recht gehabt, die Typen wollten lediglich ein perverses Spiel mit ihm treiben, es gab keine Verbindungen zu Mergentheim und der Vergangenheit, alles Zufall.

Dass der Spuk aufhörte, dafür hatte Weigold selbst gesorgt. Er war mit Max zur Polizeistation nach Nottuln gefahren, hatte den Beamten von den zwei verdächtigen Männern erzählt und Anzeige gegen unbekannt erstattet. Auch wenn er sich wenig Hoffnung machte, dass man die Burschen festnehmen würde – allein die Tatsache, dass er sich wehrte, brachte die Wende. Die Polizeibeamten in Nottuln hatten ihm versprochen, sein Haus im Auge zu behalten. Und genau das war geschehen, gleich zwei Mal hatte Weigold am späten Abend einen Polizeiwagen in langsamer Fahrt auf der Landstraße gesehen. Falls seine Verfolger nicht von allein begriffen, dass er eine rote Linie gezogen hatte, dann machte ihnen das spätestens die Anwesenheit der Polizei klar: Bis hierhin und nicht weiter.

Karin, seiner Frau, erzählte er natürlich nichts davon. Warum die Pferde scheu machen? Ihre geliebten Baumberge, in denen sich in ihrer Vorstellung Fuchs und Hase gute Nacht sagten, hätten sich plötzlich unheilvoll hinter dem Gartenzaun aufgetürmt.

Weigold überlegte, ob er Karin anrufen und ihr vorschlagen sollte, essen zu gehen. In dem hübschen Landgasthaus mit der großen Gartenterrasse, wo man ihm neulich dieses vorzügliche Schnitzel serviert hatte. Ein Abendessen unter freiem Himmel wäre die Krönung des Tages. Andererseits mochte Karin keine spontanen Veränderungen ihres Tagesablaufs. Und garantiert standen schon die Töpfe auf dem Herd. Besser, er verschob den Vorschlag auf das Wochenende.

Weigold drosselte die Geschwindigkeit vor der Radarfalle am Stift Tilbeck. Gleich danach kam Schapdetten. Er sollte mal wieder mit dem Fahrrad zum Institut fahren, so wie er das im Sommer vor drei Jahren gemacht hatte. Mehr als ein paar überflüssige Pfunde konnte er dabei nicht verlieren, seiner Fitness würde es jedenfalls guttun, ein bisschen Sport zu treiben.

Als er am Friedhof vorbeifuhr, sah er sein Haus in der Sonne liegen. Westhang Baumberge. Vor elf Jahren, als er das Grundstück erworben hatte, war die Aussicht das schlagende Argument gewesen. Nur die Ballonfahrer in ihren Körben hatten einen schöneren Blick auf das Münsterland.

Am Zufahrtsweg wuchsen die Gräser schon bis zur Höhe des Wagendachs. Weigold stellte den SUV im Carport ab und ging um das Haus herum zur Vordertür. Bienen summten im kleinen Vorgarten und übertönten beinahe die Geräusche der weit entfernten Lkw auf der A 43. Der Professor sog den Duft der Blumen und Kräuter ein. Pflanzen waren etwas Wunderbares – in jeglicher Hinsicht. Die Natur fand für jedes Problem eine Lösung, und bis jetzt hatten die Menschen erst einen Bruchteil davon entschlüsselt. Irgendwann würde man alle Baupläne kennen und für jede individuelle Krankheit ein maßgeschneidertes Medikament entwerfen. Per Knopfdruck, oder besser gesagt: per Computerprogramm. Aber bis dahin, sagte sich Weigold, wäre er längst tot.

Er nahm die fünf Stufen zur Haustür und schloss auf. «Karin?»

Stille. Aber eine andere Stille als draußen. Karins Wagen stand im Carport, sie war also nicht weggefahren. Machte sie mit Max einen Spaziergang? Um diese Uhrzeit? Das passte nicht zu ihr.

Er rief noch einmal: «Karin!»

Jetzt hörte er ein Geräusch. Es kam aus der Küche. Als ob etwas überkochen würde. Weigold spürte, wie sich seine Herzfrequenz erhöhte. Ihm wurde ein wenig schummrig, und er musste sich kurz an der Wand festhalten. Dann öffnete er die Küchentür. Tatsächlich, aus einem Topf quoll weißlicher Schaum auf den Herd und verdampfte zischend. Wo war Karin? Er zog den Topf von der Platte und rief erneut, diesmal etwas verärgert: «Karin! Wo steckst du?»

Keine Antwort. Doch da war noch ein anderes Geräusch. Ein leises Winseln. Es kam von der Sitzecke. Weigold schaute sich suchend um. Unter der Sitzbank zuckte eine blutverschmierte weiße Pfote.

«Oh mein Gott! Max!»

Der braun gemusterte Kopf des Foxterriers lag in einer Blutlache. Max atmete schwer, nur in seinen Augen war noch ein Hauch Leben.

«Ist ja gut, Max. Ich bin da.»

Der Hund versuchte sich zu bewegen. Weigold strich mit der Hand über das drahtige Fell. Es war sinnlos, das Tier zum Arzt zu bringen, sein Tod war nur noch eine Frage der Zeit. Doch Karin würde sicher darauf bestehen.

Karin! Weigold richtete sich auf, die Küche verschwamm vor seinen Augen. Der Kreislauf machte schlapp. Er musste sich mit beiden Händen auf der Tischplatte abstützen. Ruhig atmen!

Denk nach!, sagte er sich. Wo könnte Karin sein?

Zuerst das Haus durchsuchen. Ja, das sah nach einem Plan aus. Er schaute ins Wohnzimmer und in die Gästetoilette, den Keller sparte er sich für später auf. Dann stieg er die Treppe hinauf, sie hatten zwei Schlafzimmer, weil Karin meistens früh ins Bett ging, während er noch arbeitete oder vor dem Fernseher saß.

Aber nichts. Karins Bett war unberührt. Weigold schluckte hart. Er war so überzeugt gewesen, sie spätestens hier zu finden, dass er sämtliche Alternativen verdrängt hatte. Jetzt explodierten sie in seinem Gehirn: Karin entführt. Karin schwer verletzt. Karin … tot.

Er rannte hinüber zu seinem eigenen Schlafzimmer. Die letzte Chance. Karin legte sich nie in sein Bett. Bis auf den wöchentlichen Beischlaf blieben sie jeder lieber für sich. Aber vielleicht –

Da lag sie. Schlafend. Oder?

Ja, sie atmete. Er griff nach ihrem Handgelenk und fühlte einen schwachen Puls. Er musste den Notarzt rufen. Wo war sein

Handy? Unten, in der Aktentasche, die er im Hausflur abgestellt hatte. Neben dem Festnetzanschluss.

Weigold hastete die Treppe hinunter und riss das schnurlose Telefon aus der Station. Kein Ton. Was war mit dem Telefon los? Und wer hatte die Kellertür geöffnet? Als er das Haus betreten hatte, war sie doch verschlossen gewesen.

Der Professor drehte sich um. Und dann wusste er, was ihm bevorstand.

Sieben

Bastian hatte sich gerade eine Cola aus dem Kühlschrank geholt, als das Telefon klingelte.

«Hier ist Frau Kemminger.»

Die Stimme war zu alt, zu zittrig und zu unprofessionell für eine Callcenter-Mitarbeiterin, die ihm einen neuen Handy-Vertrag aufschwatzen wollte. «Ja und?»

«Sebastian? Sebastian Matt?»

«Am Telefon.»

«Es geht um Ihre Mutter.»

Wann kam die Frau endlich zur Sache? Bastian riss sich zusammen, um nicht noch unfreundlicher zu klingen: «Was ist denn mit meiner Mutter?»

«Sie ist nicht zurückgekommen.»

Bastian schaute auf die Uhr. Kurz vor acht, draußen war es noch taghell. Es gab kein Gesetz, das einer neunundsechzigjährigen, halbwegs gesunden Frau verbot, am Abend einen Spaziergang zu machen. Wo war das Problem? «Entschuldigung, ich verstehe nicht …»

«Verzeihung, ich habe mich nicht richtig vorgestellt. Ich bin die Nachbarin Ihrer Mutter. Die Mia, ich meine, Ihre Schwester hat mich gebeten, Hilde ein bisschen im Auge zu behalten. Und weil ich mir inzwischen Sorgen mache und die Mia nicht erreichen kann, dachte ich, ich rufe Sie an. Mia hat mir Ihre Nummer gegeben und gesagt, Sie seien Polizist. Ich hoffe, ich habe nichts falsch gemacht, oder?»

«Natürlich nicht, das ist in Ordnung.» Bastian dachte angestrengt nach. Dass Hilde in letzter Zeit vergesslicher geworden war, hatte auch er bemerkt. Einige Male hatte sie sich am Telefon nach Lisa erkundigt und vorgeschlagen, dass er seine Freundin beim nächsten Besuch mitbringen solle, dabei hatte er seiner Mutter mindestens genauso oft erzählt, dass es zwischen Lisa und ihm aus war. Aber er war nicht auf den Gedanken gekommen, dass man die Gedächtnisaussetzer ernst nehmen musste, sondern hatte sie für altersbedingte Schrulligkeit gehalten. «Und nun mal langsam: Was ist genau passiert?»

«Hilde wollte einkaufen. Ich habe ihr noch angeboten, sie könne mir ihre Liste geben, dann würde ich die Dinge für sie besorgen, aber sie hat gesagt, sie möchte selbst gehen.»

«Wann war das?»

«Gegen vier.»

«Und sie ist noch nicht zurückgekehrt?»

«Genau. Ich habe sogar im Laden angerufen. Dort hat man mir gesagt, dass sie mit einer vollen Tragetasche weggegangen ist.»

«Könnte sie nicht jemanden getroffen haben, der sie eingeladen hat? Eine Bekannte oder Freundin?»

Frau Kemminger atmete geräuschvoll durch die Nase. «Sie scheinen Ihre Mutter nicht besonders gut zu kennen. Hildes Bekanntenkreis, wenn ich so sagen darf, beschränkt sich auf unsere Straße, im Ort gibt es sonst niemanden, zu dem sie gehen würde. Vielleicht noch zum Pfarrer, aber den besucht sie bestimmt nicht mehrere Stunden lang. Und hier in der Straße habe ich schon bei allen nachgefragt. Außerdem hat Hilde feste Gewohnheiten, sie isst immer um halb sieben zu Abend.»

Bastian hörte den unterschwelligen Vorwurf, hielt es aber nicht für sinnvoll, darauf einzugehen. Stattdessen versprach er, in einer halben Stunde in Horstmar zu sein.

||||

Auf der B 54 kannte er mittlerweile jeden Strauch, zumindest bis zur Abfahrt Altenberge, zum vierten Mal legte er jetzt die Strecke zurück, seitdem die Meldung vom Tod Mergentheims in der K-Wache eingegangen war. Diesmal verließ er die Schnellstraße allerdings in westlicher Richtung, fuhr über Laer nach Horstmar.

Frau Kemminger wartete schon auf der Straße. Dem Aussehen nach zu urteilen, war sie noch um einiges älter als Hilde. Und ausgerechnet diese Frau war von Mia zur Aufpasserin ihrer Mutter ernannt worden, was hatte sich seine Schwester bloß dabei gedacht?

Bastian bemühte sich um ein beruhigendes Lächeln. Während der Autofahrt hatte er vergeblich versucht, Mia ans Telefon zu bekommen. Vielleicht war sie im Kino oder im Theater. Gleich nach Frau Kemmingers Anruf hatte er einen diensthabenden Kollegen von der K-Wache gebeten, in den umliegenden Krankenhäusern anzurufen – inzwischen wusste er, dass Hilde nirgendwo eingeliefert worden war. Ob das eine gute oder eine schlechte Nachricht war, musste sich noch herausstellen.

Frau Kemminger wirkte erleichtert. «Gut, dass Sie da sind.»

Bastian fragte, ob sie eine Idee habe, wo er mit der Suche beginnen solle.

«Nein.» Frau Kemminger schaute über seine Schulter. «Ich denke, sie hat sich verlaufen.»

«Verlaufen? Ist das schon mal passiert?»

Die alte Frau nickte. «Einmal hat Hilde unsere Straße nicht mehr gefunden. Aber sie ist ja nicht dumm. Sie hat jemanden um Hilfe gebeten, der dann mich angerufen hat.»

Bastian wurde ungehalten. «Darüber hätten Sie uns informieren müssen!»

«Das habe ich doch, Mia weiß Bescheid.»

Peinliches Schweigen. Gab es noch mehr Dinge, die er nicht mitbekommen hatte?

«Entschuldigen Sie», murmelte Bastian. «Das habe ich nicht gewusst.»

Frau Kemmingers Stimme wurde brüchig. «Kümmern Sie sich um Ihre Mutter. Ich komme schon zurecht.»

|||||

Mit dem kleinen Lebensmittelladen, in dem Hilde zuletzt gesehen worden war, als Ausgangspunkt fuhr Bastian sämtliche Straßen der Umgebung ab. Nach einer halben Stunde hatte er ganz Horstmar überprüft, einschließlich der Cafés und Kirchen, aber seine Mutter blieb spurlos verschwunden. Und die ganze Zeit ging ihm das Wort *verlaufen* nicht aus dem Kopf. Es klang so harmlos und enthielt doch eine ganze Schreckenskammer von Möglichkeiten. Konnte es sein, dass Hilde dement wurde? Dass ihr selbstbestimmtes Leben zu Ende ging, sie in ein graues Nirgendwo hinüberdämmerte? Daran, dass Mia und ihm so etwas bevorstand, hatte Bastian bislang keinen Gedanken verschwendet. Und jetzt, wo der Gedanke da war, verursachte er ein beklemmendes Unbehagen. Er versuchte erneut, seine Schwester zu erreichen. Keine Verbindung.

Mittlerweile war längst die Dämmerung hereingebrochen. Ließ es sich verantworten, noch länger zu warten – oder musste er Hilde als vermisst melden und dafür sorgen, dass eine Hundertschaft Bereitschaftspolizisten in Marsch gesetzt wurde? Seine Hoffnung, dass sie in der Zwischenzeit ohne fremde Hilfe zurückgekehrt war, erledigte sich in dem Moment, als er aus dem Auto stieg und dem fragenden Blick von Frau Kemminger begegnete. Er schüttelte den Kopf. «Nichts. Wo könnte sie noch sein? Denken Sie nach!»

«Was glauben Sie wohl, was ich mache?»

«Entschuldigung. Das sollte kein Vorwurf sein.»

Die alte Frau drehte sich um. Hinter dem Häuschen von Bastians Mutter ragte eine grüne Wand auf. Das *Herrenholz*, kein großes Waldgebiet für jemanden, der aus dem Sauerland oder dem Schwarzwald stammte, aber für münsterländische Verhältnisse recht beachtlich.

«Geht sie manchmal in den Wald?»

«Eigentlich nicht …»

Noch eine halbe Stunde, sagte sich Bastian. Falls ich sie bis dahin nicht gefunden habe, müssen die uniformierten Jungs und Mädels ran. Dann wird Horstmar auf links gedreht.

Fünf Minuten vor Ende der Deadline sah er sie. Ganz entspannt saß sie auf einer Bank im Wald, neben sich die Einkaufstüte, und lauschte mit verzücktem Gesichtsausdruck den Geräuschen der Tiere, als würde sie in einem Opernsaal sitzen.

«Hilde!»

Es dauerte einige Sekunden, bis sie ihn erkannte. «Sebastian.»

Die erste Silbe seines Vornamens hatten zuerst die Freunde in der Schule gestrichen, später hatte Bastian das auch in den offiziellen Dokumenten nachgeholt. Seine Mutter mochte das bis heute nicht akzeptieren.

«Was machst du hier?»

«Ich wollte gerade nach Hause gehen.» Sie stand auf, wackelte jedoch bedenklich.

Bastian hielt sie am Arm fest. «Wir haben uns Sorgen gemacht, es ist fast zehn Uhr.»

«Ich habe mich nur ein bisschen ausgeruht. Und wen meinst du mit *wir*?»

«Frau Kemminger und mich.»

«Ach, die alte Schachtel, die soll sich um sich selber kümmern.»

Bastian nahm Hilde die Einkaufstüte ab und legte seinen Arm um ihre Hüfte.

«Ich bin nicht krank», protestierte sie, allerdings nur, um den Anschein zu wahren, denn anschließend ließ sie sich bereitwillig von Bastian führen.

|||||

Nachdem er sie im Wohnzimmersessel abgesetzt, Frau Kemminger informiert und zwei große Gläser Wasser eingeschenkt hatte, betrachtete Bastian Hilde genauer. Sie sah völlig erschöpft aus, tiefe Falten gruben sich in die bleiche Gesichtshaut, und der Oberkörper hob und senkte sich, als wäre jeder Atemzug eine Anstrengung. In den letzten Monaten schien sie um Jahre gealtert zu sein, das lebendige Gesicht mit den verschmitzt leuchtenden Augen wirkte merkwürdig starr. Das war nicht mehr die Frau, die ihn mit ihrer mütterlichen Fürsorge genervt hatte, mit ihren Fragen nach seiner beruflichen Zukunft, nach einer Schwiegertochter und zu erwartenden Enkeln. Das Mutter-Sohn-Verhältnis hatte sich umgekehrt, jetzt war er der Erwachsene. Und das machte ihm Angst.

Bastian leerte sein Glas in einem Zug, Hilde nahm nur einen kleinen Schluck.

«Wie viel hast du heute getrunken?»

Sie dachte nach. «Ich trinke immer morgens zwei Tassen Kaffee und mittags eine.»

«Sonst nichts?»

«Ich habe keinen Durst.»

«Trinken musst du trotzdem. Sonst dehydrierst du, besonders bei diesem heißen Wetter.»

Ihre Lippen wurden schmal. «Ich weiß, das sagt mein Arzt auch.»

«Aber du hältst dich nicht daran. Sonst hättest du jetzt keine Kreislaufstörungen.»

«Habe ich gar nicht, ich bin nur müde. Hol mir bitte meine Tabletten, sie liegen in der Küche auf dem Schrank.»

Bastian fand die Tablettenpackung sofort. Er kannte weder das Medikament *Bochera* noch die Firma, die es produzierte. Als er zurückkam, drückte er eine Pille aus der Verpackung und reichte sie seiner Mutter. «Was ist das?»

«Hat mir mein Arzt empfohlen. Es stärkt Körper und Geist, sagt er. Damit ich …» Sie schluckte die Pille und nahm einen tiefen Schluck aus dem Wasserglas. «Siehst du, ich trinke.»

«Damit du dich nicht verläufst», führte Bastian ihren Satz zu Ende. «So wie neulich.»

«Woher weißt du das?»

«Von Frau Kemminger.»

«Tratschen kann sie, sonst nichts.» Hilde guckte grimmig. «Ich komme schon allein zurecht.»

Bastian ging vor dem Sessel in die Hocke. «Nein, kommst du nicht. Heute hast du total die Zeit vergessen. Und ich bin mir nicht sicher, ob du den Weg nach Hause gefunden hättest.»

Sie wich seinem Blick aus. «Unsinn. Alles Unsinn. Ich weiß, was ihr vorhabt. Ihr wollt mich in den Altenknast abschieben.» Sie wurde laut. «Mia liegt mir damit ständig in den Ohren. Aber ich gehe da nicht hin, das könnt ihr vergessen.»

Wie aufs Stichwort klingelte Bastians Handy. Mia!

Bastian wechselte in die Küche und fasste in knappen Sätzen

zusammen, was geschehen war. Sie unterbrach ihn nicht, gab nur durch einsilbige Einwürfe zu erkennen, dass sie seinen Ausführungen folgte und alles andere als überrascht war. Erst als er sich beklagte, von Frau Kemminger erfahren zu müssen, wie es um ihre Mutter stehe, lachte Mia empört auf: «Ich wollte mit dir darüber reden, neulich. Aber du hast mir ja nicht zugehört.»

Bastian erinnerte sich dunkel an das Telefonat, bei dem er nebenbei ein Bundesligaspiel verfolgt hatte. Mia und er verstanden sich nicht besonders, das hatte sich seit ihrer Kindheit, als ihn die große Schwester ständig gängelte, nicht geändert. Und dass Mia in Laer, einer Nachbarstadt von Horstmar, wohnte und als Frau eines Bankfilialleiters über genug Zeit und Lust verfügte, Hilde fast täglich zu besuchen, war für ihn ein guter Grund gewesen, fast alle familiären Verpflichtungen an sie abzugeben. Wenn er seine Mutter gelegentlich besuchte, bestanden seine Aufgaben darin, elektrische Geräte zu installieren oder zu reparieren und im Winter Kaminholz zu hacken. Mehr erwartete man nicht von ihm.

«Vielleicht hast du Recht», lenkte Bastian ein. «Was soll ich jetzt machen?»

«Du bleibst heute Nacht bei ihr.»

«Hör zu, ich …»

«Nein, kleiner Bruder, du kannst sie in diesem Zustand nicht sich selbst überlassen. Und ich helfe dir diesmal nicht.»

Hilde schaute ihn mit großen Augen an. «Was sagt sie?»

Bastian lächelte. «Sie lässt dich grüßen. Du hast doch nichts dagegen, wenn ich heute Nacht hier schlafe, oder?»

Acht

Weigold wachte auf. In seinem Schädel pochte ein wahnsinniger Schmerz. Er musste husten. Es stank nach Rauch. Er öffnete die Augen und sah über sich die vertraute Zimmerdecke. Offensichtlich lag er in seinem eigenen Bett. Wie er dorthin gekommen war, wusste er nicht. Das Letzte, woran er sich erinnern konnte, war die Szene im Hausflur. Vor ihm standen die beiden Typen aus dem Auto – und eine Frau. Niemand sagte ein Wort. Die drei schauten ihn nur an. Er schwieg ebenfalls, starr vor Angst. Nicht mal an Flucht konnte er denken, sie wäre ohnehin sinnlos gewesen, die beiden Männer waren schneller und stärker als er. Dann hob einer der Burschen seinen Arm, etwas Langes, Metallisches schnitt durch die Luft. Die Stange oder was immer es gewesen war, musste ihn getroffen haben, denn mit diesem Bild endete seine Erinnerung.

Weigold betastete sein Gesicht und fühlte eine klebrige Flüssigkeit. Blut. Überall Blut. Er drehte sich auf die Seite und erschrak. Neben ihm lag Karin. Richtig, er hatte sie in seinem Schlafzimmer gefunden und war dann nach unten gerannt, in sein Verderben. «Karin!» Er rüttelte an dem Körper, der nachgab wie eine Gummipuppe. «Karin, verdammt noch mal, mach die Augen auf!» Er erkannte seine eigene Stimme nicht, sie klang, als habe er eine schwere Halsentzündung. Aber das war jetzt das geringste Problem. Er gab seiner Frau ein paar sanfte Schläge auf die Wange. «Karin, bitte! Wach auf!» Nichts, keine Reaktion. Blut und Wasser tropften auf das weiße Gesicht. Weinte er? Tatsächlich, die Schluchzer kamen aus seiner eigenen Kehle.

Weigold richtete sich mühsam auf. Er musste etwas unternehmen, durfte nicht liegen bleiben. Wenn es doch nur nicht so fürchterlich nach Rauch stinken würde. Wo kam der eigentlich her? Das ganze Schlafzimmer war schon voller Qualm. Und es war heiß, heißer als normal, heißer als an den heißesten Sommertagen. Weigold hievte die Füße aus dem Bett, stand auf – und fiel gleich wieder um. Zu schnell, er musste langsamer vorgehen, konzentrierter. Beim zweiten Versuch setzte er sich erst einmal auf die Bettkante. Und jetzt sah er auch, wo der Rauch herkam: Er kroch durch die Türritzen, kringelte sich vom Boden hoch, drehte Pirouetten bis zur Decke. Die Hitze strahlte ebenfalls von der Tür her. Ein Knacken, als ob das Treppenhaus in Flammen stehen würde.

Adrenalin schoss durch Weigolds Körper, lichtete den Nebel in seinem Gehirn. Das Haus brannte. Die Scheißtypen hatten sein schönes Haus angezündet. Und es reichte ihnen nicht, das Gebäude abzufackeln, sie wollten Karin und ihn grillen. Mörder waren das, gottverdammte, beschissene Mörder.

Aber noch lebte er. Weigold stand auf und machte einen Schritt auf die Tür zu. Nein, er durfte die Tür nicht öffnen. Er hatte mal gelesen, dass es in solchen Fällen zu einem Flash-over kommen konnte, zu einem Feuerstoß, der sofort alles im Zimmer in Brand setzen würde. Also das Fenster. Frische Luft brauchte er sowieso. Er hustete, das Kohlendioxid raubte ihm den Atem. Von der Fensterkante aus waren es gut drei Meter fünfzig bis zum Erdboden. Unmöglich, Karin da heil hinunterzubekommen. Falls nicht bald die Feuerwehr auftauchte. Weigold lauschte: Hörte sich das nicht wie ein Martinshorn an?

Verdammt, warum ließ sich das Fenster nicht öffnen? Irgendwas hatte sich verzogen. Er riss mit aller Kraft und taumelte zurück. Fassungslos schaute Weigold auf den Fenstergriff in seiner Hand. So viel Unglück auf einmal war doch gar nicht möglich.

Neun

Bastian hatte sich entschieden, er wollte den Jungen retten. Der Junge lag auf dem Steinboden, eine brennende Kiste beleuchtete sein Gesicht. Er war schlank, beinahe zierlich und sah aus wie zwölf, konnte aber auch älter sein. Es würde für Bastian ein Leichtes sein, ihn hochzuheben und aus dem Haus zu tragen. Er beugte sich hinunter und griff nach dem Arm des Jungen. Doch trotz größter Anstrengung gelang es ihm nicht, den dünnen Arm auch nur einen Zentimeter anzuheben. Es war wie verhext, er keuchte und schwitzte. Wieso klebte der Junge fest? Dann brach die Zimmerdecke ein und hüllte alles in Staub. Bastian spürte den Schmerz, etwas Schweres lag auf seinem Bein. Er versuchte, das Bein zu bewegen, wieder und wieder. Panik erfasste ihn. Er würde hier sterben, in diesem brennenden Haus im Kosovo.

Bastian fuhr hoch und schnappte nach Luft. Er brauchte ein paar Sekunden, um sich zurechtzufinden. Durch die fadenscheinigen blauen Vorhänge sickerte das erste Tageslicht in sein ehemaliges Jugendzimmer. Das schmale, unbequeme Bett, die Fußball- und Filmposter an den Wänden, der lächerlich kleine Schreibtisch mit dem Drehstühlchen davor – seine Mutter hatte in den letzten fünfzehn Jahren anscheinend nichts verändert. Dass er in diesem Raum die Nöte und Hoffnungen der Pubertät durchlebt hatte, dass er hier viele Tage und noch mehr Nächte verbracht hatte, das alles kam ihm vollkommen unwirklich vor. Mit dem Jungen, der da am Schreibtisch gesessen und über Matheaufgaben gegrübelt hatte, verband ihn nicht das Geringste. Jedes Alien würde sich hier heimischer fühlen als er. Es war einfach eine schlechte Idee gewesen, im Haus seiner Mutter zu übernachten. Typisch für Mia, dass sie mit tödlicher Sicherheit die für ihn unangenehmste Lösung vorgeschlagen hatte.

Bastian ging ins Badezimmer und spritzte sich Wasser ins Gesicht und auf den nackten Oberkörper. Die Luft im Wohnzimmer roch nach kaltem Altfrauenschweiß. Er riss die Gartentür auf, draußen lag eine herrliche Frühmorgenkühle auf den verwelkten Blumen. Barfuß und nur mit Boxershorts bekleidet, stapfte er über die Steinplatten zwischen den akkurat gezogenen Beeten. Der Garten schien ebenfalls geschrumpft zu sein, wie das Haus und seine Bewohner. Bastian erinnerte sich, dass sein Vater am Samstag immer im Garten gearbeitet hatte, dann durften Mia und er nicht herumspringen, sondern mussten still sein oder sich in den Wald verziehen. Der Feenwald, wie Mia ihn nannte. Bastian stellte sich lieber vor, im Sherwood Forest oder einem der Wälder aus *Herr der Ringe* herumzustreunen. Das Angenehme an den Samstagen war, dass der Vater bei der Gartenarbeit den schwarzen Anzug, das weiße Hemd und den schwarzen Schlips auszog, die er immer trug, wenn er Leichen einsammelte. Bastian bildete sich ein, dass das ganze Haus nach Leichen roch, sobald der Vater vom Bestattungsinstitut nach Hause kam.

Er ging zurück ins Wohnzimmer. Die Zeiger der geräuschvoll tickenden Uhr standen auf halb sechs. Viel zu früh, um sich anzuziehen und Frühstück zu machen. Widerwillig legte er sich noch einmal aufs Bett, wissend, dass er nicht mehr schlafen würde. Annika Busch kam ihm in den Sinn. Annika Busch und die Sitzung der Mordkommission nach der Vernehmung, die Fahlen grandios versiebt hatte. Abgesehen von Bastian schien das allerdings niemand so zu sehen. Entweder nahm man der Studentin ihre Geschichte tatsächlich ab – oder glaubte nicht daran, sie noch widerlegen zu können. Denn die Leute von der KTU hatten zwar in Mergentheims Schlafzimmer zwei Haare entdeckt, die möglicherweise von Annika Busch stammten, doch selbst wenn der DNA-Vergleich das bestätigte, war das noch kein Beweis, dass Busch am Abend vor Mergentheims Tod im Bett des Bankers gelegen hatte. Die Haare konnte sie auch bei einem ihrer früheren Besuche verloren haben. Und am Kondom waren leider keinerlei DNA-Spuren gefunden worden. Alles in allem, hatte Fahlen die Ergebnisse der Ermittlungen auf seine Art zurechtgestutzt, sprächen die Fakten für eine Selbsttötung Carl Benedikt Mergentheims, ein Gewaltverbrechen, mit oder ohne Beteiligung Annika Buschs, sei nach dem jetzigen Stand auszuschließen.

An dieser Stelle seiner Ausführungen hatte Fahlen jeden in der Runde angeblickt – und auf Widerspruch gewartet. Der natürlich nicht kam, auch Bastian hatte keine Lust, sich den Mund zu verbrennen, obwohl sein Bauchgefühl ihm immer noch sagte, dass Busch log. Aber da er keine Ahnung hatte, wie und warum sie Mergentheim getötet haben sollte, blieb er lieber still, allein das Wort Bauchgefühl wäre für Fahlen Anlass genug gewesen, einen ganzen Kübel beißenden Hohn über ihm auszuschütten.

Nach der Sitzung ging Bastian die Treppe hinunter, um der K-Wache einen Besuch abzustatten. Sobald die Berichte vervollständigt und alle Formalitäten erledigt waren, würden die Mitglieder der Mordkommission, soweit sie nicht dem KK 11 angehörten, wieder an ihre alten Dienststellen zurückkehren. Für Bastian hieß das, dass er noch einen Tag Schonfrist hatte und dann den normalen Schichtdienst in der K-Wache schieben musste.

Er betrat den Dienstraum. Udo Deilbach packte gerade seine

Sachen zusammen, um nach Hause zu fahren. «Na, Kumpel, wie läuft's denn so?»

Bastian gab ihm eine knappe Zusammenfassung.

«Freut mich, dass du bald wieder an Bord bist.» Udo boxte ihm spielerisch in den Bauch. «Obwohl ich dir gegönnt hätte, dass du bei den Mordermittlern Pluspunkte sammelst.»

«Fahlen ist ein Idiot», platzte es aus Bastian heraus. «Er hätte die Edelnutte nicht so einfach davonkommen lassen dürfen.»

«Du, ich muss.» Udo Deilbach zeigte auf die Tür. «Wir grillen heute im Garten mit den Nachbarn.»

Bastian ließ sich nicht so leicht abschütteln. Er musste seinen Frust loswerden und begleitete den älteren Kollegen in den Flur. «Du hast Mergentheims Villa selbst gesehen. Nichts deutete auf eine zweite Person hin: Keine benutzten Gläser, keine verrutschten Sofakissen, das Bett machte nicht den Eindruck, als habe jemand dringelegen.»

«Und wo ist das Problem?», erwiderte Udo. «Das entspricht doch exakt dem, was die Nutte gesagt hat: Sie ist gekommen, es gab einen kleinen Streit mit dem Hausherrn, dann ist sie ohne Vollzug ihres Arbeitsauftrags wieder abgezogen. Spurenlage und Zeugenaussage stimmen prima überein.»

«Das Kondom», sagte Bastian. «Das Kondom passt nicht ins Bild. Niemand streift sich ein Gummi über, wenn er onanieren will. Das ist totaler Blödsinn. Und eine zweite Hure hat sich Mergentheim nicht bestellt. Das wissen wir definitiv. Er hat an dem Abend weder sein Telefon noch sein Handy benutzt und auch den Laptop nicht eingeschaltet.»

«Vielleicht ist er mit dem Auto rumgefahren und hat jemanden aufgegabelt», warf Udo ein. «Wie dieser bayerische Modefuzzi mit dem Hündchen und dem toten Tier auf dem Kopf.»

«Das Auto wurde nicht bewegt. Sagt der Ermittlungsdienst.

Und im Übrigen hätte die zweite Frau ja auch Spuren hinterlassen. Nein, es kann gar nicht anders sein, Annika Busch muss mit Mergentheim gevögelt haben. Anschließend hat sie ihn, vermutlich mit Hilfe eines Komplizen, an den Kronleuchter gehängt und alle Spuren beseitigt. Damit es so aussieht, als habe Mergentheim Selbstmord begangen.»

Sie verließen das Polizeipräsidium durch die doppelte Glastür am Haupteingang und standen auf dem breiten Bürgersteig. Udo Deilbach schaute auf seine Armbanduhr. «Und warum sollte sie das getan haben? Soweit ich weiß, ist nichts geklaut worden.»

«Das weiß ich nicht.»

«Siehst du, Kumpel, das ist der Schwachpunkt deines Vortrags: Es gibt kein Motiv.» Der K-Wachen-Mann lächelte aufmunternd. «Jeder von uns kennt das Gefühl. Man steht vor einer Leiche, ahnt, dass etwas oberfaul ist, hat jedoch nicht den geringsten Anhaltspunkt für ein Verbrechen. Und dann ist es eben keins. Wie beim Fußball. Ein Foul ist nur dann ein Foul, wenn der Schiedsrichter pfeift. Ansonsten kannst du deinem Gegenspieler ungestraft die Nase brechen.»

Bastian sah ein, dass es eine blöde Idee gewesen war, von Udo Deilbach Unterstützung zu erwarten.

«Verrenn dich nicht!», riet ihm Udo zum Abschied. «Damit schaffst du dir keine Freunde. Warte lieber auf deine nächste Chance.»

Bastian schaute dem gedrungenen, breitschultrigen Mann hinterher, der mit seiner abgewetzten Ledertasche in der Hand auf den Fahrradparkplatz zusteuerte. Die Aussicht auf den Dienst in der K-Wache erschien ihm in diesem Moment noch weniger verlockend als vor seiner Episode bei der Mordkommission.

|||||

Bastian wachte auf, als Mia neben seinem Bett stand. Er musste doch noch einmal eingeschlafen sein. «Wie spät ist es?»

«Acht Uhr, du Langschläfer.»

Er sprang aus dem Bett. «Verdammt. Ich muss ins Präsidium.»

«Nicht bevor wir mit Hilde gesprochen und ihr klargemacht haben, dass es zum Altenheim keine Alternative gibt. Ich bin nicht bereit, die Verantwortung länger allein zu tragen. Du stehst genauso in der Pflicht wie ich, Bastian.»

Er streifte das T-Shirt über. Welche Schlüsse Susanne daraus ziehen würde, dass er schon wieder die Sachen vom Vortag trug, konnte er sich ausmalen. «Okay. Aber nur eine halbe Stunde. Mehr Zeit hab ich nicht.»

Das Gespräch wurde noch grauenhafter, als er geahnt hatte. Im Vergleich zum Vorabend hatte sich Hilde einigermaßen erholt und war von vornherein auf der Hut. So machte sie gar nicht erst den Versuch, ihre Ausfälle zu vertuschen, sondern schob sie auf einen Virus, den sie sich eingefangen habe, und die Tatsache, dass sie manchmal vergesse, ausreichend zu trinken. Aber das werde sich jetzt ändern, sie verspreche hoch und heilig, jeden Tag mindestens einen Liter Wasser zu sich zu nehmen. Es gebe also gar keinen Grund, sie aus ihrem gewohnten Leben zu reißen und sie zu zwingen, ihr geliebtes Haus zu verlassen. Falls Mia und Bastian doch versuchen sollten, sie gar in einem dreckigen Heim mit stinkenden, brutalen Pflegern unterzubringen, werde sie sich lieber umbringen, damit das mal klar sei. Alle Gegenargumente ließ Hilde an sich abprallen, und als Mias Ton immer schärfer wurde, sie schließlich damit drohte, ein Entmündigungsverfahren in Gang zu setzen und Hilde zwangsweise in einem Heim unterzubringen, wurde es Bastian zu viel. Aus reinem Mitleid schlug er sich auf die Seite seiner Mutter und handelte sich nun seinerseits Mias blanke Wut ein. Am Ende war sein Abgang eine kaum kaschierte Flucht, verbunden mit dem Versprechen, in Zukunft häufiger nach Horstmar zu kommen. Noch im Auto dröhnte ihm der giftige Kommentar in den Ohren, den Mia dazu abgegeben hatte.

|||||

Kurz vor Altenberge meldete sich das Handy. Susanne Hagemeister.

«Ich weiß, ich bin spät dran», sagte Bastian.

«Hast du schon Nachrichten gehört?»

«Wieso?»

«In der Nähe von Schapdetten ist ein Ehepaar in seinem Haus verbrannt. Der Mann war Professor an der Uni Münster.»

Bei dem Wort *verbrannt* spürte Bastian ein leichtes Ziehen im Unterbauch, die sanfte Ankündigung einer Übelkeit. «Und?»

«Selbstmord oder Mord. Es wurde ein Brandbeschleuniger verwendet. Und die Feuerwehr sagt, dass die Tür zum Schlafzimmer, wo die Leichen lagen, vermutlich verschlossen war.»

«Für einen Selbstmord ohne Rücktrittsversicherung gibt es angenehmere Optionen.» Bastian dachte an einen anderen Fall, an einen Mann mit Müllsack über dem Kopf, den sie tot in seiner Wohnung gefunden hatten. Die Hände des Mannes waren mit Kabelbindern auf seinem Rücken gefesselt, deshalb waren sie zunächst von Mord ausgegangen. Untersuchungen der Rechtsmediziner hatten jedoch ergeben, dass dem Mann genügend Zeit geblieben war, sich selbst zu fesseln, womit er wohl ausschließen wollte, sich die Sache im letzten Moment noch anders zu überlegen.

«Das sehen wir auch so», stimmte Susanne zu. «Zumal der Professor vor zwei Tagen bei der Polizei in Nottuln aufgekreuzt ist und Anzeige gegen unbekannt erstattet hat. Er gab an, von zwei jungen Männern belästigt zu werden. Die würden in der Nähe seines Hauses herumlungern.»

Bastian begriff allmählich, warum Susanne ihm das erzählte. «Heißt das, ich bin wieder dabei?»

«Ich habe deinen Namen auf die Liste gesetzt.» Die Erwartung, mindestens ein Lob, wenn nicht erheblich mehr Zuneigung von Bastian zu erhalten, kroch förmlich aus den Lautsprechern der Freisprechanlage.

«Danke. Du bist ein Schatz.»

«Das wollte ich hören.» Susanne wurde sachlich. «Die Feuerwehr hat die Ruine noch nicht freigegeben. Wegen Einsturzgefahr. Aber auch ohne die KTU können wir schon loslegen. Befragungen der Nachbarn und des persönlichen Umfelds. Alles, was so anliegt.»

Bastian räusperte sich: «Wer leitet die MK? Ist Uphues nicht an der Reihe?»

«Uphues liegt mit einem Bandscheibenvorfall im Krankenhaus.»

«Doch nicht etwa ...»

«Tut mir Leid, Bastian. Brunkbäumer hat sich erneut für Dirk Fahlen entschieden.»

Bastian verdrehte die Augen. Zuerst Yasi Ana, die ihn vor die Tür setzte, jetzt die zweite MK mit Fahlen. Das Schicksal hielt ihn wohl nicht für auserwählt, den Hauptgewinn ohne lästige Begleiterscheinungen abzuräumen.

Warum bekam er das Glück immer in Mogelpackungen serviert?

‖‖

Die Mitglieder der Mordkommission, die sich im Sitzungssaal versammelt hatten, kannten sich fast alle vom Mergentheim-Fall.

Anstelle von Staatsanwalt Neumann hatte diesmal jedoch eine Staatsanwältin den Zuschlag bekommen, eine Frau in Bastians Alter namens Martina Zumdiek. Fahlen, der die Anwesenden jovial begrüßte, genoss sichtlich seine gewachsene Bedeutung. Mit seiner zweiten Berufung zum MK-Leiter innerhalb weniger Tage war er auch der heißeste Anwärter auf die Nachfolge von Brunkbäumer, wenn dieser im nächsten Jahr seinen Abschied nehmen würde. Bastian wollte sich darüber vorläufig nicht ärgern. Solange er nicht dem KK 11 angehörte, konnten ihm die Personalentscheidungen des Präsidenten egal sein.

Nach den einleitenden Worten kam Fahlen gleich zur Sache: «Wie ihr sicher mitbekommen habt, ist die Frage, ob es sich um Mord oder Selbstmord handelt, noch nicht eindeutig geklärt. Entscheidende Hinweise liefern in solchen Fällen die Leichen selbst. Die Überreste von Professor Christian Weigold und seiner Frau befinden sich allerdings in einem denkbar schlechten Zustand. Aufgrund der weitgehenden Verkohlung müssen die Rechtsmediziner entsprechend vorsichtig und langsam vorgehen. Ich habe daher, abweichend vom üblichen Procedere, die Rechtsmedizin gebeten, uns eine vorläufige Einschätzung zu geben, quasi ohne Gewähr.» Mit einem selbstgefälligen Lächeln schaute der MK-Leiter zur Tür, die in diesem Moment geöffnet wurde.

«Zu uns gekommen ist …» Fahlen nahm ein Blatt Papier in die Hand, das vor ihm auf dem Tisch gelegen hatte. «… Frau Dr. Yasi Ana. Ich hoffe, ich habe den Namen richtig ausgesprochen, sie stammt nämlich aus China.» Fahlen stand auf und begrüßte die Eintretende per Handschlag.

Yasi lächelte den MK-Leiter voller Bewunderung an, als habe der gerade eine schwierige Quizfrage gelöst. «Völlig korrekt, Herr Hauptkommissar. Obwohl mein Name gar nicht chinesisch ist.»

«Das sollten wir anschließend bei einer Tasse Kaffee vertiefen», schleimte Fahlen und deutete auf den freien Stuhl neben sich. «Nehmen Sie doch bitte Platz!»

Bastian war in der letzten Minute zu einem Eisblock erstarrt. Was allerdings nur Susanne merkte, die ihn kritisch von der Seite musterte. Vollauf damit beschäftigt, seine Körpersprache unter Kontrolle zu bringen und sowohl Susannes wie Yasi Anas Blicken auszuweichen, bekam er zunächst gar nicht mit, worüber Yasi redete. Als er wieder zuhören konnte, sagte Yasi: «Aus der Position der männlichen Leiche lässt sich schließen, dass Professor Weigold versucht hat, sich zu retten. Zu diesem Zeitpunkt muss seine Frau bereits tot gewesen sein. In ihrer Lunge haben wir – im Gegensatz zu seiner – keine Rußpartikel gefunden, ihr Tod ist also vor Ausbruch des Feuers, zumindest vor einer größeren Rauchentwicklung im Schlafzimmer eingetreten. Das passt zur Intensität der Schädeltraumata, die beide erlitten haben, verursacht durch einen stumpfen Gegenstand. Vereinfacht ausgedrückt: Sie hat einen härteren Schlag abbekommen als er. Diese Kopfverletzung führte dann ursächlich zum Tod, während Professor Weigold sehr wahrscheinlich an einer Rauchgasvergiftung gestorben ist.»

Aha, dachte Bastian, wir reden also von Mord.

Kurz darauf beendete Yasi ihre Ausführungen. Als sie aufstand, begegneten sich zum ersten Mal ihre Blicke. Bastian spürte, wie ihm heiß wurde. Auch das noch. Jetzt sahen alle im Raum seinen roten Kopf und kombinierten messerscharf, dass zwischen Yasi und ihm irgendetwas lief.

Zum Glück klingelte kurz darauf Fahlens Handy. Der Anrufer war anscheinend wichtig, denn Fahlen wimmelte ihn nicht ab, sondern verkündete eine fünfminütige Pause, während er sich mit dem Handy am Ohr in den Nebenraum zurückzog.

«Ich muss mal aufs Klo», murmelte Bastian in Susannes Richtung und stürzte aus dem Saal.

Yasi fing ihn an der Tür ab und sagte: «Ich dachte schon, du kommst gar nicht mehr.»

Zehn

Ulrich Vogtländer hob die Hand und schlug zu. Eine Mücke. Sobald es wärmer als sieben Grad Celsius wurde, nervten auf Spitzbergen die Mücken. Eine überraschende Begrüßung für die Kreuzfahrttouristen, die in ihrer teuren Thermokleidung die Gangway hinunterkletterten. Statt der im Reiseprospekt versprochenen eisigen Arktis: Mücken wie in der sibirischen Tundra.

Vogtländer hob den Blick vom Monitor seines Computers und schaute aus dem Fenster. Sein mit Holz verkleidetes Reihenhaus stand auf einer Anhöhe über dem Adventfjord. Im kurzen Nordpolarsommer legten fast täglich Kreuzfahrtschiffe in Longyearbyen an. Auch heute ankerte so eine schwimmende Kleinstadt am Kai. Bald würden Horden von Michelin-Männchen das Zentrum von Longyearbyen überschwemmen, die *Brasseri Nansen* und das *Kroa* stürmen, als gäbe es auf ihrer schwimmenden All-inclusive-Insel nicht genug zu essen und zu trinken.

Vogtländer hasste die Touristen, besonders die deutschen. Diese in Watte verpackten Fleischklöße, die ihn mit ihren furchtbaren Dialekten an seine alte Heimat erinnerten. Dabei war er hierher, ans Ende Europas, geflüchtet, um dem deutschen Geist und Ungeist zu entgehen, den Geschäftemachern und Brauchtumspflegern, den Schützenbrüdern und Fahnenschwenkern. Und nun sächselte und schwäbelte es im *Kaufhaus Lompen* und vor der stillgelegten Seilbahnstation um die Wette. Im Sommer traute sich Vogtländer tagsüber kaum noch aus dem Haus. Lieber wartete er ab, bis die Signalhörner der Kreuzfahrtschiffe verkündeten, dass die Straßen frei waren, und die Touristen auf den sanften Wellen des Isfjords zu ihrem nächsten Landausflug schaukelten, nach Barentsburg, nach Ny Ålesund oder, zwei Seetage weiter südlich, zum Nordkap.

Gut, dass die Sommersaison so kurz war. Schon Ende August brach mit dem ersten Sonnenuntergang der Herbst an, und von November bis Februar war es stockdunkel. Am liebsten mochte Vogtländer die blauen Wochen. Jene Jahreszeit zwischen der absoluten Polarnacht und dem Aufblitzen der ersten Sonnenstrahlen hinter den Berggipfeln. Wenn sich tagsüber der Himmel für ein paar Stunden bläulich färbte und man mit den Schneescootern auf den zugefrorenen Fjorden bis weit nach Norden fahren konnte, bis zur Hinlopenstraße und Nordaustland. Fast alle Bewohner von Spitzbergen schätzten die Wintersaison mehr als die Sommersaison. Im Sommer steckte man in den Ortschaften fest, nur Boote, Hubschrauber und Flugzeuge ermöglichten dann ein Fortkommen. Im Winter dagegen war die Landschaft unbegrenzt, Motor- und Hundeschlitten glitten federleicht über Eis und Schnee. Wer immer die Zeit und die Gelegenheit hatte, verließ für ein Wochenende oder eine Woche sein Haus und übernachtete in einer der vielen Hütten. Man musste nur aufpassen, dass man sich bei den tiefen Minusgraden keine Finger oder Zehen abfror.

Natürlich kamen auch im Winter Touristen, vor allem von März bis Mai, wenn die Sonne bereits wieder hoch am Himmel stand. Schneescooter-Touren gehörten mittlerweile zu den Attraktionen Longyearbyens. Und Vogtländer konnte es den Einheimischen nicht verdenken, dass sie auf den Tourismus setzten. Der Kohlebergbau, seit Anfang des zwanzigsten Jahrhunderts die größte Einnahmequelle Spitzbergens, war längst ein Minusgeschäft. Fast alle Gruben in der Umgebung Longyearbyens hatten dichtgemacht, nur noch in der Grube 7, oben im Adventdalen, wurde gearbeitet. Die Grube befand sich seit einiger Zeit in der Hand der Arbeiter, aber was hier an Kohle gefördert wurde, reichte gerade, um Longyearbyen selbst mit Energie zu versorgen. Die SNSK, die Große Norwegische Spitzbergen-Kohlegesellschaft, früher die alleinige Herrscherin über Longyearbyen, konzentrierte ihre Aktivitäten inzwischen auf die Zeche Sveagruva, fünfzig Kilometer weiter südlich. In Sveagruva gab es breitere Kohleflöze, die den Einsatz von Menschen und Material lohnenswerter machten. Doch dauerhaft wohnen mochte niemand in Sveagruva. So schaffte die SNSK die Bergarbeiter im wöchentlichen Rhythmus per Flugzeug von Longyearbyen nach Sveagruva.

In der 1996 geschlossenen Grube 3 im Platåberget bei Hotellneset, ganz in der Nähe des Flughafens von Longyearbyen, war seit einigen Jahren das *Svalbard Global Seed Vault* untergebracht, die globale Samenbank für Kulturpflanzen. Vogtländer arbeitete daran mit, die Eigenschaften der rund siebenhunderttausend Pflanzensamen aufzulisten, die siebzig Meter tief im Berg lagerten, geschützt vom Permafrost und auf minus achtzehn Grad Celsius heruntergekühlt. Die Samen gehörten nicht der *Vault*, es handelte sich um Duplikate nationaler Samenbanken, die die biologischen Schätze ihrer jeweiligen Länder hier für die Ewigkeit retten wollten, falls Katastrophen, Bürgerkriege oder menschliches Versagen die Originale vernichten sollten. Für Spitzbergen als letztes Reservat der Pflanzenwelt hatte man sich nicht nur der Kälte wegen entschieden, die Inselgruppe war seit dem Svalbard-Vertrag von 1925 eine entmilitarisierte Zone fernab nationaler Konflikte. Außerdem gab es hier einen wettersicheren Flughafen,

über den die mit Pflanzensamen gefüllten Kisten ganzjährig ange-
liefert werden konnten.

Vogtländer musste husten. Ein Schmerz glühte in seiner Brust
auf und durchzuckte den ganzen Körper. Der Biologe öffnete
mehrere Tablettenschachteln und schluckte einen bunten Mix
aus Schmerzmitteln und Antidepressiva. Viel Zeit blieb ihm
nicht mehr, die Ärzte gaben ihm höchstens noch ein paar Monate.
Lungenkrebs im Endstadium, beim letzten Aufenthalt in der Röhre
hatten Metastasen im ganzen Körper aufgeleuchtet. Das nächste
Sonnenfest am 8. März, wenn die Sonne nach den langen Winter-
monaten zum ersten Mal wieder über den Horizont lugte, würde
ohne ihn stattfinden, so viel stand fest. Sein größter Wunsch war,
noch einmal Schnee zu erleben und mit dem Schneescooter über
die weiße Landschaft zu fliegen. Vielleicht würde er den Motor-
schlitten irgendwo verstecken und sich in den Tiefschnee legen.
Ein paar Tabletten nehmen, eine Flasche Whisky trinken und einfach einschlafen. Ja, das klang nach einem richtig guten Ende.

Vogtländer hatte alle Phasen der Krankheit durchlebt, vom
Nicht-Begreifen über das Nicht-wahrhaben-Wollen bis zu Empörung, Wut, Panik und Verzweiflung. Nach dem ersten Schock
hatte er sich zum Kämpfen entschlossen, jeden kleinen Sieg
euphorisch gefeiert und jeden Rückschlag als umso ungerechter
empfunden. Wie alle anderen Leidensgenossen, denen er im Krankenhaus in Tromsø begegnete, hatte er nicht verstanden, wieso es
ausgerechnet ihn treffen musste. Und wie alle anderen hatte er
geglaubt, dass er die Krankheit besiegen könne. Man hatte ihm
einen Lungenlappen entfernt, er war bestrahlt worden und hatte
sich einer Chemotherapie unterzogen. Und immer war der Krebs,
dieser gierige, genetisch fehlgeleitete Zellhaufen, zurückgekehrt.
Eine Weile hatte Vogtländer sogar erwogen, Naturheilverfah-
ren auszuprobieren, doch dann hatte der Wissenschaftler in ihm

die Oberhand behalten. Irgendwann, als das Waffenarsenal der Schulmedizin erschöpft war, hatte er eingesehen, dass er nichts mehr tun konnte, der Krebs würde als Sieger vom Platz gehen. Ein dummer Parasit, denn mit seinem Wirt würde er sich selber töten. Das war, vor nicht allzu langer Zeit, der Moment gewesen, in dem Vogtländer die letzte Phase erreicht hatte, die Phase der Akzeptanz. Zumindest glaubte und hoffte er, dass es die letzte Phase sein würde. Jetzt beschäftigte ihn nur noch das Problem, so lange wie möglich auf Spitzbergen zu bleiben. Er wollte nicht in Tromsø sterben, in dem Krankenhaus, in dem er behandelt worden war. Und in Longyearbyen durfte man nicht sterben, nicht langsam zumindest. Der Ort war nicht für Alte und Kranke eingerichtet, das örtliche Krankenhaus eignete sich nur für Notfälle, Pflegeeinrichtungen oder ein Hospiz fehlten völlig. Also musste er seinen Tod irgendwie anders regeln.

Einer sentimentalen Laune folgend, klickte der Biologe auf eine Internet-Nachrichtenseite aus seiner münsterländischen Heimat. Gleich die erste Meldung sprang ihn an: In der Nähe von Nottuln waren ein Professor der Uni Münster und seine Frau in ihrem Haus verbrannt. Er ahnte gleich, um wen es sich handelte, und der nachfolgende Text bestätigte seine Vermutung: Weigold hatte es erwischt. Zuerst Mergentheim, jetzt Weigold. Sein ehemaliger Freund hatte anscheinend recht gehabt mit der Befürchtung, dass es jemand auf sie abgesehen hatte. Irgendwelche Leute machten sich daran, die Vergangenheit auf ihre Art zu bewältigen. Aber wer? Und warum jetzt?

Vogtländer stand auf, ging mit schleppenden Schritten in die Küche und setzte Teewasser auf. Seit seiner Erkrankung hatte er zwanzig Kilo Gewicht verloren. Der Krebs verbrauchte eine Menge Kohlehydrate für sein überflüssiges Wachstum. Man sollte ihn einfach aushungern, der Gedanke war ihm schon öfter gekommen. Draußen kam Wind auf, er sah es an den Fahnen am Hafen. Oben im Haus schlug eine Tür zu. Vogtländer zuckte zusammen. Dann musste er lachen. Hatte er etwa Angst, ermordet zu werden? Wie albern war das denn? Eigentlich konnte ihm doch nichts Besseres passieren.

Elf

Bastian stieg die Treppe hinauf. An der vergleichsweise lächerlichen körperlichen Anstrengung lag es allerdings nicht, dass sein Herz weit über dem gesunden Normalmaß pochte und er feuchte Hände bekam. Nein, er war aufgeregt. Genau genommen handelte es sich um einen Gefühlscocktail aus Vorfreude, banger Erwartung und schlichtem Misstrauen. Mal überwogen die positiven Vorzeichen, mal stellte er sich auf ein im Streit endendes Desaster ein. Die ganze Zeit über, während er mit Susanne in den Baumbergen herumgefahren war und sie die Nachbarn der Weigolds danach gefragt hatten, ob ihnen etwas Verdächtiges aufgefallen sei oder ob man einen Wagen mit zwei männlichen Insassen gesehen habe, der in der Nähe von Weigolds Haus parkte, hatte er nur an den Abend denken können.

Im Präsidium war es natürlich nicht möglich gewesen, mit Yasi zu reden. In jedem Moment hätte einer seiner Kollegen aus dem Sitzungssaal kommen und mithören können, wie sie ihre letzte Liebesnacht aufarbeiteten. Nein, als Yasi ihn fragte, ob sie ihn am Abend besuchen wolle, blieb ihm gar nichts anderes übrig, als ja zu sagen. Die Einladung abzulehnen, hätte er sich nie verziehen. Er musste einfach wissen, was mit der Frau los war, was zwischen ihnen beiden ablief, sonst würde ihn die verpasste Chance noch ein paar Jahre verfolgen.

Die Tür zu Yasis Wohnung war angelehnt. Bastian stieß sie auf: «Yasi?»

Indirektes Licht im Wohnungsflur. Wieder der Geruch von Blumen und Räucherstäbchen. Irgendwo plätscherte gefälliger Asien-Pop. «Yasi? Wo bist du?»

Sie kam aus dem Schlafzimmer und trug einen dünnen, drachengemusterten Bademantel. *Nur* einen Mantel, vermutete Bastian, denn überall da, wo der Stoff nicht hinreichte, schimmerte Yasis braune, matt glänzende Haut.

«Schön, dass du da bist.» Sie streckte sich ihm entgegen.

Bastian wich zurück. «Yasi, wir …»

«Du willst reden, ich weiß.» Sie drängte ihn an die Wand und zog sein T-Shirt hoch. «Sagt ihr nicht: Reden ist Silber, Schweigen ist Platin?»

Er spürte, wie sich ihre Hand unter seinem T-Shirt auf die Reise machte. «Nein, ich …»

Weiter kam er nicht. Mit der anderen Hand zog sie seinen Kopf zu sich herunter und presste ihren Mund auf seinen. Eine unglaublich lange Zunge erforschte seine Mundhöhle. Als sie von ihm abließ, schnappte er nach Luft.

Ihr Blick wanderte abwärts. Er wusste, dass sich eine verräterische Beule abzeichnete.

«Ich sehe, du bist überzeugt», lachte die Rechtsmedizinerin.

Er gab sich geschlagen. «Nur wenn du versprichst …»

«Ich verspreche alles.» Sie zog ihn ins Schlafzimmer. Mit einer einzigen Bewegung entledigte sie sich des Drachenmantels. Er hatte richtig vermutet, unter dem Mantel war sie nackt. Und er mit ihrer Hilfe ein paar Sekunden später auch.

Falls er jemals die Absicht gehabt hatte, den Ablauf des Abends bewusst zu steuern, dann war ihm dieser Wille am Eingang zu Yasis Wohnung abhandengekommen. Sie machten da weiter, wo sie vor drei Tagen aufgehört hatten. All die Gefühle und Gedanken, die Bastian in der Zwischenzeit durch den Kopf gegangen waren, die Wut, die bittere Sehnsucht, die Zweifel, die Fragen, wurden durch Küsse und Liebkosungen betäubt. Sie pressten ihre Leiber aneinander, ließen ihre Finger über und in den Körper des anderen gleiten, sie lagen über- und untereinander, hockten und knieten, stöhnten und keuchten, bis sie beide total erschöpft waren.

IIIII

Schweigend lagen sie nebeneinander. Yasi wandte sich ihm zu, strich über seine Brust. «Du bist phantastisch. Ich schlafe gern mit dir.»

Da waren sie wieder, die Gedanken. «Du meinst, fürs Bett bin ich ganz okay, aber zum Frühstücken reicht's nicht.»

Sie drehte sich auf den Rücken und seufzte. «Du verstehst das nicht.»

«Kein Wunder, es hat mich ja noch niemand aufgeklärt.»

«Okay.» Sie stützte ihren Kopf auf die Hand. «Dann will ich dich mal aufklären. Seitdem ich in Deutschland bin, habe ich eine Menge Leute kennengelernt: Studenten, Kollegen, Zufallsbekanntschaften. Die meisten von ihnen steckten in langjährigen Beziehungen oder waren verheiratet. Und tatsächlich hatte ein kleiner Teil von ihnen den Zustand der Zufriedenheit erreicht. Aber der große Rest war unglücklich, enttäuscht, eifersüchtig, von den täglichen Streitereien in der Beziehung zermürbt. Ich habe genug verheulte Gesichter gesehen und Trost gespendet, ich habe Leute depressiv und alkoholkrank werden sehen. Und das alles nur, weil ihr die verrückte Idee verfolgt, dass Männer und Frauen zusammenleben sollten.»

«Hey», sagte Bastian, «das klingt für mich so, als ob du aus Angst vor dem Tod Selbstmord begehen willst. Nur weil es auch unglückliche Beziehungen gibt, heißt das doch nicht, dass man sein Leben lang allein bleiben muss.»

«Ich bin nicht allein», sagte Yasi. «Obwohl ich meine Familie oft vermisse.»

«Siehst du», konterte Bastian, «auch du hast eine Familie. Wenn sich dein Vater und deine Mutter nicht zusammengetan hätten, gäbe es weder dich noch deine Familie.»

«Ich kenne zwar meinen biologischen Vater, aber wir haben kein besonders inniges Verhältnis. Und zu meiner Familie gehört er nicht.»

«Auch eine Besuchsehe ist doch so etwas Ähnliches wie eine Ehe.»

«Besuchsehe?» Yasi verzog spöttisch das Gesicht. «Du hast dich im Internet informiert?»

«Na klar. Wenn man so vor die Tür gesetzt wird wie ich neulich von dir, dann macht einen das verdammt neugierig. Ich weiß also, dass bei den Mosuo ein Matriarchat herrscht und alle ihr Leben lang in der Familie der Mutter bleiben. Männer dürfen ihre Frauen nur in der Nacht besuchen und müssen bei Morgengrauen wieder verschwinden.»

«Besuchsehe ist ein blöder Begriff, den die Chinesen erfunden haben», sagte Yasi. «Tatsächlich existiert bei uns keine Ehe – oder nur im Ausnahmefall. Meine Oma sagte manchmal: ‹Wenn du nicht brav bist, wirst du verheiratet.›»

«Trotzdem», beharrte Bastian. «Irgendeine Art von Beziehung wird es doch zwischen Männern und Frauen geben?»

«Du meinst Liebe?» Yasi lachte. «Die gibt es wirklich. Sobald ein Mädchen zur Frau wird, findet ein großes Fest statt. Dann erhält sie viele Geschenke, neue Kleider und – was am wichtigsten ist –

ein eigenes Zimmer. Dort kann sie Männer empfangen – wen sie will und so oft sie will. Einzige Bedingung ist, dass es nachts geschehen muss.»

«Und woher wissen die Männer, dass sie erwünscht sind?»

«Du bist dumm.» Yasi gab ihm einen spielerischen Klaps auf den Bauch. «In dieser Hinsicht ticken wir nicht anders als andere Menschen. Wir verlieben uns ineinander – was dachtest du denn? Unsere Feste, bei denen getanzt wird, sind richtige Verkuppelungsveranstaltungen. Männer und Frauen flirten miteinander, geben sich durch Blicke und Gesten zu verstehen, dass sie nicht abgeneigt sind, es zum Äußersten kommen zu lassen. Und dann, in der Nacht, zündet die Frau in ihrem Blumenzimmer ein Feuer an. Das ist das Zeichen, dass sie Besuch erwartet. Trotzdem muss der Mann an ihre Zimmertür klopfen und abwarten, ob sie ihn einlässt.»

Yasis Hand, die noch immer flach auf Bastians Bauch lag, wanderte langsam abwärts. Bastian spürte ein angenehmes Kribbeln im Zwerchfell, doch diesmal war er gewillt, der Versuchung zu widerstehen. Er packte Yasis Hand und hielt sie fest. «Moment. Ich will noch mehr wissen.»

Yasi seufzte. «Okay, Herr Kommissar. Setzen Sie das Verhör fort.»

«Wenn ich dich richtig verstehe, gibt es keine festen Beziehungen?»

«Wie oft soll ich es dir noch sagen: Das ist Sache der Frau. Ob sie sich immer mit demselben Mann trifft oder mit vielen verschiedenen, entscheidet sie allein. Ihrer Familie ist das egal. Es besteht ja nicht die Gefahr, dass der Liebhaber sich in die Geschicke der Familie einmischt, er bleibt in seiner eigenen. Der Vorteil dieser Lebensweise besteht darin, dass es bei uns weder Ehestreitigkeiten noch Eifersuchtsdramen gibt.»

«Willst du behaupten, dass ihr nie den Wunsch habt, ein gemeinsames Leben als Mann und Frau zu führen, in der Nacht *und* am Tag?»

«Niemand hindert uns daran, den Mann auch am Tag zu treffen. Und natürlich gibt es so etwas wie langfristige Beziehungen. Wenn man merkt, dass man mit einem Mann glücklich ist und es noch eine Weile andauern kann, besteht die Möglichkeit, ihn der Familie vorzustellen. Dann organisiert die Dabu, die Hausherrin, ein großes Essen, und alle beschnuppern den möglichen Vater ihrer zukünftigen Nichten, Neffen und Enkel. Und manchmal, bei sehr langen Beziehungen, wenn der Mann zu alt oder zu krank ist und die Frau nicht mehr besuchen kann, kommt es sogar vor, dass die Frau ihn in ihre Familie holt, weil sie sich um ihn kümmern möchte. Doch dazu braucht sie die Zustimmung ihrer Familie.»

«Und wie ist das bei dir? Hattest du schon … langfristige Beziehungen?»

Yasi rollte sich auf ihn, so überraschend, dass er keine Gelegenheit bekam, zu protestieren. «Du willst alles erfahren, wie? Ja, ich hatte eine. In Hamburg. Er war mein Professor und verheiratet. Ein paar Jahre habe ich ihn in mein Blumenzimmer gelassen. Dann habe ich seine Tasche an die Tür gehängt.»

«Das heißt?» Bastian presste die Worte hervor, nicht so sehr wegen des Gewichts, das auf ihm lag, sondern wegen der Bewegungen, die Yasi machte.

«Das ist unsere Metapher für Schluss machen, dem Typ die rote Karte zeigen.» Yasi bewegte ihren Unterleib stärker. «Aber reden wir doch nicht immer nur von mir. Wie bist du denn unterwegs?»

«Ich … ich bin solo.»

«Schon lange?»

«Seit … ah … zwei Jahren.»

«Und du träumst von einer Frau, einer Schar Kinder und einem Häuschen im Grünen?»

«Oh …»

«Okay, diskutieren wir später weiter.»

||||||

Bastian erwachte aus einem traumlosen Schlaf. Kaffeeduft stieg ihm in die Nase. Yasi stand neben dem Bett und hielt ihm eine Tasse hin. «Der frühe Vogel hat Gold im Mund.»

«Was?»

«Deutsches Sprichwort. Und das hier ist zwar kein Frühstück, aber ich hoffe, du weißt es trotzdem zu schätzen.»

«Wie spät ist es?»

Yasi guckte irritiert. «Acht Uhr.»

«Scheiße.» Er schlug die Bettdecke zurück und sprang auf.

«Ich hätte etwas mehr Begeisterung erwartet.»

Bastian suchte seine Hose. «Ich meine nicht den Kaffee. Meine Kollegin holt mich um acht Uhr ab. Zu Hause.»

Wie zur Bestätigung klingelte das Handy. Susanne. Bastian meldete sich: «Ich bin gleich da.»

«Sag mir einfach, wo du *jetzt* bist, dann komme ich vorbei.»

Er überlegte fieberhaft. «Warendorfer Straße. Vor dem Cinema.»

Nachdem er sein T-Shirt übergestreift hatte, nahm er Yasi die Tasse ab und probierte einen Schluck. «Ich liebe starken Kaffee. Italienisch?»

«Die Kaffeemaschine hat mich einen Monatslohn gekostet. Du willst nicht, dass deine Kollegin erfährt, wo du die Nacht verbracht hast?»

«Vergiss nicht: Sie ist Polizistin. Aus dem Wo zieht sie ihre

Schlüsse. Und wenn du wüsstest, wie schnell sich Gerüchte im Präsidium verbreiten, würdest du auch nicht wollen, dass sie es erfährt.»

IIIII

Als er einstieg, gab ihm Susanne mit einem giftigen Blick zu verstehen, dass sie ihn durchschaute. «In letzter Zeit schläfst du selten zu Hause.»

«Gestern war ich bei meiner Mutter in Horstmar. Sie wird langsam dement.»

«Und heute Nacht?»

«Woanders.»

«Wohnt hier in der Nähe nicht diese Rechtsmedizinerin?»

Die Falle war so plump, dass Bastian sie trotz seines Schlafdefizits problemlos erkannte. «Keine Ahnung, wen du meinst.»

«Na, die Chinesin. Wie hieß sie noch gleich?»

«Khan?»

Susannes Lachen klang unecht. «Ich weiß, wie Männer aussehen, die von einer Frau kommen. Sie haben so ein verdammt selbstzufriedenes Grinsen im Gesicht.»

Zwölf

Am Ende hatten sie an siebenundfünfzig Türen geklingelt, drei-unddreißig Personen angetroffen und zwei halbwegs brauchbare Hinweise erhalten. Bastian rechnete es Susanne hoch an, dass sie das Thema Yasi nicht wieder aufgriff, auch über Beziehungen, glückliche oder unglückliche, redeten sie nicht. Dafür kannte Bastian am Nachmittag, als sie nach Münster zurückfuhren, alle Marotten von Susannes schwer pubertierender Tochter, während er sich seinerseits über seine störrische Mutter beklagt hatte. Irgendwann fiel ihm auf, dass das Verhalten dieser beiden weiblichen Wesen gar nicht mal so unähnlich war. Wenn man im Alter, bei fortschreitender Demenz, wieder zum Kind wird, dachte Bastian, dann hatte seine Mutter wohl gerade das Stadium der Pubertät erreicht.

Manchmal unterhielten sie sich auch über den Fall, der sie in Schapdetten von Haus zu Haus gehen ließ. Der Brand, so viel schien sicher, war nur gelegt worden, um die Morde zu verdecken. Völlig nebulös blieb jedoch das Motiv, das den oder die Täter bewogen hatte, Professor Weigold und seine Frau zu töten. Möglicherweise handelte es sich um einen missglückten Einbruch, bei dem die Täter von den Opfern überrascht worden waren, oder um einen aus dem Ruder gelaufenen Raubüberfall. Aufgrund der Einsturzgefahr hatte die KTU erst einen Teil des Gebäudes untersuchen können, daher bestand noch die Chance, dass die Spurensicherer in der Brandruine etwas fanden, das darüber Aufschluss gab. Fakt war allerdings, dass man weder im Institutsbüro des Professors noch bei der kursorischen Befragung seiner Mitarbeiter und der Freunde des Ehepaars einen Hinweis erhalten hatte, der die Gewalttat erklärte. So blieb als einzige Spur die Anzeige des Professors bei der Nottulner Polizei, die Beschuldigung jener zwei jungen Männer, die ihm angeblich mehrmals aufgelauert hatten. Dummerweise war ihre Beschreibung recht vage. Oder anders gesagt: Der Nottulner Kollege hatte nicht nachgefragt, weil er die Geschichte wohl nicht sehr ernst genommen hatte.

Den ersten tauglichen Hinweis erhielten sie nach ihrer Mittagspause, die sie mit belegten Brötchen in Susannes Wagen verbrachten. Eine Fleischereifachverkäuferin hatte ein Auto mit zwei männlichen Insassen auf dem Parkplatz des Sportvereins gesehen, als sie ihren Sohn zum Fußballtraining brachte. Es sei ihr komisch vorgekommen, dass die Männer mindestens eine Viertelstunde lang einfach so im Auto gesessen hätten, sagte sie. Es gebe in Schapdetten wenig Probleme mit Drogen und so, aber man könne ja nie wissen … Einer der beiden habe lange und der andere kurze Haare gehabt, eher dunkel als blond, mehr habe sie von hinten nicht erkennen können. Bastian fragte nach dem Wagen. Die Verkäuferin pustete, da sei sie überfragt, so ein Mittelklassewagen, vielleicht ein Passat, irgendwie silbrig-grau, mit Münsteraner Kennzeichen, darauf habe sie geachtet, aber was und wie genau …

Es sei definitiv ein Opel Astra mit Metalliclackierung gewesen, sagte eine Stunde später ein Mann, der gerade von seinem Bürojob in Münster nach Hause kam, den Wagen habe er zweimal bei den Hexenquellen am Tilbecker Berg gesehen. Die Typen hätten wie Studenten gewirkt, so ein bisschen ungepflegt, mit großen Sonnenbrillen. Viel habe er nicht erkannt, schon wegen der Sonne, die ihn geblendet habe. Allerdings sei ihm aufgefallen, dass das Auto ein Münsteraner Kennzeichen gehabt habe.

«Einen ganzen Tag Arbeit für zwei mickrige Aussagen, die nicht mal gerichtsverwertbar sind», stöhnte Susanne. Am Horizont stießen die Bettentürme der Uni-Klinik wie zwei riesige Spargelköpfe in den Himmel.

«Vielleicht hatten die Kollegen ja mehr Glück», sagte Bastian, um überhaupt etwas zu sagen.

IIIII

Nachdem der Papierkram erledigt war, schlenderte Bastian hinüber in den Sitzungsraum der Mordkommission. Auf dem langen Tisch standen etliche Telefone, von den bereits eingetroffenen Ermittlern hatten einige ihre Laptops angeschlossen, andere zapften Kaffee aus großen Warmhaltekannen. Die Gespräche drehten sich um Überstunden und Urlaubsansprüche, ein sicheres Indiz, dass bei der anstehenden Sitzung keine Sensation zu erwarten war.

Bastian versorgte sich selbst mit Kaffee, während sich der Raum mit Menschen füllte. Fahlen kam als Letzter und bat schwungvoll um eine Zusammenfassung der Ermittlungsergebnisse. Wie Bastian vermutet hatte, fielen die Resultate dürftig aus. Der Wagen mit den zwei jungen Männern war noch an fünf anderen Stellen gesehen worden, doch für eine genaue Personenbeschreibung reichte es in keinem Fall, geschweige denn für ein Phantombild. Ein ähnliches Problem ergab sich beim Auto, die Zeugen hatten vier verschiedene Marken und Modelle genannt, die Farbe changierte von Weiß bis Mittelgrau, das Kennzeichen hatte sich leider niemand gemerkt.

«Ich sehe nur eine Möglichkeit», sagte Fahlen. «Wir füttern die

Medien mit dem Aufruf, dass wir die beiden als Zeugen in einem Mordfall suchen.»

«Mit dieser Wischiwaschi-Personenbeschreibung?», fragte Ruth Winkler.

«Hast du einen besseren Vorschlag?», gab Fahlen zurück.

«Da wird es Hunderte von Anrufen hageln.»

«Eben dafür richten wir eine Hotline ein und setzen zwei Leute den ganzen Tag ans Telefon. Neunzig Prozent der Anrufe lassen sich von vornherein aussortieren, das sind die üblichen Wichtigtuer und Schaumschläger, die restlichen zehn Prozent arbeiten wir nach und nach ab. Und ich wette, irgendwann stoßen wir auf die beiden Burschen. Dann brauchen wir nur noch ein bisschen Glück, einen Fetzen Papier, eine verschissene E-Mail, von mir aus ein Hemd, das nach Rauch stinkt, irgendwas, das sie mit Weigold in Verbindung bringt und uns die Begründung für einen Durchsuchungsbeschluss liefert. Und schwupps …», Fahlen fing mit der hohlen Hand eine imaginäre Fliege, «… sind sie von Zeugen zu Beschuldigten mutiert.»

Die Rede zeigte Wirkung. Auf die müden, von acht Stunden Klinkenputzen geröteten Gesichter stahl sich das eine oder andere Lächeln. Da war er, der Corpsgeist. Auch Bastian wusste plötzlich wieder, warum er dazugehören wollte. An ihnen lag es schließlich, dass das Chaos in Schach gehalten wurde, dass das Recht des Stärkeren auf Dauer keine Chance hatte. Denn was forderte die Zivilisation mehr heraus als Mord und Totschlag?

Der anschließende, nüchterne Bericht der Spurensicherer, die für die Dauer ihrer Untersuchung zur Mordkommission gehörten, versetzte dem Hochgefühl einen Dämpfer. Millitzke, der wie in Altenberge die Leitung der Untersuchung übernommen hatte, führte aus, dass man sich mit zwei Teams im Weigoldhaus von Raum zu Raum vorarbeite. Sicher sei bislang nur, dass der Brand im Erdgeschoss ausgebrochen sei, in der Küche und im Treppenhaus fänden sich die stärksten Brandschäden, man gehe daher davon aus, dass die Täter zwei Brandherde gelegt hätten. «In der Küche haben wir übrigens ein weiteres Opfer gefunden.» Millitzke aktivierte den Projektor, der ein Foto auf die Leinwand hinter seinem Kopf warf. Zu sehen war eine amorphe, schwarzweiß gefleckte Masse, aus der zwei Reihen Zähne herausragten. «Der Hund der Weigolds», erklärte Millitzke, «ein Foxterrier. Er wurde mit demselben Gegenstand erschlagen, der auch Frau und Herrn Weigold traf.»

«Woher wisst ihr das?», fragte Ruth Winkler.

«Weil wir den Gegenstand gefunden haben.» Millitzke klickte das nächste Foto an die Wand: Eine Metallstange, die unversehrt zwischen verkohlten Möbelstücken lag. «Wir konnten drei verschiedene Blutspuren sicherstellen, von Herrchen, Frauchen und Hund. Und um die nächste Frage gleich vorwegzunehmen: Nein, die Stange weist keine Fingerabdrücke auf. Das hätte mich auch sehr gewundert, so umsichtig, wie die Täter ansonsten vorgegangen sind.»

«Lässt sich etwas zu der Stange sagen?», fragte Fahlen.

«Ein Metallrohr, wie man es in jedem Baumarkt kaufen kann. Und ihr dürft nicht vergessen, es stammt womöglich aus dem Weigold'schen Haushalt. Dann führt es uns nirgendwohin.»

«Mehr habt ihr nicht?», hakte Fahlen nach.

«Tut mir leid, Dirk. Aber wir sind auch erst am Anfang, ich schätze, dass wir eine ganze Woche brauchen.»

In die allgemeine Aufbruchstimmung hinein hob Willschrei, der alte OK-Mann, der sich mit Mergentheims Bank beschäftigt hatte, den Arm. «Ich hab da noch was.»

«Ruhe bitte!», kommandierte Fahlen. «Ja, Norbert?»

«Ich weiß nicht, ob es von Bedeutung ist …»

Toller Anfang, dachte Bastian. Einige in der Runde, die geistig schon auf dem Nachhauseweg waren, verdrehten die Augen.

«Mir ist aufgefallen, dass Weigold über ein beträchtliches Vermögen verfügte. Für einen Professor.»

«Und weiter?», drängte Fahlen.

«Ich habe ein bisschen nachgeforscht und gelesen, dass ihm ein Teil von Lambert-Pharma gehörte, einem mittelständischen Unternehmen in Lengerich, das pharmazeutische Produkte herstellt.»

«Was ist daran ungewöhnlich?», warf Ruth Winkler ein. «Der Mann war Pharmakologe, er wird seine eigene Forschungsarbeit zu Geld gemacht haben.»

«So weit, so nachvollziehbar», sagte der OK-Mann. «Aber dann ist mir eingefallen, dass ich den Namen Lambert-Pharma erst vor kurzem auf dem Schirm hatte, nämlich bei der MK Altenberge, sprich Mergentheim. Mergentheim gehörte ebenfalls ein Teil von Lambert-Pharma.»

«Ist das nicht die klassische Klientel der Münsterländischen Privatbank?», fragte Susanne. «Die Bank ist auf Mittelständler spezialisiert.»

«Wir reden hier nicht von der Bank, sondern von dem Privatmann Carl Benedikt Mergentheim.»

«Hast du das genauer?», fragte Fahlen.

«Ja.» Der OK-Mann entfaltete ein DIN-A4-Blatt und strich es glatt. «Lambert-Pharma hat drei Besitzer. Der größte Anteil, nämlich fünfzig Prozent, liegt bei Helene Lambert. Mergentheim hielt dreiunddreißig Komma drei Prozent, Weigold sechzehn Komma sieben. Sieht so aus, als hätte es ursprünglich drei Drittel gegeben. Vielleicht hat Weigold die Hälfte seines Anteils an Helene Lambert verkauft. Ich werde versuchen, das zu verifizieren, die Einträge reichen nicht so weit zurück.»

«Wir sollten uns Lambert-Pharma mal genauer ansehen», entschied Fahlen. «Am besten bei einem Überraschungsbesuch gleich morgen.»

Und natürlich teilte er sich dafür selbst ein, zusammen mit seinen Lieblingen. Susanne und Bastian bekamen die Aufgabe, zum Pharmakologischen Institut der Uni Münster zu fahren und Weigolds Mitarbeiter in Bezug auf Lambert-Pharma auszuquetschen.

IIIII

Bastian hatte nur kurz überlegt, Yasi anzurufen, war dann aber früh ins Bett gegangen und nach seinem üblichen Traum noch einmal eingeschlafen. So fühlte er sich an diesem Morgen zum ersten Mal seit Tagen wach und ausgeruht. Susanne und er trafen sich im Präsidium, weil Susanne bei einem Fall von häuslicher Gewalt, den sie bearbeitete, einige dringende Telefonate zu erledigen hatte.

Gegen zehn nahmen sie einen Dienstwagen, einen blauen Golf, und fuhren zum Institut für Pharmakologie und Toxikologie der Westfälischen Wilhelms-Universität, wie es mit vollständigem Namen hieß. Das Institut gehörte zum medizinischen Fachbereich der Uni und lag im Schatten der Bettentürme am Coesfelder Kreuz. Abseits der Altstadt, die nach dem Weltkrieg weitgehend wieder so aufgebaut worden war, wie sie vor den Bombenzerstörungen ausgesehen hatte, und die hauptsächlich für Münsters Top-Ranking bei Wohlfühlwertungen sorgte, unterschied sich die 300 000-Einwohner-Stadt nur marginal von ihren gleich großen Schwestern. Besonders am Coesfelder Kreuz, wo die asketischen Zweckbauten der Naturwissenschaften in Rudeln herumstanden, hielt sich der städtebauliche Charme in Grenzen. Die Waschbetontürme der Uni-Klinik wiesen längst hässliche Flecken auf, und was in den siebziger Jahren des 20. Jahrhunderts mal der letzte Schrei der Architektur gewesen sein mochte, war heute an Unansehnlichkeit kaum zu überbieten. Da schnitten die erheblich älteren Klinkerbauten der verschiedenen medizinischen Institute, die zwischen der Albert-Schweitzer-Straße und der Waldeyer-straße ein eigenes Stadtviertel bildeten, in ästhetischer Hinsicht erheblich besser ab.

Auch das Institut für Pharmakologie befand sich in einem reno-vierten rotbraunen Backsteingebäude, an anderer Stelle im Stadt-bild hätte es als normales mehrstöckiges Wohnhaus durchgehen können.

Bastian und Susanne stellten den blauen Golf auf der Domagk-straße ab und folgten den Hinweistafeln bis zum Vorzimmer von Professor Weigold. Der Sekretärin war der Schock über den Verlust ihres Chefs anzumerken. Bastian kannte den ängstlichen Blick, mit dem sie zuerst die beiden Kripo-Leute und dann deren Dienstausweise betrachtete, er hatte ihn schon oft bei Menschen gesehen, in deren Nähe jemand plötzlich gestorben war. Nichts war so beunruhigend wie der Gedanke, dass der Tod einen ähnlich unversehens aus dem Leben reißen konnte.

Die beiden Kriminalbeamten ließen sich eine Liste mit allen wissenschaftlichen und sonstigen Mitarbeitern des Instituts geben und arbeiteten sich in den nächsten Stunden durch sämt-liche Büros und Labors. Doch wie die Sekretärin, bei der sie sich ebenfalls erkundigt hatten, erinnerte sich keiner der Befragten daran, von Professor Weigold jemals einen Satz über Lambert-Pharma gehört zu haben. Das Unternehmen selbst kannten die meisten, es habe sich mit einem durch eigene Forschungsarbeit entwickelten Präparat, das den körperlichen und geistigen Ver-fall vor allem älterer Frauen verlangsame, zu einem Shooting-Star der Pharmabranche entwickelt, von einer kleinen Klitsche, die vor zwanzig Jahren gegründet worden sei, zu einem prosperierenden

Unternehmen mit mehreren hundert Angestellten. Aber dass Professor Weigold daran beteiligt gewesen sei, nein, das war allen neu.

Mit diesem bescheidenen Ergebnis kehrten sie zur Sekretärin zurück.

«Wie lange arbeiten Sie schon für Professor Weigold?», wandte sich Bastian an die ältere Frau.

«Ich war schon da, als er die Professorenstelle bekam.» Sie dachte nach. «Zwölf Jahre, vielleicht dreizehn.»

«Mit wem verstand sich Weigold in diesen Jahren am besten – hier im Institut?»

«Mit Dr. Vogtländer», kam die prompte Antwort. «Weigold und Vogtländer kannten sich aus Studentenzeiten. Sie waren Freunde, würde ich sagen. Gemeinsam haben sie mehrere Forschungsprojekte durchgeführt.»

«Haben Sie eine Ahnung, wo wir Dr. Vogtländer finden können?», fragte Susanne.

«Das letzte Mal, als der Professor ihn erwähnte, war er auf Spitzbergen.»

«Spitzbergen?»

«Im hohen Norden», bestätigte die Sekretärin. «Arktis, quasi. Dr. Vogtländer arbeitete bei der globalen Samenbank auf Spitzbergen. Vielleicht ist er ja noch immer dort.»

|||||

«Vogtländer. Mit wem spreche ich?»

Bastian war überrascht, wie unkompliziert es gewesen war, die Telefonnummer ausfindig zu machen. Und sie hatten auch noch das Glück, dass der Wissenschaftler den Anruf sofort annahm.

«Doktor Ulrich Joachim Vogtländer?»

«Ja.»

Bastian schaltete den Lautsprecher ein, sodass Susanne mithören konnte. «Mein Name ist Matt. Von der Kriminalpolizei in Münster.»

«Was kann ich für Sie tun?» Die Stimme klang rau und dunkel, als hätten Teer und Nikotin sie jahrzehntelang gegerbt.

«Es geht um den Doppelmord an Professor Christian Weigold und seiner Frau.» Bastian hatte die Erfahrung gemacht, dass es am besten war, gleich mit der Tür ins Haus zu fallen. Egal ob man der schlechten Nachricht ein paar gewundene, einfühlsame Sätze vorausschickte, die Menschen erschreckten sich so oder so – oder auch nicht.

«Ich habe im Internet davon gelesen.»

Vogtländer gehörte ganz offensichtlich zur Oder-auch-nicht-Fraktion.

«Das scheint Sie nicht sehr zu berühren? Wir haben gehört, dass Sie und Professor Weigold Freunde waren?»

«Wer sagt das?»

«Weigolds Sekretärin.»

«Ja, wir waren Freunde. Aber das ist schon eine Weile her.»

«Haben Sie in letzter Zeit mit Weigold gesprochen?»

Schweigen. Vogtländer schien zu überlegen, was er sagen sollte. Weigolds Telefondaten waren zwar angefordert, aber noch nicht überprüft worden. Falls der Pharmakologe Vogtländers Nummer gewählt hatte, würden sie das bald wissen.

Der Mann auf Spitzbergen kam offenbar zum gleichen Schluss: «Ja, wir haben vor ein paar Tagen miteinander telefoniert.»

«Tatsächlich? Worüber haben Sie denn gesprochen?»

«Christian fühlte sich bedroht. Von zwei Typen, die ihn beobachteten. Wie er sagte.»

Bastian wechselte einen Blick mit Susanne. Vielleicht bekamen sie endlich einen entscheidenden Hinweis. «Hat er die beiden beschrieben?»

«Nein. Nur dass es sich um jüngere Männer handelte. Christian dachte an ehemalige Studenten, die sich für eine schlechte Prüfungsnote rächen wollten. Ich tippte auf Einbrecher und riet ihm, nicht den Helden zu spielen. Da haben wir uns wohl beide geirrt.» Vogtländer begann zu lachen, was nicht lange gutging und in einem hartnäckigen Hustenanfall endete. «Entschuldigung.»

Susanne schüttelte fassungslos den Kopf.

«Finden Sie das lustig?», fragte Bastian.

«Nein.» Vogtländer schnappte keuchend nach Luft. «Tut mir leid. Angesichts des Todes verhalten wir uns alle etwas seltsam. Besonders angesichts unseres eigenen.»

Seltsam war dieser Wissenschaftler auf jeden Fall. Vielleicht lag das am Klima da oben am Nordpol. Immer kalt, so gut wie keine Pflanzen, im Sommer ging die Sonne nicht unter und im Winter gar nicht erst auf, das machte vermutlich den Nervenstärksten mürbe.

Bastian wechselte das Thema: «Kennen Sie die Firma Lambert-Pharma?»

«Nicht aus eigener Anschauung. Aber ich weiß, dass sie existiert.»

«Wussten Sie auch, dass Professor Weigold Miteigentümer war? Genauer gesagt, dass ihm ein Sechstel des Unternehmens gehörte?»

«Das wundert mich nicht», sagte Vogtländer emotionslos. «Christian gehörte zu jenen Forschern, die ihren eigenen Vorteil nie aus den Augen verlieren. Und mit manchen Entdeckungen lässt sich eben eine Menge Geld verdienen.» Ein ersticktes Husten drang durch die Leitung. «Und jetzt entschuldigen Sie mich bitte, ich habe einen Arzttermin.»

Kaum hatte Bastian aufgelegt, klingelte das Telefon erneut.

«Yasi hier.» Ihre Stimme klang verwegen. «Hallo, mein nächtlicher Besucher.»

Bastian war baff.

Susanne schaute ihn fragend an.

«Äh ... Hallo, Frau Ana», sagte Bastian schließlich, «ich sitze hier im Büro zusammen mit KHK Hagemeister.»

Susanne machte mit dem Finger ein Zeichen, Bastian aktivierte den Lautsprecher. «Und sie hört mit.»

«Das trifft sich gut», sagte Yasi. «Es geht nämlich um einen Fall, den Sie beide bearbeiten.»

«Hat die Autopsie der Weigolds etwas Neues ergeben?»

«Nein. Es geht um Mergentheim, da standen ja noch einige Ergebnisse der Blutuntersuchung aus.» Yasi machte eine kleine Pause. «Und Überraschung, wir haben einen positiven Befund: Gamma-Hydroxybuttersäure.»

«Aha», sagte Bastian. «Was heißt das?»

«Gamma-Hydroxybuttersäure, kurz GHB, wird in der Medizin als Narkotikum und Narkolepsie-Medikament verwendet. Es ist aber auch als Partydroge bekannt, unter dem Namen Liquid Ecstasy.»

«Meinen Sie die Ecstasy-Pillen?»

«Nein, chemisch sind die beiden Substanzen nicht verwandt. GHB wirkt in geringen Dosen angstlösend und sexuell stimulierend. Eine höhere GHB-Dosierung führt allerdings zu einem komatösen Schlaf. Deshalb benutzen Diebe und Vergewaltiger GHB, um ihre Opfer willenlos zu machen.»

«K.-o.-Tropfen», warf Susanne ein.

«Richtig», bestätigte Yasi. «Die Substanz hat viele Namen und Verwendungsmöglichkeiten.»

«Und wie viel hatte Mergentheim intus?», fragte Bastian. «War er berauscht oder flachgelegt?»

«Nach unseren Berechnungen hatte er vier Gramm GHB im Blut. Das heißt, er hat tief und fest geschlafen.»

«In diesem Zustand konnte er sich wohl kaum selbst aufhängen?»

«Nein, dazu wäre er nicht in der Lage gewesen. Ohne mich in Ihre Polizeiarbeit einmischen zu wollen, Herr KOK Matt, die Selbstmordtheorie können Sie getrost vergessen. Ach, übrigens, Bastian, hast du heute Abend Zeit?»

Nachdem er aufgelegt hatte, starrte Susanne ihn aus zusammengekniffenen Augen an. Irgendwas war mit ihrem Gesicht passiert, es sah auf einmal kantiger und härter aus. «Du Idiot, du hast sie gevögelt, ich hab's die ganze Zeit gewusst.»

Es noch länger abzustreiten, wäre albern gewesen.

Dreizehn

Unterschicht, dachte Helene Lambert. Sie stand auf dem Balkon der Royal-Suite der MS Albertina und schaute hinunter auf die Gangway, über die ihre Mitreisenden auf das Kreuzfahrtschiff zurückkehrten. Leute ohne Stil und Chic, mit unmöglichen Frisuren und billigen Mänteln. Übergewichtige, die sich nur noch watschelnd fortbewegen konnten und am Abend wieder über alles herfallen würden, was das Buffet hergab. Unterschicht eben, die sich zu zweit oder zu dritt in die winzigen Kabinen der unteren Decks quetschte. Zum Glück waren kaum Kinder an Bord, und die wenigen, die Helene gesehen hatte, waren bereits dem Krabbelalter entwachsen. So blieb ihr zumindest das Gekreische von mit Rasseln und Brei um sich werfenden Kleinkindern erspart.

Dabei hatte Helene bewusst ein kleines, hochklassiges Kreuzfahrtschiff und eine Nordroute bis an den Rand des arktischen Eises gebucht. Lediglich fünfhundert Passagiere fanden auf der MS Albertina Platz, kein Vergleich zu den schwimmenden Monstern, die mit dreitausend oder noch mehr Vergnügungssüchtigen auf dem Mittelmeer oder in der Karibik kreuzten. Und natürlich hatte sich Helene für die teuerste und größte Kabine entschieden, die Royal-Suite mit ihren auf zwei Räumen verteilten rund siebzig Quadratmetern, ein absoluter Luxus, dessen Gegenwert für die zweiwöchige Reise einem Mittelklassewagen entsprach. War es da zu viel verlangt, auch außerhalb der Kabine etwas mehr Exklusivität zu erwarten? Stattdessen musste sie im Restaurant zusammen mit dem gemeinen Volk dinieren. Warum verfügte die MS Albertina nicht über ein eigenes Restaurant für die Gäste der Gold- und Silberkategorie, also diejenigen, die sich die Suiten auf den beiden oberen Decks teilten? Oder wenigstens einen abgetrennten Bereich, in den nur hineinkam, wer Abendgarderobe trug? Tagsüber nahm Helene bei den Mahlzeiten den Kabinenservice in Anspruch, aber am Abend wollte sie sich an Bord zeigen. Wozu sonst hatte sie fünf Koffer mitgenommen? Und neben ihr gab es immerhin eine ermutigende Schar von Menschen, Frauen wie Männer, die Abendkleider, Anzüge und Krawatten anlegten, bevor sie sich an den Tisch setzten. Menschen, deren Aussehen sich wohltuend von dem an Bord üblichen Gammel-Look abhob. Wo man auch hinblickte, überall sah man verwaschene Jeans, schlabbrige Fleece-Jacken und beigefarbene Blousons.

Der junge Typ da unten machte keine Ausnahme. Zu Beginn der Reise war er Helene gar nicht aufgefallen. Dabei sah er mit seinen kurzen blonden Haaren gar nicht mal so übel aus. Wenn sie Zeit und Lust gehabt hätte, ihn unter ihre Fittiche zu nehmen, dann hätte sie aus ihm einen schnuckeligen Burschen machen können, etwas fürs Bett, mit dem sich ein paar nette Stunden verbringen ließen.

Helene verwarf den Gedanken sofort wieder. Zu kompliziert. Nicht dass sie mit ihren einundfünfzig Jahren keine Chancen bei jungen Männern gehabt hätte. Sie sah für ihr Alter recht gut aus, die Haut straff, der Bauch glatt. Sie ernährte sich gesund und in Maßen, den Rest erledigte der Stepper, auf dem sie sich fit hielt. Und sie wusste genau, auf welche Knöpfe sie bei den Männern drücken musste, jung wie alt, da waren sie doch alle gleich. Mit

Charme und Klasse kriegte sie jeden rum. Bei den jüngeren Männern kam noch hinzu, dass sie die Erfahrung einer reifen Frau schätzten. Ältere Frauen wie sie verzichteten auf Gezicke und Hingehalte, die Frage nach einer langfristigen Beziehung stand gar nicht erst im Raum, da ging es um Sex pur, wild und hemmungslos. Anschließend ging jeder seiner Wege.

Wäre Helene allein auf der MS Albertina gewesen, hätte sie eine Affäre in Betracht gezogen. Sie überlegte, ob ihr Favorit mit der blonden Frau an seiner Seite liiert war oder ob die Blonde mit dem zweiten Mann des Trios ins Bett ging. Vielleicht waren die drei auch bloß Freunde oder Geschäftspartner. So voneinander distanziert, wie sie über den Kai zur Gangway schlenderten, sahen sie nicht aus wie ein Liebespaar mit Begleitung.

Aber davon abgesehen, ob der Kurzhaarige für ein Liebesabenteuer zu gewinnen war oder nicht – Helene Lambert reiste nun mal nicht allein, sie war in Begleitung ihres Sohnes Frederik und ihres persönlichen Assistenten Rafael van Meulen. Der Geschäftsbetrieb ihrer Firma in Lengerich machte keine Pause, und obwohl sie fähige Leute in der Leitung installiert hatte, wollte sie ständig informiert sein und wichtige Entscheidungen selbst treffen. Dafür brauchte sie Personal an Bord. Doch mehr als mögliches Gerede in der Firma fürchtete Helene die Missbilligung ihres Sohnes, falls sie sich mit einem Mann einließ, der kaum älter war als Frederik selbst. Frederik trauerte nun mal dem Mann nach, den er für seinen Vater hielt, darauf musste sie, wohl oder übel, Rücksicht nehmen.

Helene Lambert hob den Blick und schaute vom alten Hafen zur Innenstadt hinüber. Der Dom, eine Holzkirche aus dem neunzehnten Jahrhundert, überragte die Geschäftshäuser, stadtauswärts überspannte eine buckelförmige Brücke den Tromsø-Sund. Der dahinterliegende Hügel, auf dem die moderne, ganz in Weiß gehaltene Eismeer-Kathedrale stand, war von einer Wolke verdeckt.

Wo immer es sich vermeiden ließ, verzichtete Helene auf die vom Reiseunternehmen angebotenen Ausflüge. Sie verabscheute es, im Gänsemarsch an Sehenswürdigkeiten vorbeizupilgern, Smalltalk über das Wetter und die Landschaft zu halten oder sich im Bus von einheimischen Reiseführern heruntergeleierte Anekdoten über Land und Leute anzuhören. Und da Tromsø zwar die norwegische Nordmeermetropole, nach mitteleuropäischen Maßstäben aber nur eine kleine, mit dem Fahrrad einfach zu erkundende Stadt war, hatten sich Helene und Frederik zwei schiffseigene Räder geliehen und waren einige Stunden herumgefahren. Auf dem Markt in der Innenstadt kauften sie ein paar Mitbringsel, anschließend überquerten sie die lange Brücke, um sich die Eismeer-Kathedrale anzuschauen. Dort blieben sie allerdings nicht lange. Als eine Busladung ihrer Mitreisenden auftauchte, ergriffen sie spontan die Flucht.

Rafael, ihr Assistent, war unterdessen an Bord geblieben. Aus der Heimat kamen beunruhigende Nachrichten, da wollte Helene auf dem Laufenden bleiben. Erst vor ein paar Tagen hatte sich Mergentheim erhängt, und jetzt war auch noch Christian Weigold in seinem Haus verbrannt. Auf einen Schlag hatte Helene ihre beiden Mitgesellschafter verloren.

Mit Mergentheim, dem eitlen Selbstdarsteller, hatte sie sich oft gestritten. Trotzdem verdankte sie ihm den Aufstieg des Unternehmens. Andere Banken hatten damals abgewinkt, als sie ihnen die Geschäftsidee vorstellte. Kapital für etwas zur Verfügung zu stellen, das noch nicht aus dem Stadium der Forschungsarbeit herausgekommen war, erschien den phantasielosen Zahlenfetischisten zu riskant. Nur Carl Benedikt Mergentheim erkannte das Potenzial, das in ihrer Entdeckung steckte. Er hatte den Kreditausschuss der Münsterländischen Privatbank überzeugt, der Firma Lambert-Pharma eine großzügige Kreditlinie einzuräumen. Allerdings mit einer kleinen Geheimklausel, die nicht im offiziellen Vertrag auftauchte: Sollte sich Lambert-Pharma so entwickeln, wie Helenes Business-Pläne es vorsahen, würde Mergentheim ein Drittel der Unternehmensanteile zu einem festgelegten, sehr moderaten Preis erhalten. Persönlich.

Und so war es gekommen. Lambert-Pharma hatte sich mit seinem Nischenprodukt glänzend auf dem Markt behauptet, die Gewinne waren raketengleich nach oben geschossen. Konsequenterweise hatte Mergentheim seinen Anteil eingefordert. Dabei betrübte Helene nicht so sehr der Schnäppchenpreis, mit dem sich der Banker einkaufte, sondern seine anschließenden Versuche, sich in ihre Geschäftsführung einzumischen. Was Helene nämlich überhaupt nicht ausstehen konnte, war ein Mann, der glaubte, etwas besser zu wissen als sie selbst. Insofern hielt sich ihre Trauer über Mergentheims Tod in Grenzen.

Nur war leider für die Zukunft keine Besserung zu erwarten. Wie es aussah, würde die Führung der Münsterländischen Privatbank vom Vater auf den Sohn übergehen, sehr wahrscheinlich übernahm Veit Constantin Mergentheim ebenso die Verwaltung des Privatvermögens der Familie und damit die Anteile an Lambert-Pharma. Die wenigen Male, bei denen Helene diesem anzugtragenden Affen begegnet war, hatten in ihr die Gewissheit wachsen lassen, dass der junge Mergentheim noch nerviger sein konnte als sein Vater.

Anders verhielt es sich im Fall Christian Weigold. Er war mit seiner Frau im Haus verbrannt, und die einzige Tochter lebte – soweit Helene wusste – in den USA. Vermutlich würde es nicht allzu schwierig sein, der Alleinerbin ihre Firmenanteile abzukaufen, dann hätte Helene die Kontrolle über zwei Drittel von Lambert-

Pharma und könnte die Ratschläge von Mergentheim junior von sich abperlen lassen. So gesehen steckte auch in dieser doppelten Tragödie eine positive Seite.

Jemand klopfte an die Kabinentür. Helene drehte sich widerwillig um. Für die Kanapees, die das Zimmermädchen immer vor dem Abendessen brachte, war es noch zu früh. Und mit Frederik hatte sie sich um einundzwanzig Uhr im unteren Restaurant auf dem dritten Deck verabredet. An *ihrem* Fensterplatz, den der Restaurantchef für sie frei hielt. Um diese Uhrzeit hatte das gemeine Volk den Saal schon weitgehend verlassen und vergnügte sich im Theater oder an den Bars. Auf solche Weise verschaffte sich Helene doch noch einen Hauch von Exklusivität.

Die Firmenchefin ging durch den Wohnraum der Suite und bemühte sich, die floralen Muster der Polstermöbel zu ignorieren. Wie eine Kreuzfahrtgesellschaft von internationalem Ruf ihre Luxuskabinen derart kitschig ausstatten konnte, war ihr jeden Tag erneut ein Rätsel. Es klopfte zum zweiten Mal.

«Wer ist da?», fragte Helene gereizt.

«Rafael.»

Sie öffnete die Tür. «Komm rein.»

Mit Rafael hatte sie nach ihrer Fahrradtour alle aktuellen geschäftlichen Dinge besprochen und ihm für den Rest des Tages frei gegeben. Allerdings galt das nur eingeschränkt, denn es konnte sein, dass sie am späteren Abend noch Lust auf ihn bekam. An Rafael schätzte Helene nämlich nicht nur seinen Uni-Abschluss in Wirtschaftswissenschaften und den wachen Verstand, sondern auch seinen schlanken Körper, den bleichen Teint und die kohlrabenschwarzen, glänzenden Haare. Dafür, dass er ihr gelegentlich mit vollem Einsatz zur Verfügung stand, erhielt Rafael Boni, die denen der Vorstandsmitglieder in nichts nachstanden. Und Spaß bei ihren gemeinsamen Stunden hatte er obendrein, da war sich

Helene sicher. Männer konnten in dieser Hinsicht nicht so gut lügen wie Frauen.

«Was gibt es?»

Rafael sah noch bleicher aus als sonst. Als hätte ihn etwas aufgewühlt. «Die Polizei in Münster hat angerufen.»

«Hier?»

«Zuerst in Lengerich. Dort hat man ihnen meine Nummer gegeben.»

«Und?»

«Sie sagen, Mergentheim ist ermordet worden.»

«Tatsächlich?»

«Nachträgliche Untersuchungen hätten das ergeben. Irgendwelche Substanzen in seinem Blut.»

«Interessant», sagte Helene.

«Du nimmst das ziemlich leicht», stellte Rafael fest. «Zusammen mit Christian Weigold und seiner Frau sind das schon drei Mordopfer in deinem Umfeld.»

Helene bemerkte das leichte Zittern in Rafaels Stimme. Zu ihrer eigenen Überraschung erregte sie seine Verunsicherung. Oder lag das daran, dass sie sich vorhin vorgestellt hatte, mit dem jungen Burschen im Bett zu liegen?

«Zweifellos ist das erschütternd», sagte Helene. «Aber so nah standen mir die drei nun auch wieder nicht. Oder sagen wir: nicht mehr.»

«Die Polizei sieht das anders.»

Nun wurde Helene hellhörig: «Was heißt das?»

«Der Polizist, ein gewisser Hauptkommissar Fahlen, hält es für möglich, dass eine Verbindung zwischen den Morden besteht.»

«Und die Verbindung soll Lambert-Pharma sein?» Helene dachte einen Moment nach und lachte dann laut auf. «Glaubt dieser Sesselfurzer vielleicht, ich habe Mergentheim und Weigold umbringen lassen, um meine Mitgesellschafter loszuwerden? Das ist doch absoluter Schwachsinn.»

«Ich würde die Geschichte nicht auf die leichte Schulter nehmen. Falls die Mörder es auf Lambert-Pharma abgesehen haben, könntest du ebenfalls auf ihrer Liste stehen.»

Jetzt verstand Helene, was Rafaels treuherziger Blick bedeutete. «Du machst dir Sorgen.» Sie legte ihre Hand an seine Wange. «Das ist süß.»

«An deiner Stelle wäre ich vorsichtiger.»

«Ach was. Ich denke, die Polizei reimt sich diesen Mist zusammen, weil sie ansonsten nichts vorweisen kann. In Wirklichkeit ist das purer Zufall.»

«Der Kommissar möchte unbedingt mit dir sprechen.»

«Ich rufe ihn morgen an. Das sollte genügen.» Helene schaute Rafael in die Augen. «Eigentlich wollte ich gerade duschen. Aber das könnte ich noch ein bisschen verschieben.»

«Ich weiß nicht, Helene, ich bin im Moment nicht in Stimmung.»

«Zieh dich aus», flüsterte sie. «Die Stimmung kommt mit dem Vorspiel.»

Vierzehn

Das ist meine Heimat», sagte Bastian. «Hier bin ich aufgewachsen.»

«Du Ärmster», sagte Yasi. «Wie langweilig muss es sein, in einem Land zu leben, das flach ist wie ein Pfannkuchen.»

Bastian lachte. «Überhaupt nicht. Ich mag es, bis zum Horizont gucken zu können. Keine Berge, die einem die Sicht verstellen. Im Münsterland kann man schon morgens sehen, wer einen am Abend besucht, sagte mein Großvater immer.»

Sie fuhren in Bastians Auto nach Horstmar. Nach einem hektischen Tag im Polizeipräsidium hatte Bastian Yasi gefragt, ob sie Lust habe, einen Ausflug aufs Land zu machen und seine Mutter kennenzulernen. Dass er auch hoffte, von ihr einen ärztlichen Rat bezüglich der geistigen Gesundheit seiner Mutter zu bekommen, sagte er lieber nicht. Oder noch nicht.

Die Rechtsmedizinerin legte ihre Hand auf Bastians Oberschenkel und seufzte. «Meine Berge vermisse ich am meisten. Die Berge und den Lugu-See. Wir haben sogar einen heiligen Berg: Gamu, die Berggöttin.»

«Ihr verehrt einen Berg?»

«Wir sind tolerant, auch in der Religion. Unsere alten Götter verstehen sich prächtig mit dem Buddhismus. Wir lieben diese Geschichten. Gamu war eine junge, lebenslustige Göttin mit vielen Liebhabern. Einer begehrte sie besonders: Azhapula. Azhapula konnte es nicht ertragen, Gamu mit anderen Männern zu sehen, deshalb drohte er immer wieder, sie zu verlassen. Eines Nachts war es so weit, Azhapula stieg auf sein Pferd und ritt davon. Aber Gamu wollte ihn nicht ziehen lassen, sie folgte ihm und hielt ihn am Mantel fest. Bis zum frühen Morgen kämpften die beiden miteinander, da verwandelte das erste Licht der Sonne sie in Berge. Das soll die Mosuo-Männer ermahnen, noch vor Sonnenaufgang das Haus ihrer Geliebten zu verlassen.»

«Womit wir wieder beim Thema wären», sagte Bastian. «Laufen alle eure Geschichten darauf hinaus, dass Männer und Frauen nicht zusammenleben dürfen?»

Yasi zog ihre Hand zurück. «Dafür gibt es bei uns keine Kripo, Herr Kriminaloberkommissar. Und weißt du auch warum? Weil es bei uns keine Morde gibt. Schon gar nicht aus Eifersucht.»

Bastian setzte den Blinker und bog vor Schöppingen von der Landstraße ab. Noch ein paar hundert Meter bis zum Ortsanfang von Horstmar. Den ersten Teil der Fahrt hatte Bastian damit verbracht, Yasi über die aktuellen Entwicklungen im Polizeipräsidium zu informieren. Die Nachricht, dass Mergentheims vermeintlicher Selbstmord sich nun doch als Mord entpuppt hatte, war der Auslöser für hektische Beratungen gewesen. Schließlich entschieden sich die Chefs gegen eine Neubelebung der alten Mordkommission, sondern erweiterten den Auftrag der MK Baumberge, wie die Untersuchung des Weigold-Doppelmords offiziell hieß, um den Fall Mergentheim. Zumindest so lange, bis man einen Zusammenhang zwischen beiden Mordfällen ausschließen konnte. Gleichzeitig forderte Fahlen ein Spezialeinsatzkommando an, das Annika Busch festnehmen sollte. Im Studentenwohnheim war sie jedoch seit Tagen nicht mehr gesehen worden, und so stürmte das SEK gegen Abend ein leeres Apartment, aus dem sämtliche persönlichen Gegenstände entfernt worden waren. Keiner ihrer Flurnachbarn hatte eine Ahnung, wohin Busch gegangen sein und was sie möglicherweise vorhaben könnte. Ebenso negativ verliefen die Nachfragen an der Uni. Hier stellte sich heraus, dass das Studium der Edelprostituierten seit längerem lediglich Fassade war. Was auch immer Annika Busch im letzten Jahr getrieben hatte, aktiv studiert hatte sie jedenfalls nicht.

Man konnte Fahlen ansehen, dass ihm die Entwicklung des Falls zu schaffen machte. Da hatte ihm die mutmaßliche Mörderin im Vernehmungsraum bereits gegenübergesessen – und er ließ sie laufen. Als Konsequenz aus dem Desaster ordnete Fahlen eine bundesweite Fahndung an. Doch wenn Busch ihre Cleverness, die sie bislang an den Tag gelegt hatte, weiterhin unter Beweis stellte, hatte sie sich längst ins Ausland abgesetzt.

Bastian genoss seinen Triumph still. Dass er recht behalten und sein Misstrauen gegenüber Busch sich als sinnvoll erwiesen hatte, würde ihm niemand danken, schon gar nicht Fahlen. Punkten konnte er eher mit Schweigen. Und so verkniff Bastian sich jede Bemerkung und sogar ein Siegeslächeln, als Fahlen vor versammelter Mannschaft seinen Fehler eingestand.

Und noch einen anderen Fehlschlag musste der Mordkommissionsleiter einräumen. Die Fahrt nach Lengerich zu Lambert-Pharma hätten sich die Kripo-Leute sparen können. Helene Lambert befand sich nicht in Deutschland, sondern auf einer Kreuzfahrt im Norden Norwegens, und die in Lengerich anwesenden Mitglieder der Geschäftsleitung weigerten sich, ohne Zustimmung der Chefin Auskünfte über Carl Benedikt Mergentheim und Christian Weigold zu geben. Helene Lambert aber war nicht zu erreichen. Fahlens Versuche, telefonisch zu ihr vorzudringen, wurden von einem Assistenten abgeblockt.

Bastian und Yasi erreichten die Siedlung, in der Bastians Elternhaus stand.

«Wenn du gleich meine Mutter triffst, wundere dich nicht, dass sie manchmal seltsame Dinge sagt oder sich merkwürdig verhält. Sie ist in letzter Zeit ziemlich durcheinander. Meine Schwester glaubt, dass Hilde dement wird, ich bin mir da nicht so sicher.»

«Wie alt ist deine Mutter?»

«Eigentlich noch nicht so alt: neunundsechzig.»

«Alzheimer kann auch schon früher auftreten.»

Bastian hielt vor dem roten Backsteinhaus an. «Kannst du mir hinterher sagen, was für einen Eindruck du hattest? Immerhin hast du Medizin studiert.»

Yasi gluckste. «Ich bin Rechtsmedizinerin, keine Neurologin. Wenn ich ein Gehirn aufschneide, kann ich dir sagen, ob der Verstorbene an Alzheimer gelitten hat, bei Lebenden ist mein Urteilsvermögen eingeschränkt.»

Hilde erwartete sie schon an der Tür. Bastian hatte sie vor ihrer Abfahrt angerufen, und jetzt gab sich die alte Dame offensichtlich Mühe, einen besonders freundlichen und aufgeräumten Eindruck zu machen. «Ach, das ist aber schön, dass du deine neue Freundin mitgebracht hast. Dann lerne ich sie endlich auch einmal kennen.»

Bastian warf Yasi einen entschuldigenden Blick zu. «Yasi ist nicht *meine* Freundin, sondern *eine* Freundin.»

«Ach, ihr jungen Leute.» Seine Mutter schüttelte den Kopf. «Zu unserer Zeit gab es nur Ja oder Nein, da war man nicht ein bisschen befreundet.» Sie reichte Yasi die Hand. «Hilde.»

«Yasi.»

«Ist das ein japanischer Name?»

Yasi lächelte. «Ich bin Chinesin. Zumindest stand das in meinem Pass, als ich nach Deutschland kam.»

«Und Sie haben schnell unsere Sprache gelernt.»

«Mittlerweile habe ich sogar die deutsche Staatsangehörigkeit.»

Hilde tätschelte Yasis Hand, die sie noch immer festhielt. «In Münster leben ja so viele unterschiedliche Menschen: schwarze, braune, gelbe.»

Bastian verdrehte die Augen. «Mutter! Bitte!»

«Schon gut.» Yasis Augen glitzerten. «Ich sehe nun mal nicht aus wie eine Münsterländin. Sagt man nicht: Münsterländin ist man erst, wenn man mit seinen Nachbarn einen Sack Reis gegessen hat?»

Bastian lachte. «Es heißt Münsterländerin. Und Reis wird hier nur in China-Restaurants serviert.»

«Ich habe mein ganzes Leben in Horstmar verbracht», sagte Hilde. «Was weiß ich schon von der Welt? Kommt mit!» Sie führte die Besucher ins Wohnzimmer. «Ihr habt hoffentlich noch nicht zu Abend gegessen?»

Auf dem Wohnzimmertisch stand das gute Geschirr, das sonst nur zu Feiertagen herausgeholt wurde. Und in der Mitte eine Platte mit genügend Wurst- und Käseschnittchen, um eine hungrige Fußballmannschaft zu füttern. Dazu Schalen mit Gurken, Silberzwiebeln, Tomaten und Radieschen. Hilde hatte es sich nicht nehmen lassen, zwei Flaschen Wein zu öffnen. Der einzige Schönheitsfehler bestand darin, dass die Rotweinflasche im Eiskübel und die Weißweinflasche daneben stand.

«Das wäre nicht nötig gewesen», sagte Bastian, während er die Weinflaschen vertauschte. «Außerdem darf ich keinen Alkohol trinken, weil ich noch Auto fahren muss.»

Hilde runzelte die Stirn. «Habe ich etwas falsch gemacht?»

«Überhaupt nicht», sagte Yasi. «Ich liebe gekühlten Rotwein.»

Nachdem geklärt war, wer warum und wie viel essen sollte und weshalb Brotschnitten, die man serviert bekam, immer besser schmeckten als die eigenen, fragte Bastian im Plauderton: «Und wie ist es dir in den letzten Tagen ergangen? Alles in Ordnung?»

«Du meinst: da oben?» Hilde tippte sich an die Stirn. «Ich bin nicht senil.»

«Hat auch niemand behauptet.»

«Was soll eigentlich deine Freundin von mir denken? Findest du es nett, mich vor ihr bloßzustellen?»

«Erstens habe ich dich nicht bloßgestellt. Und zweitens musst du dir wegen Yasi keine Gedanken machen, sie ist nämlich Ärztin.»

Schon als er das Wort aussprach, hätte sich Bastian am liebsten auf die Zunge gebissen. Die Reaktion war so vorhersehbar wie das Abendgewitter nach dem ersten heißen Sommertag.

Ihr Mund verkrampfte sich. «Deshalb hast du sie mitgebracht? Sie soll mich begutachten?»

«Nein, soll sie nicht.»

«Was für eine Ärztin ist sie denn?»

«Entschuldigung, darf ich auch mal was sagen», unterbrach Yasi das Zwiegespräch. «Immerhin geht es um mich. Frau Matt, ich habe Ihren Sohn begleitet, weil ich ihn mag, aus keinem anderen Grund. Und ich bin weder Hausärztin noch Psychiaterin, sondern Rechtsmedizinerin.»

«Rechtsmedizinerin? Sind das nicht die …»

«Ja, ich obduziere Leichen, um herauszufinden, woran die betreffenden Menschen gestorben sind.»

«Eine so zarte Person wie Sie?»

«Meine Arbeit macht mir Spaß. Und meine Patienten sind umgänglich und pflegeleicht. Bis jetzt hat sich noch niemand beschwert, wenn mir mal das Skalpell ausgerutscht ist.»

Bastian registrierte, dass seine Mutter besänftigt war, und

nutzte die Gelegenheit für einen zweiten Vorstoß: «Darf ich Yasi die Tabletten zeigen, die du nimmst?»

«Meinetwegen. Sie liegen auf dem Küchentisch.»

Als Bastian zurückkam, redeten die beiden Frauen über Gärten und wie viel Arbeit es mache, sie in Ordnung zu halten. Wieder einmal bewunderte er Yasis Selbstsicherheit und ihre Fähigkeit, sich in jeder Situation zurechtzufinden. Und dabei sah sie auch noch unverschämt gut aus. Warum, dachte Bastian, war es nur so verdammt kompliziert, sich in eine Frau zu verlieben, die jeglichen Besitzanspruch ablehnte? Wieso waren seine Liebesgefühle für Yasi nur mit dem Wunsch verbunden, sie ganz für sich haben zu wollen?

«Hier.» Er reichte ihr die Schachtel. «Kennst du das Medikament?»

Yasi warf nur einen kurzen Blick auf die Packung. «Ja. Ich habe davon gehört.»

«Und was denkst du darüber?»

«Es kann nicht schaden, die Tabletten zu nehmen.»

Bastian spürte, dass etwas Unausgesprochenes mitschwang. Yasi wirkte plötzlich abweisend.

«Was haben sie für eine Wirkung?»

«Erzähl ich dir später.» Yasi drehte sich zu Hilde. «Einen wirklich schönen Garten haben Sie.»

|||||

Kaum saßen sie im Auto, um nach Münster zurückzufahren, konnte Bastian seine Neugier nicht mehr zügeln: «Also, was ist mit dem Medikament? Hat es etwas mit Alzheimer zu tun?»

Yasi atmete geräuschvoll aus. «Ohne ein MRT, das die Gehirnaktivitäten zeigt, ist eine Diagnose ungefähr so aussagekräftig wie ein Wochenhoroskop in der Illustrierten. Die Aggressivität, mit der deine Mutter auf das Thema reagiert, spricht allerdings dafür, dass sie Angst hat. Das ist nicht untypisch für Demenzkranke, die ihre ersten Kontrollverluste bemerken, aber nicht wahrhaben wollen. Das heißt jedoch nicht, dass sie grundsätzlich mit ihrem alltäglichen Leben nicht mehr zurechtkommt. Gerade in der Anfangsphase der Krankheit ist das eine Frage der Tagesform.»

«Und das Medikament?»

Yasi schwieg. So lange, dass Bastian schon dachte, sie wolle ihm nicht antworten. Dann sagte sie: «Kennst du die San?»

«Wen?»

«Ein Naturvolk in Südafrika. Man nennt sie auch Buschmänner.»

«Ja, aber was …»

«Die San gelten als primitiv. Trotzdem verfügen sie über Kenntnisse, die für die ganze Menschheit von Bedeutung sind. Es geht um zwei Pflanzen: die Hoodia und die Gamuga. Die Gamuga ist in Deutschland als Teufelskralle bekannt, ein Allheilmittel gegen Entzündungen, Schmerzen und Verdauungsstörungen.»

«Ich verstehe immer noch nicht …»

«Hör zu», sagte Yasi scharf. «Ich komme schon noch auf das Medikament zu sprechen, das deine Mutter einnimmt. Aber um zu begreifen, wo das Problem liegt, muss ich ein wenig ausholen.»

«Okay.» Bastian konzentrierte sich auf den Straßenverkehr. «Ich halte den Mund.»

«Die San nutzen die Teufelskralle und die Hoodia seit Jahrhunderten. Die Hoodia, ein kaktusähnliches Gewächs, dämpft Hunger und Durst. Was für die San lebenswichtig ist, weil sie in der Wüste Kalahari oft längere Strecken zurücklegen müssen. Ein einziges Stück Hoodia reicht ihnen als Nahrung für einen ganzen Tag. Wie gesagt, ein uraltes Wissen, das die San bis in die sechziger Jahre des zwanzigsten Jahrhunderts exklusiv besaßen. Zu jener Zeit durchkämmte ein südafrikanisches Forschungsteam die Kalahari auf der Suche nach nützlichen Pflanzenwirkstoffen. Dabei stießen die Forscher auch auf die Hoodia. Doch erst Mitte der neunziger Jahre gelang es, den Appetitzügler in reiner Form herzustellen. Die Südafrikaner nannten den Stoff P 57 und meldeten ihn als Patent an. Ein Jahr später kaufte ein britisches Unternehmen die Lizenz und gab sie an einen großen Pharmakonzern weiter, der P 57 als Diätpillen auf den Markt brachte. Alle verdienten an der Hoodia viele Millionen – nur die San bekamen nichts davon ab.»

«Sauerei», sagte Bastian.

«Richtig. Eine Sauerei», stimmte Yasi zu. «Und jetzt komme ich auf *Bochera*, das Medikament deiner Mutter. Bei den Mosuo, meinem Volk, gibt es eine Delikatesse: zehn Jahre altes Schweinefleisch. Rate mal, wie wir die Schweine nennen: *Bocher*.»

Bastian hätte fast das Lenkrad verrissen. «Willst du damit sagen, dass meine Mutter altes Schweinefleisch schluckt?»

«Nein.» Yasi lachte nicht. «Damit das Schweinefleisch so lange genießbar bleibt, wird es gepökelt, mit Salz, Gewürzen und Kräutern behandelt. Eines dieser Kräuter, wir nennen es *Baba*, wächst ausschließlich in der Nähe des Lugu-Sees. Unsere Frauen schwören auf *Baba*, sie sagen, es hilft ihnen in den Wechseljahren und vor allem im Alter. Dank *Baba* bleiben sie länger gesund und wach im Kopf. Manche behaupten sogar, die Macht der Frauen bei den Mosuo beruhe auf *Baba*. Aber das halte ich für ein Gerücht.»

«Und was ist mit den Männern?», fragte Bastian. «Wirkt *Baba* bei ihnen nicht?»

«Nein. Offenbar nicht. Vermutlich kommuniziert der Wirkstoff von *Baba* mit weiblichen Hormonen.»

«Ist das nie untersucht worden?»

«Das ist der schmutzige Teil der Geschichte. Vor gut zwanzig

Jahren kamen Forscher aus Peking, die von einigen Europäern begleitet wurden, in ein kleines Dorf oberhalb des Lugu-Sees. Die Forscher sammelten Pflanzen und befragten die Einheimischen nach ihren Ess- und Lebensgewohnheiten. Dabei stießen sie natürlich auch auf *Baba*. Ein paar Jahre später veröffentlichte ein Pekinger Forschungsinstitut die Meldung, dass man im südchinesischen Hochland eine bis dahin unbekannte Pflanze *entdeckt* habe. Die Pflanze bekam einen chinesischen und einen lateinischen Namen, und um ganz sicherzugehen, dass die Mosuo nicht irgendwann Ansprüche auf ihr altbekanntes *Baba* anmelden würden, vernichteten von der Regierung geschickte Soldaten sämtliche *Baba*-Pflanzen, die sie finden konnten. Die Gefahr, dass die Pflanze ausgerottet würde, bestand nicht, denn dem Forschungsinstitut war es gelungen, *Baba* im Gewächshaus zu kultivieren. Allerdings waren die Mosuo schlauer als die Soldaten, Mosuo-Frauen essen heute immer noch *Baba*. Nur heimlich.»

«Verstößt das Vorgehen der chinesischen Regierung nicht gegen irgendein Menschenrecht?», fragte Bastian.

Yasi nickte. «Die chinesische Regierung verstößt ständig gegen Menschenrechte. Warum sollte sie in so einem Fall Skrupel bekommen? Es gibt tatsächlich ein UNO-Abkommen, die *Konvention über die biologische Vielfalt*. Biopiraterie ist seitdem eigentlich verboten, Industriestaaten dürfen nicht mehr ungefragt die Pflanzenwelt der Entwicklungsländer ausbeuten. Das nützt den Mosuo jedoch wenig. Die Politiker in Peking sind nicht dafür bekannt, nationale Minderheiten gerecht zu beteiligen. Im Übrigen hat das Pekinger Forschungsinstitut ein globales Patent auf den *Baba*-Wirkstoff angemeldet, das ist eine noch bessere Methode, die Verbreitung zu kontrollieren. Weltweit haben nur wenige Firmen eine Lizenz bekommen, das Medikament herzustellen. Darunter eine Pharmafirma in Lengerich.»

«Lengerich?» Bastian horchte auf. «Lambert-Pharma?»

«Kann sein», sagte Yasi. «Ich kenne sie nur unter dem Namen L-Pharma.»

«Scheiße!», entfuhr es Bastian. «Das gibt der Sache eine völlig neue Dimension. Womöglich haben die Morde an Mergentheim und Weigold etwas mit deinem *Baba*-Kraut zu tun.»

«Wieso?», fragte Yasi erstaunt.

Bastian erzählte ihr, dass Mergentheim und Weigold als Teilhaber von Lambert-Pharma von dem chinesischen Patent profitiert hatten.

Yasi war skeptisch. «Was Lambert-Pharma macht, ist nicht fair. Aber deswegen morden? Wer sollte das tun? Ich lege meine Hand dafür ins Eis, dass kein Mosuo nach Deutschland gekommen ist, um Rache zu nehmen.»

Ein paar Minuten später erreichten sie die Innenstadt von Münster.

«Fahren wir zu mir oder zu dir?», fragte Bastian.

«Ich weiß nicht», sagte Yasi etwas lustlos.

Bastian schluckte. War Yasis Interesse an ihm schon abgekühlt? Oder gab es noch einen anderen Mann? Er nahm seinen ganzen Mut zusammen: «Ich glaube, ich habe mich in dich verliebt.»

Yasi lehnte ihren Kopf gegen seine Schulter. «Ein bisschen bin ich auch in dich verliebt. Was ist daran kompliziert?»

Ein bisschen? Bastian spürte seinen Magen. Wie konnte man ein bisschen verliebt sein? Das war doch so wie ein bisschen Sohn sein oder ein bisschen sterben.

Als er nicht antwortete, rückte Yasi ein Stück von ihm weg. «Ich verstehe. Weil du in mich verliebt bist, können wir nicht einfach von Mal zu Mal entscheiden, ob wir miteinander schlafen. Du musst sicher sein, dass es um tiefe Gefühle geht.»

Bastian wurde sauer. «Das ist nicht witzig. Ist dir schon mal der

Gedanke gekommen, dass es hier nicht nur um mich geht, sondern dass wir beide nicht über unseren Schatten springen können?»

«Wer im Papierhaus sitzt, sollte nicht mit Messern werfen», sagte Yasi.

«Was heißt das?»

«Das war Selbstkritik. Du hast ja Recht. Es fällt mir schwer, euch westliche Männer zu verstehen.»

Bastian nahm den Fuß vom Gas. «Wir müssen uns entscheiden. An der Kreuzung da vorne geht's rechts zu mir und links zu dir.»

«Bring mich nach Hause, Bastian. Ich glaube, ich bin heute zu müde, um über Beziehungen zu diskutieren.»

Er versuchte, sich die Enttäuschung nicht anmerken zu lassen. «Okay. Vielleicht ist es besser so.»

Fünfzehn

Klingt für mich ein bisschen nach Tausendundeiner Nacht», sagte Susanne. «*Baba*-Kraut! Das soll ein Mordmotiv sein?»

Bastian hatte seiner Kollegin vom Gespräch mit Yasi erzählt, während sie die erste Tasse Kaffee in Susannes Büro tranken. Jetzt dämpfte sie seine Euphorie. Zum Glück stand heute kein Klinkenputzen auf dem Programm, bei der Arbeitsverteilung hatten sie die Aufgabe übernommen, mehr über das Vorleben von Annika Busch in Erfahrung zu bringen.

«Es ist eine Spur», widersprach Bastian. «Und so viele gute Spuren haben wir nicht zur Auswahl, oder?»

«Geld», sagte Susanne. «Bei Verbrechen dieser Art geht es meistens um Geld.»

«Ja, und? Helene Lambert hat mit dem *Baba*-Kraut eine Menge Geld verdient. Und Christian Weigold und Carl Benedikt Mergentheim haben die Hand aufgehalten.»

«Ohne viel dafür zu tun», ergänzte Susanne. «Ich phantasiere mal: Es gibt Streit unter den Gesellschaftern. Helene Lambert beschließt, die lästigen Schnorrer loszuwerden …»

«Helene Lambert engagiert Auftragskiller?» Bastian runzelte die Stirn. «Klingt unwahrscheinlich, oder?»

«So unwahrscheinlich wie deine politisch motivierten Täter.» Susanne schnappte sich die Tastatur ihres Computers. «Na schön.

Schauen wir mal, was Google so ausspuckt.» Sie ging ins Internet und gab ein paar Begriffe ein. «Zur Kombination *Baba* und *Mosuo*: Nichts.»

«Kein Wunder, es wird ja totgeschwiegen. Yasi meint –»

«Yasi meint … Yasi glaubt … Yasi denkt …» Sie schnaubte verächtlich. «Sag mal, merkst du noch was?»

Bastian überlegte. «Versuch es mal mit Biopiraterie.»

«*Bio-* was?»

«Biopiraterie. Machenschaften großer Pharmakonzerne.»

«Da gibt's tatsächlich eine Menge Treffer», stellte Susanne fest. «Hauptsächlich wissenschaftliches Zeugs und politische Traktate. Wir müssen das irgendwie eingrenzen.»

Bastian stellte sich hinter Susanne und schaute über ihre Schulter. «Proteste», schlug er vor. «Bestimmt gibt es militante Gegner dieser Konzerne.»

«Sieh mal an.» Susanne klickte auf einen Link. «Vor zwei Jahren hat eine Demo in Hamburg stattgefunden. Anscheinend friedlich.»

Fotos erschienen auf dem Monitor. *Kein Patent auf Leben* las Bastian auf einem Transparent. Und *Pharmakraken = Biopiraten.* Viele junge Menschen, aber auch etliche ältere marschierten durch die Hamburger Innenstadt. Und nur wenige trugen das Schwarz der Gewaltbereiten, das Gros der Demonstranten war modisch nicht von den shoppenden Einheimischen am Straßenrand zu unterscheiden. Auch die Polizisten, die den Zug auf beiden Seiten begleiteten, machten einen entspannten Eindruck.

Susanne vergrößerte ein Foto nach dem anderen. Plötzlich hielt sie inne: «He! Was haben wir denn da?»

Bastian sah es auch. Der Frauenkopf, der hinter einem Transparent hervorlugte, löste bei ihm ein Kribbeln im Bauch aus. Jeder Bulle kannte dieses Gefühl. Wenn sich bei einem komplizierten Fall eine überraschende Wendung ergab oder ein Tatverdächtiger kurz davorstand, sein Schweigen zu brechen, spürte man das körperlich.

Der Frauenkopf gehörte Annika Busch. Oder jemandem, der ihr sehr ähnlich sah.

«Ich werde mich mal mit den Hamburger Kollegen in Verbindung setzen», sagte Susanne. «Es gibt bestimmt Videos von der Demo.»

In den nächsten Stunden redeten sie nicht viel. Susanne ließ sich im Hamburger Polizeipräsidium von einer Stelle zur nächsten verbinden, bis sie eine Hauptkommissarin in der Leitung hatte, die wusste, wo die Filme abgespeichert waren. Eine halbe Stunde später kam das Material über das polizeiinterne Netz in Münster an.

Unterdessen beschäftigte sich Bastian mit ihrem eigentlichen Arbeitsauftrag, den Lebenslauf von Annika Busch so lückenlos wie möglich zu dokumentieren. Die Studentin war als drittes von vier Kindern in einem kleinen Dorf im Emsland zur Welt gekommen. Ihr Vater besaß einen Legehennenbetrieb, die Mutter hatte sich um die Familie gekümmert. Nach der Grundschulzeit war Annika Busch in Meppen, der nächstgrößeren Stadt, aufs Gymnasium gegangen. Auf einem Gruppenfoto des Abiturjahrgangs, das Bastian im Internet fand, sah das Mädchen, das sich ein paar Jahre später mutmaßlich an der Ermordung Carl Benedikt Mergentheims beteiligt hatte, noch wie die Unschuld vom Land aus. Der Bruch, der sich irgendwann in ihrer Biographie ereignet haben musste, ließ sich mit zugänglichen Daten nicht belegen. Sowohl in Hamburg, wo sie zuerst studiert hatte, als auch in Münster war Annika Busch eine unauffällige Studentin gewesen. Keine illegalen Aktionen, keine polizeilichen Aufgriffe, keine Vorstrafen. Auch aus sozialen Netzwerken schien sich Busch herauszuhalten. Vielleicht aus Vorsicht, so wenige Informationen wie möglich über sich preiszugeben. Im Hinblick auf das, was sie beabsichtigte.

Mitglieder der MK hatten bereits ihre Eltern und ihre Geschwister befragt, in den nächsten Tagen würde man versuchen, alte Schulfreunde und Kommilitonen ausfindig zu machen. Gegenüber den Polizisten hatten die Buschs versichert, nichts über den Aufenthaltsort der Tochter und Schwester zu wissen, Annika habe den Kontakt vor etwa einem Jahr abgebrochen.

Bastian erledigte die Arbeit routiniert, machte sich Notizen, schrieb Vermerke, mit einem Ohr horchte er allerdings immer zur anderen Seite des Doppelschreibtischs hinüber, wo die Polizeifilme auf Susannes Monitor liefen. Am liebsten hätte er die ganze Zeit neben ihr gesessen.

Und so war er sofort auf den Beinen, als Susanne verblüfft nach Luft schnappte: «Halt dich fest!»

«Was ist los?» Er rannte um den Schreibtisch herum.

Susanne hatte den Film gestoppt. Das Standbild zeigte Annika Busch im Gespräch mit einer anderen Frau. Trotz der verzerrten Vogelperspektive – der Kameramann hatte die Szene von weit oben, vielleicht aus der obersten Etage eines Kaufhauses aufgenommen – war das Profil der zweiten Frau gut zu erkennen. Selbst für jemanden, der dieses Gesicht noch nicht mit Küssen bedeckt, sondern der Frau erst einige Male gegenübergestanden hatte, bestand kein Zweifel, um wen es sich handelte.

Susanne tippte mit dem Zeigefinger auf den Bildschirm. «Ist das da nicht unsere Rechtsmedizinerin?»

Bastian fand, seine Kollegin hätte sich den ironischen Ton sparen können. «Yasi hat in Hamburg studiert.»

«Und sie hat sich gegen Biopiraterie engagiert. Hast du mir gar nicht erzählt.»

«Wusste ich auch nicht. Aber was ist daran verwunderlich? Sie ist eine Mosuo, und ihr Volk wurde bestohlen.» Bastian versuchte, seine Verunsicherung zu kaschieren. Natürlich konnte es für das Gespräch zwischen Yasi und Annika Busch eine harmlose Erklärung geben. Die beiden Frauen waren sich vielleicht zufällig begegnet und hatten ein paar Sätze miteinander gewechselt. Warum sollte Yasi ahnen, dass ihre Zufallsbekanntschaft später mal ein Verbrechen begehen würde?

Gleichzeitig wusste Bastian, dass er sich etwas vormachte. Als Freund durfte er die Begegnung der beiden Frauen herunterspielen. Doch blöderweise war er nicht nur Yasis Liebhaber, sondern auch Polizist. Und wenn er der Sache nicht nachging, dann würde es Susanne tun. Es sei denn, er fand ganz schnell einen plausiblen Grund, die Geschichte so lange unter der Decke zu halten, bis er sie mit Yasi geklärt hatte.

«Sie kann demonstrieren, so viel sie will», sagte Susanne. «Uns interessiert ihre Bekanntschaft mit einer Mordverdächtigen. Deshalb müssen wir sie als Zeugin vernehmen.»

«Warte mal!»

«Nein, ich warte nicht.» Susanne schob den Stuhl zurück und stand auf. «Wir handeln nach Vorschrift.»

«Das könnte ihre Karriere ruinieren.»

«Nicht, wenn sie sauber geblieben ist.»

«Lass mich zuerst mit ihr reden», verlangte Bastian.

«Vergiss es!» Susanne schob ihn zur Seite. «Du denkst mit dem Schwanz und nicht mit dem Gehirn.»

«Und du bist einfach nur eifersüchtig.»

Die Hauptkommissarin schnaubte. «Ich gehe jetzt zu Fahlen.» An der Tür blieb sie stehen. «Komm bloß nicht auf die Idee, deine Bettbeziehung anzurufen. Sonst ruinierst du deine eigene Karriere.»

Die nächsten Minuten dehnten sich endlos. Ein paar Mal war er drauf und dran, Susannes Ratschlag zu missachten. Wie gern hätte er in diesem Moment Yasis Stimme gehört. Ihr alles erklärt. Allein die Vorstellung, hilflos zusehen zu müssen, wie Yasi von Fahlen in die Mangel genommen würde, löste bei Bastian einen Brechreiz aus. Warum hatte er bloß seine verdammte Klappe nicht gehalten? Nicht zuerst selbst recherchiert und die offenen Fragen mit Yasi abgeklärt? Nein, er musste sein halbgares Wissen bei erstbester Gelegenheit ausplaudern. Jetzt stand er da wie der letzte Idiot. Yasi würde ihm übel nehmen, dass sie durch ihn in Schwierigkeiten kam. Und die MK-Arbeit konnte er sich wahrscheinlich ebenfalls abschminken. Wegen Befangenheit.

Die Tür flog auf. Fahlen, gefolgt von Susanne, deren Wangen rot glühten. Anscheinend war es im Büro des MK-Leiters hoch hergegangen.

«Du bist raus, Matt», polterte Fahlen.

«Warum?» Bastian hatte sich zur Verteidigung entschlossen. «Ohne mich wärt ihr nie auf diese Verbindung gestoßen. Deshalb möchte ich weiter mitmachen.»

«Für deine Informationen werden wir dir ewig dankbar sein», sagte Fahlen, ohne seine Herablassung zu kaschieren. «Aber du hast mit der Frau im Bett gelegen. Wer sagt denn, dass sie nicht von einer Zeugin zu einer Tatverdächtigen mutiert? Nach dem, was mir Susanne in aller Kürze berichtet hat, besitzt sie ein handfestes Motiv.»

«Yasi ist keine Mörderin», begehrte Bastian auf.

«Siehst du, du fängst an, zu verhandeln», konterte Fahlen. «Wir brauchen in der Mordkommission keine Verteidiger, sondern nüchtern denkende Ermittler.»

«Ich kann das», wehrte sich Bastian verzweifelt.

«Nein, kannst du nicht. Pass auf, ich mache dir ein Angebot.» Fahlen schlug einen versöhnlicheren Ton an. «Ich kann mir denken, wie beschissen du dich fühlst. Nimm dir den Rest des Tages und die beiden nächsten Tage frei. Offiziell verbuchen wir das unter Abbau von Überstunden. Mit deinem Kommissariatsleiter klär ich das ab. In der nächsten Woche läufst du dann wieder in der K-Wache auf. Und, Matt, ich rate dir dringend: Kein Wort an die Frau Dr. Rechtsmedizinerin. Ich möchte sie vollkommen unbefleckt hier auf dem Zeugenstuhl haben.»

|||||

Der große Gong rückte näher. Der Zeitpunkt, an dem sich sein Verstand abschalten würde. Ende, Aus, Filmriss. Zum Glück lag er schon. Und er hatte nicht vor, an diesem Abend noch ein Bein auf den Boden zu stellen. Morgen hatte er frei. Und übermorgen auch. Zeit genug, um ... Ja, was denn? Sich elend zu fühlen? Daran zu denken, was er alles hätte besser machen können? Sich selbst zu bemitleiden?

Bastian schwitzte auf seinem Sofa. Die schwülwarme Luft staute sich in seiner Dachgeschosswohnung, trotz geöffneter Fenster regte sich kein Lufthauch. Wie lange hielt die Hitzeperiode schon an? Sieben Tage? Und ein Ende schien nicht in Sicht. Bastian trug Shorts und ein leichtes Baumwollhemd, dessen Knöpfe er geöffnet hatte. Aber auch das verhinderte nicht, dass er im eigenen Saft schmorte. Seine Wohnung war für derartige klimatische Bedingungen nicht geeignet. Nicht einmal gegen Morgen trat eine Abkühlung ein, ganz Münster war eine tropische Zone.

Nach der Abfuhr, die Fahlen ihm erteilt hatte, war Bastian regelrecht aus dem Präsidium geflüchtet. Die Schmach, Yasis Blick zu begegnen, wenn sie in die Räume des KK 11 gebracht würde, wollte er sich nicht antun. Vom Präsidium aus war er mit dem Fahrrad stadtauswärts gefahren, in großem Bogen um den Aasee herum. Tausend Gedanken schossen ihm dabei durch den Kopf, Yasi und seine Zukunft betreffend. Die vernünftigste unter den vielen Ideen, die ihm kamen, schien zu sein, sich so bald wie möglich auf eine Stelle außerhalb von Münster zu bewerben. Irgendwo neu anfangen, wo ihn niemand kannte. Eine andere Idee ließ sich noch schneller umsetzen: Sich sinnlos betrinken.

Bastian langte nach der Flasche, die neben der Couch stand. Ein billiger Fusel, den er irgendwann mal geschenkt bekommen hatte, wo und von wem, wusste er nicht mehr. Ein Kräuterschnaps aus dem Münsterland, der so aussah, wie er schmeckte: giftgrün. Jahrelang hatte die Flasche ein vernachlässigtes Dasein in der hintersten Ecke der Vorratskammer gefristet, doch heute Abend hatte sie ihren großen Auftritt. Für Bier fehlte Bastian die Geduld, er wollte sich ohne Genuss und zielsicher abschießen. Und beinahe war ihm das schon gelungen. Nur noch ein Rest Verstand hielt ihn unter den Lebenden. Und diesem Rest, der ihm unablässig Vorwürfe machte und ihn wüst beschimpfte, würde er jetzt auch den Stinkefinger zeigen.

Als Bastian die bereits halb leere Flasche an den Mund setzte, klingelte das Telefon. Er war zu betrunken, um aufzustehen. Sollte es doch klingeln.

Nach der sechsten Wiederholung sprang der Anrufbeantworter an. Bastian hörte seine eigene Stimme und dann den Pfeifton. «Hier ist Mia. Bastian, wenn du da bist, nimm verdammt noch mal den Hörer ab.» Es klang, als ob sie weinte. «Unser Haus ... Es brennt. Und Mutter ...»

Bastian sprang auf, fiel hin, kam wieder hoch und stolperte zur Kommode, auf der das Telefon lag. «Was ist los?»

«Bastian? Bist du das?»

«Jajajaja. Nun sag schon: Was ist mit Hilde?»

«Frau Kemminger hat mich angerufen. Die Feuerwehr ist da und –»

«Ist sie tot? Herrgott, Mia, nun red endlich.»

«Nein.» Sie weinte. «Ich weiß nicht. Bastian, ich habe Angst. Was sollen wir machen?»

«Wir treffen uns in Horstmar, okay? Bis gleich.»

Er legte auf, stürzte zum Bad und kotzte den Schnaps aus. Als das Würgen endlich ein Ende hatte, spülte er den Mund aus und klatschte sich ein paar Hände voll Wasser ins Gesicht. Der Typ, der ihn aus dem Spiegel anstarrte, sah aus wie ein Zombie. Aber wen interessierte das schon? Er hatte eine Aufgabe: Zu überlegen, wie er nach Horstmar kommen sollte. Selbst fahren ging nicht mehr. Jemanden anrufen? Zu kompliziert. Also Taxi.

|||||

Mit der linken Hand winkte Bastian dem Taxifahrer zu, der vor dem Haus wartete, und stützte sich mit der rechten an der kleinen Steinmauer ab, die den zwei Meter breiten Vorgarten begrenzte. Für die wenigen Schritte bis zum Straßenrand brauchte er seine volle Konzentration, erleichtert fiel er auf den Beifahrersitz.

Der Fahrer, ein Mann aus dem mittleren oder fernen Orient mit großen, dunklen Augen, schaute ihn skeptisch an: «Ist nicht gut?»

«Doch. Alles bestens.»

«Nix kotzen in meine Wagen.»

«Ich kotze schon nicht. Und jetzt fahren Sie endlich.» Bastian nannte die Adresse.

Der Wagen setzte sich in Bewegung. Sobald Bastian die Augen schloss, fühlte er sich wie in einem Karussell. Nur wenn er starr zur Seite schaute, konnte er die Übelkeit in Schach halten.

Der Taxifahrer beachtete Bastian nicht weiter. Seine ganze Aufmerksamkeit galt einem Handy, auf das er fast pausenlos einredete. In einer Sprache, in der knarzende Konsonanten dominierten. Bastian dachte darüber nach, was in Horstmar passiert sein konnte. Ein Waldbrand, der auf das Haus seiner Mutter übergesprungen war? Unwahrscheinlich. Ein technischer Defekt? Die Heizung war vor ein paar Jahren erneuert worden. Oder hatte Hilde den Brand selbst verursacht? Bei einem ihrer geistigen Ausfälle? Als Bastian die rotierenden Blaulichter der Feuerwehrwagen sah, wurde ihm erneut schlecht. Gleich vier große Löschzüge verstopften die schmale Straße am Waldrand von Horstmar. Das Haus stand allerdings noch, und der Brand schien bereits gelöscht. Zwei Feuerwehrmänner richteten einen Wasserstrahl auf die Dachziegel, aus denen ab und zu Qualmwirbel aufstiegen. Die Außenwände darunter glänzten rußgeschwärzt.

«Scheiße», sagte der Taxifahrer und drehte hektisch an einigen Knöpfen oberhalb der Mittelkonsole. Die Klimaanlage blies bestialischen Rauchgestank ins Innere.

Bastian zahlte den Fahrpreis, stieg aus und übergab sich in den Vorgarten von Frau Kemminger.

Seine Mutter lebte. Durch die geöffneten Türen eines Rettungswagens konnte Bastian erkennen, wie sich ein Notarzt und eine Sanitäterin um sie bemühten. Auf ihrem Gesicht klemmte eine Sauerstoffmaske, ein Arm hing an einem Tropf. Mia stand vor dem Rettungswagen und beobachtete das Geschehen.

«Wie geht's ihr?», fragte Bastian seine Schwester.

«Der Arzt sagt, sie kommt durch. Eine Rauchgasvergiftung. Aber ihr Kreislauf ist im Keller.» Mia schnüffelte. «Du stinkst. Hast du getrunken?»

«Ein bisschen.»

Bastian kletterte in den Wagen. Der Arzt warf ihm einen vorwurfsvollen Blick zu.

«Ich bin der Sohn …» Er deutete auf seine Mutter, die nichts von dem, was um sie herum geschah, zu realisieren schien.

«Lassen Sie uns unsere Arbeit machen.»

Abwehrend hob er die Hände. «Kein Problem.»

Hilde sah fast durchsichtig aus, die Haut nur eine wächserne Hülle. Wie klein und schmal sie geworden war. Bastian streichelte ihre Hand, Tränen liefen ihm über das Gesicht.

«Wir müssen sie jetzt ins Krankenhaus bringen», erklärte der Arzt. «Ihre Schwester hat sich bereit erklärt, uns zu begleiten. Leider haben wir nur für eine Person Platz.»

«In Ordnung.» Bastian hüpfte auf die Straße und blieb irgendwie auf den Beinen. «Was ist passiert?», fragte er Mia.

«Sie hat vergessen, den Herd auszustellen, und vermutlich irgendetwas Brennbares auf die heiße Platte gestellt. Ich habe dir gesagt, dass es so nicht weitergeht.»

«Ich weiß.»

«Wann lernst du endlich mal, Verantwortung zu übernehmen, Bastian? Ich bin es so satt, mich allein um alles kümmern zu müssen.»

«Tut mir leid.»

«Hoffentlich wirst du bald erwachsen.» Mia stieg in den Rettungswagen. Die Türen klappten zu, der Wagen raste mit eingeschalteter Sirene davon.

Bastian taumelte. Einige Feuerwehrleute beobachteten ihn ohne sichtbare Gefühlsregung. Er fing sich wieder und tastete nach seinem Handy. Zu Hause vergessen. Was sollte er jetzt machen? Er hatte einfach nicht die Kraft, jemanden um Hilfe zu bitten.

Sein Blick fiel auf die dichten Bäume im *Herrenholz*. Als Kind hatte er oft darüber nachgedacht, wie es wäre, im Wald zu übernachten. Ganz allein unter einem Baum.

Er ging los.

Sechzehn

Helene Lambert hing über der Toilette und spuckte Krabbenfleisch in die schlicht designte Plastikschüssel. Daran, dass sich
die MS Albertina sanft auf und ab bewegte, lag es nicht, dass
ihr übel war. Der Kreuzfahrtdirektor, der mit seiner einschmei-
chelnden, leicht schwäbelnden Stimme jeden Tag mindestens zwei
Mal über die Lautsprecheranlage zu den Passagieren sprach und
dabei die neuesten Wettermeldungen zum Besten gab, hatte die
Seegangstärke mit drei bis vier angegeben. Das war fast nichts, da
hatte Helene auf kleineren Schiffen schon ganz andere Stürme
überstanden. Nein, die Ursache ihres Unwohlseins besaß acht
lange, staksige Beine. Die verdammten Königskrabben, von deren
köstlichem, in Meerwasser gekochtem Fleisch sie viel zu viel ver-
schlungen hatte, bereiteten ihr Magenschmerzen.

Helene Lambert zog sich am Waschbecken hoch und schaute
in den Spiegel. Mein Gott, sie sah wirklich furchtbar aus. Dunkle
Ringe unter den Augen und Falten so tief, dass kein Make-up sie
verschlucken konnte. Diesen Anblick mochte sie niemandem an
Bord zumuten, das vereinbarte Treffen mit Frederik würde sie
notgedrungen absagen müssen.

Erneut stieg eine Übelkeitswelle aus dem Magen hoch. Helene
unterdrückte den Brechreiz. Was genug war, war genug, sie
wollte sich nicht noch einmal übergeben. Mit langsamen Schritten,

dabei tief einatmend, durchquerte sie das Wohnzimmer. Vorsichtig streckte sie sich auf dem Sofa aus. Ja, so ließ es sich aushalten. Wenn's sein musste, bis zum Morgen. Hinter den großen Panoramafenstern stand die Sonne tief am Horizont. Vielleicht sorgte die Passage der Bäreninsel, die der Kreuzfahrtdirektor versprochen hatte, noch für ein kleines nächtliches Highlight. Seit ein paar Tagen, seit die Sonne gar nicht mehr unterging, hatte Helene ohnehin Schlafprobleme. Die Helligkeit, die sich auch mitten in der Nacht an den Vorhängen vorbei in die Kabine stahl, durchlöcherte ihren chronisch fragilen Schlafrhythmus. Also konnte sie genauso gut hier liegen bleiben und unentwegt auf die Schaumkronen des Nordmeers starren. Was für ein armseliges Ende eines Tages, der so hoffnungsvoll begonnen hatte.

Endlich einmal hatte ein echtes Erlebnis auf dem Programm gestanden: Fahrt mit RIB-Booten zu den Reusen, in denen Königskrabben gefangen wurden, und anschließender Verzehr der frischgekochten Riesenkrabben in einem traditionellen Sami-Zelt. Während das gemeine Volk von Honningsvåg aus, wo die MS Albertina ankerte, in Bussen zum Nordkap gekarrt wurde, um zusammen mit vielen anderen Schaulustigen das karge Ende Europas zu bestaunen, waren Helene und Frederik sowie das aufrechte Häuflein der anspruchsvolleren Passagiere zu einem kleinen Fischereihafen gepilgert. Dort hatten sie Schutzanzüge und Schwimmwesten erhalten und waren in die großen Schlauchboote gestiegen, die mit ihren starken Außenbootmotoren bis zu 35 Knoten machten und immer wieder von der geriffelten Wasseroberfläche des Magerøysundes abhoben. Helene bewunderte die blonden, rotwangigen Norwegerjungs, die in ihren grellbunten Gummihosen hinten an den Motoren hockten und die Boote lenkten. Doch noch mehr genoss sie es, direkt neben dem kurzhaarigen Burschen zu sitzen, der ihr am Vortag erstmals aufgefallen war. Geschickt hatte sie sich zwischen ihn und die Blondine gedrängt und ihm beim Einsteigen in das Boot den Arm entgegengestreckt. Dem Jüngling war gar nichts anderes übrig geblieben, als Helene zu helfen – und schon saß sie neben ihm, Bein an Bein. Die Blondine hatte das klaglos hingenommen und sich neben Frederik auf eine andere Bank gesetzt. Was Helenes Vermutung erhärtete, dass es sich bei den beiden nicht um ein Paar handelte.

Aus der Nähe sah der Junge mit den kurzen blonden Locken noch besser aus als von oben. Auf seinem Gesicht lag unter dem Dreitagebart ein melancholischer Schatten, er schien schon mehr und Schlimmeres von der Welt gesehen zu haben als die meisten seiner Altersgenossen. Helene bekam eine Gänsehaut. Der Typ strahlte etwas Brutales aus, dazu musste er sie nicht einmal mit diesem durchdringenden Blick anschauen. Und dass er zupacken konnte, sah man an der Art, wie er die Krabbenreuse vom Meeresgrund hochzog. Helene stellte sich vor, unter ihm zu liegen und seine groben Hände auf ihren Oberarmen zu spüren. Er würde sie hart anfassen, da war sie sich sicher, und sie würde es genießen. So lieb und kuschelig Rafael auch war, auf Dauer konnte der Blümchensex mit ihrem devoten Sekretär ziemlich langweilig werden. Rafael würde sich eher in die Hand beißen, als ihr mal einen Schlag auf den nackten Hintern zu verpassen.

Helene zündete die nächste Stufe der Annäherung. «Ich heiße Helene. Und Sie?»

«Julian», knurrte er aufs Wasser hinaus. Anscheinend kein Konversationsgenie.

«Wenn man mal von neunzig Prozent unserer Mitreisenden absieht, war die Fahrt bis jetzt recht amüsant, finden Sie nicht?»

«Ja.»

Himmel, der Junge war trockener als Mehlstaub. «Was reizt Sie denn an der Route? Spitzbergen? Oder doch die norwegischen Fjorde?»

«Keine Ahnung. Freunde haben mich eingeladen.»

Inzwischen waren die Krabbenfallen an die Wasseroberfläche gezogen und in die Boote ausgekippt worden. Kleine Monster mit Beinspannweiten von einem Meter und mehr schoben sich zwischen die Füße der Touristen, rissen dabei ihre Kiemenhöhlen auf, in denen ein verkümmertes fünftes Beinpaar einen seltsamen Tanz aufführte. Der Anblick erinnerte Helene an gruselige außerirdische Spinnentiere in schlechten Science-Fiction-Filmen. Ein besonders aufdringliches Exemplar, das mit seiner Beinschere an ihrem Schuh herumzwickte, beförderte Helene mit einem energischen Tritt an die Bordwand. Das Tier nahm die Attacke gelassen hin, wie sollte es auch ahnen, dass in dem Fußtritt eine gehörige Portion Frust steckte. Helene konnte einfach nicht fassen, dass ein männliches Wesen, dem sie ihre Aufmerksamkeit schenkte, sie derart eiskalt abblitzen ließ wie dieser maulfaule Julian. So etwas hatte sie noch nie erlebt. Jedenfalls nicht, solange sie sich erinnerte.

Die Boote nahmen wieder Fahrt auf und steuerten auf eine Landzunge zu, an deren Ufer ein etwa zehn Meter hohes Sami-Zelt aufgebaut war. Der Stachel der Niederlage provozierte Helene zu einem letzten Versuch. Bei einer scharfen Rechtskurve fiel sie unbeholfen gegen Julians Schulter und legte Halt suchend ihre Hand auf seinen Oberschenkel. Doch auch diesmal zeigte der Junge keine Reaktion, nicht mal ein nervöses Zucken. Unbeirrt starrte er weiter aufs Meer hinaus, als gäbe es dort etwas zu sehen, das mit einer attraktiven Frau im besten Alter konkurrieren konnte. Entweder war der Typ stockschwul oder hohl wie ein Lüftungsschacht.

Vermutlich war die schlechte Laune, die Helene von diesem Moment an befallen hatte, auch dafür verantwortlich gewesen, dass sie später, als alle im Kreis in dem riesigen Zelt saßen und an Krabbenbeinen nagten, eine Unmenge von dem weißen, proteinhaltigen Fleisch vertilgt hatte. Irgendwie musste sie sich ja ablenken, nicht nur von Julian, sondern auch von dem Geschwafel des schweinsköpfigen Mannes an ihrer rechten Seite, der unentwegt von seinen unbedeutenden Reisen in noch unbedeutendere Weltgegenden erzählte. Helene stopfte Krabbenfleisch in sich hinein, verlangte nach rosa Pfeffer, den es in der primitiven Fischerküche natürlich nicht gab, und angelte sich ein neues Krabbenbein.

Irgendwann, ihr war schon ein wenig übel, entweder vom vielen Essen oder von der Mundgeruchaura des Schweinskopfs, fiel Helene auf, dass Frederik das Zelt verlassen hatte. Und nicht nur er, auch die blonde Freundin des schweigsamen Julian. Helene stand auf, drückte einem kräftigen norwegischen Mädchen ihr Holzbrett mit den Krabbenüberresten in die Hand und machte sich auf die Suche.

Draußen herrschte Dämmerung. Jedenfalls kam es Helene so vor. Tatsächlich war der graue Himmel nicht dem Sonnenstand, sondern den Wolken geschuldet, die sich vor die Polarsonne geschoben hatten. Schwarz vor milchigem Hintergrund zeichnete sich eine Herde Rentiere ab, die über den Kamm einer Hügelkette jagte. Und neben dem großen Wasserbecken, in dem die Fischer die Königskrabben zwischengelagert hatten, bevor diese in kochendes Wasser geworfen wurden, standen Frederik und die Blondine. Helene kannte den Blick, mit dem die Blonde Frederik anschaute, und er gefiel ihr gar nicht. Was um alles in der Welt hatte Frederik getan, dass sich dieses überaus durchschnittliche Mädchen so schnell in ihn verliebte?

Während der Rückfahrt zum Hafen von Honningsvåg spürte Helene bereits, wie es in ihrem Magen rumorte. Schweigend erduldete sie die Luftsprünge des Schlauchbootes, um sich anschließend so schnell wie möglich ihrer Schutzkleidung zu entledigen und auf die Albertina zurückzukehren. Und dann hing sie auch schon über der Unterdrucktoilette in ihrem Badezimmer.

IIIII

Das Telefon klingelte. Helene hangelte nach dem Hörer. «Ja?»

«Ich bin's, Frederik. Kommst du noch zur Party auf dem Achterdeck?»

Jeden Abend gab es eine Party. Gestern war die Polartaufe gefeiert worden, heute wurde der Abschied von Europa begangen. «Nein, ich glaube nicht, ich bin müde.» Sie schaute auf ihre Uhr: schon nach Mitternacht.

«Okay, wollte ich nur wissen.»

War das eine Frauenstimme im Hintergrund? Hatte sich die blonde Schlampe bereits in seiner Kabine einquartiert? «Frederik, alles in Ordnung?»

«Natürlich, Mama.»

«Bist du allein?»

Frederik lachte. «Wer soll denn bei mir sein?»

Lügen konnte er noch nie.

Helene legte auf und stellte die Füße auf den schwankenden Schiffsboden. Der Magen hatte sich einigermaßen beruhigt, sie schaffte es ohne Komplikationen bis zur Kabinentür. Kaum hatte sie die Tür einen Spaltbreit geöffnet, hörte sie auch schon Stimmen, die sich auf dem Gang entfernten: Frederik und die Blondine. Mit dem Anruf hatte sich Frederik nur vergewissern wollen, dass sie bei der Party nicht von seiner Mutter gestört wurden. Aber da hatte er sich verrechnet. Helene fand, dass es an der Zeit war, ein ernstes Wort mit ihrem Sohn zu reden.

Sie setzte eine große Sonnenbrille auf und schlang sich einen bunten Turban um den Kopf. Die Aufmachung war so auffällig, dass sie hoffentlich von dem erbarmungswürdig käsigen Gesicht darunter ablenken würde. Derart verkleidet marschierte Helene los, zuerst zur Treppe in der Mitte des Schiffs, dann hinunter auf das Prometheus-Deck. Auf der Außenfläche der Neptun-Bar am Heck des Schiffes standen große Lautsprecherboxen. Der DJ, der tagsüber den penetrant gutgelaunten Animateur gab, spielte mal wieder seine Lieblingsmusik: abgehangene deutsche Schlager. Schon in ihrer Studentenzeit hatte Helene diese seichten Melodien für hoffnungslos antiquiert gehalten, dabei war der DJ gerade mal ein paar Jahre älter als Frederik. Aber der scheute sich auch nicht, schwachsinnige Texte zu grölen und dazu mit seiner blonden Neuerwerbung herumzuhopsen.

Helene blieb stehen, das Gesicht ihrem einzigen Kind zugewandt. Nach einer Minute wurde sie von Frederik bemerkt. Zuerst entgleisten seine Gesichtszüge, dann fing er sich und lächelte in ihre Richtung. Helene lächelte nicht.

Frederik tippte Blondie, die immer noch ihre Mähne schüttelte, auf die Schulter. Das musste man ihm lassen, er machte nicht den Versuch, seine Zufallsbekanntschaft zu verheimlichen.

Wie zwei Schüler, die von ihrer Lehrerin beim Abschreiben erwischt worden waren, trotteten sie zu ihr.

Frederik schaute seine Mutter treuherzig an: «Ich dachte, du bleibst in der Kabine.»

«Ich hab's mir anders überlegt.»

«Das ist übrigens Rike.»

Helene sagte nichts und behielt ihre Hände in den Taschen der Windjacke. Die Blonde konterte mit einem giftigen Lächeln. *Du kannst mich nicht einschüchtern*, sollte das wohl bedeuten.

«Kann ich dich unter vier Augen sprechen, Frederik?»

«Hat das nicht Zeit bis morgen?»

«Nein.»

Helene wartete seine Reaktion nicht ab, sie wusste, dass Frederik ihr folgen würde. Über die Außentreppe stieg sie zum Sonnendeck hinauf. Hier oben unter freiem Himmel waren sie allein, der kräftige Wind hatte die übrigen Kreuzfahrtpassagiere längst auf die unteren Decks gespült. Helene fand eine windgeschützte Ecke zwischen Tages-Bar und Golfplatz.

«Was soll das?» Frederik gab seine Zurückhaltung auf und fauchte sie wütend an. «Ich bin kein Kind mehr. Ich bin erwachsen und kann tun und lassen, was ich will.»

«Natürlich kannst du vögeln, wen du willst. Von mir aus auch dieses blonde Flittchen.»

«Rede nicht so über sie.»

Helene lachte bissig. «Sonst was? Du hast sie erst vor einigen Stunden kennengelernt. War es nötig, sie gleich in deine Kabine mitzunehmen?»

«Das musst du gerade sagen.»

Diesen gehässigen Ton kannte Helene noch nicht. «Was soll das heißen?»

«Denkst du, ich habe nicht gesehen, wie du Rikes Bekannten angebaggert hast?»

Helene schnaufte vor Entrüstung. «Ich habe versucht, ein bisschen Smalltalk mit ihm zu machen. Das war alles.»

«Du hast ihn angegrapscht. Wie peinlich ist das, wenn man mit ansehen muss, wie die eigene Mutter jemanden angräbt, der so alt ist wie man selbst.»

«Dein Benehmen gefällt mir nicht, Frederik.»

«Und was hast du vor, dagegen zu unternehmen? Mich auf der nächsten Insel aussetzen, an der wir vorbeikommen?»

Helene spürte, wie ihr Magen revoltierte. Frederiks Renitenz war reines Gift für ihre gereizten Eingeweide. «Hör auf damit, Frederik. Das Einzige, um was ich dich bitte, ist, ein wenig Zurückhaltung zu üben. Ich möchte nicht vor den anderen Gästen kompromittiert werden. Also verzichte bitte darauf, dein Betthäschen zu unseren gemeinsamen Unternehmungen mitzubringen. Sie wird nicht mit uns zu Abend essen, das ist dir hoffentlich klar?»

«Das ist deine größte Sorge?», höhnte Frederik. «Von mir kompromittiert zu werden?»

«Vergiss nicht, wer die Reise bezahlt. Deine Kabine gehört zur zweithöchsten Kategorie.»

«Nein, das vergesse ich nicht, Mama. Bei dir definiert sich ja alles über Geld.»

«Im Gegensatz zu dir, wie?»

«Danke», parierte Frederik. «Immerhin benutze ich Geld nicht, um andere zu quälen. So wie du Papa gequält hast.»

«Lass deinen Vater aus dem Spiel.»

«Immer und immer wieder hast du ihm unter die Nase gerieben, dass *du* die Firma aufgebaut hast, dass *du* für den Wohlstand der Familie sorgst. Du hast ihn gedemütigt, wo du nur konntest. Selbst als es ihm gelang, mit seinen Bildern eine große Ausstellung zu organisieren, konntest du dir nicht verkneifen, ihn wissen zu lassen, dass er seinen Erfolg *deinen* Beziehungen zu verdanken hat.»

«Frederik …»

«Hast du vergessen, woran er gestorben ist?»

«Dein Vater ist an einem Herzinfarkt gestorben.»

«Nein, er ist daran gestorben, dass du ihm das Herz gebrochen hast.»

Den letzten Satz spuckte er ihr regelrecht ins Gesicht, bevor er sich umwandte. Für einen Moment glaubte Helene, die wehenden Haare von Rike zu sehen, als Frederik hinter dem mächtigen Schornstein verschwand. So hatte sie ihren Sohn noch nie erlebt. Sie musste sich dringend überlegen, welche Reaktion darauf angemessen war. Aber zuerst würde sie sich erholen und Kräfte sammeln. Aus dem Magen schwappte eine saure Flüssigkeit in ihren Mund. Helene unterdrückte den Impuls, die Säure auszuspucken, und schluckte sie tapfer wieder hinunter. Frederik würde sich noch wundern.

Siebzehn

Etwas tropfte ihm auf die Nase. Auch die Stirn bekam einen Treffer ab. Dazu ein gewaltiger Donnerschlag. Dann begann ein Prasseln, das schneller und lauter wurde. Als ob jemand eine gewaltige Dusche aufgedreht hätte. Bastian öffnete die Augen. Über ihm hing ein grünes Blätterdach, das den Regen abfing. Noch. Bald würde es hier unten auf dem Waldboden nass werden. Er musste aufstehen. Sofort. Auch wenn es schwerfiel.

Bastian kam auf die Beine und lehnte sich an den Stamm des Baumes, unter dem er eingeschlafen sein musste. Es dämmerte bereits. Nach seiner Einschätzung war es früher Morgen, fünf oder sechs Uhr.

Er fühlte sich erbärmlich schwach. Zu schwach, um die Gedankensplitter und Bilder der letzten vierundzwanzig Stunden auszuschalten, die ihn alle auf einmal überfielen. Der Verdacht gegen Yasi, sein unrühmlicher Abgang aus der Mordkommission, der Brand in Horstmar, Hilde im Krankenwagen, dem Tod näher als dem Leben. Bastian atmete tief durch. Der verdammte Restalkohol, der in seinem Blut zirkulierte, machte ihm zusätzlich zu schaffen, bei jeder Bewegung prallte das Gehirn schmerzhaft gegen den Schädelknochen.

Selbstmitleid half jetzt nicht weiter. Er musste sich dem stellen, was von ihm erwartet wurde. Als Sohn, als Bruder, als Freund, als

Polizist, als was auch immer. Wie er das bewältigen sollte, war ihm unklar. Allerdings gab es auch keine Ausrede, es nicht zu versuchen. Einfach nichts tun und darauf hoffen, dass ihn ein Blitz traf, war eine schwache Alternative.

Mit dem nächsten Gewitterdonnern machte er sich auf den Weg. Daran, wie er hierhergekommen war, hatte er keine Erinnerung mehr. Das letzte Bild, das sein Gedächtnis preisgab, war der Anblick der Feuerwehrleute vor seinem Elternhaus. Männer mit vor Anstrengung verhärteten Gesichtern, die ihn verständnislos anstarrten. Im Nachhinein ahnte er, wie jämmerlich er gewirkt haben musste. Ein Betrunkener, der vor dem ausgebrannten Haus seiner Mutter herumtorkelte. So hilfreich wie ein geplatzter Reifen auf der Autobahn.

Der Fußpfad durch das *Herrenholz* kam ihm bekannt vor. Und dann entdeckte er auch schon die ersten Häuser zwischen den Bäumen.

Im Tageslicht sah die verkohlte Ruine noch trostloser aus als in der Nacht. Kaum vorstellbar, dass hier bis vor wenigen Stunden jemand gewohnt hatte. Das Haus war tot, seelenlos wie eine Leiche im Straßengraben. Bastian sog Luft durch die Nase ein. Ja, da war der Geruch, den er hasste, der Geruch nach Verbranntem.

Ein rot-weißes Absperrband flatterte auf dem Grundstück, ein provisorisch aufgestelltes Schild warnte vor dem Betreten des Hauses. Doch auch ohne diese Hinweise wäre Bastian nicht auf die Idee gekommen, durch den verkohlten Türrahmen zu gehen und sich die Überreste anzuschauen. Nicht jetzt jedenfalls. Später vielleicht. Wenn er ehrlich war, hoffte er, dass Mia sich darum kümmern würde sicherzustellen, was noch von Belang und nicht verbrannt war. Den Rest sollte der Abrissbagger erledigen. Bastian wollte nichts, aber auch gar nichts aus diesem Haus behalten. *Asche zu Asche, Schutt zu Schutt.*

Frau Kemminger, älter und zittriger denn je, öffnete im Bademantel die Tür, als er klingelte. Vermutlich hatte sie in der Nacht kein Auge zugemacht. «Herr Matt, wo waren Sie denn? Sie sehen ja furchtbar aus.»

Bastian versuchte zu lächeln. «Haben Sie etwas von meiner Mutter gehört?»

«Ja, Mia hat mich am späten Abend angerufen. Hilde geht es den Umständen entsprechend. Sie ist bei Bewusstsein, aber anscheinend sehr durcheinander.»

Bastian nickte. «Dürfte ich Ihr Telefon benutzen? Ich brauche ein Taxi.»

IIIII

Nach einer ausgiebigen Dusche, zwei Tassen Kaffee und einer Schmerztablette fühlte sich Bastian in der Lage, zum Krankenhaus zu fahren. Hilde lag in einem der Bettentürme der münsterschen Uni-Klinik, hatte er von Mia bei ihrem Telefonat vor einer halben Stunde erfahren. Mia war fast die ganze Nacht an ihrem Bett geblieben und erst am frühen Morgen nach Hause zurückgekehrt, um sich ein paar Stunden auszuruhen. Hilde werde sich freuen, ihn zu sehen, sagte Mia, sie habe schon nach ihm gefragt. Erleichtert registrierte Bastian, dass seine Schwester ihm keine neuen Vorwürfe machte. Vielleicht war sie auch bloß zu müde dazu.

Er nahm den Aufzug und betrat die Station, in der man seine Mutter behandelte. Sie teilte sich das Zimmer mit zwei anderen Frauen. In ihrer Nase steckten zwei dünne Plastikschläuche, über die sie mit zusätzlichem Sauerstoff versorgt wurde. Ansonsten sah sie müde aus. Müde und verwirrt.

«Hallo, Hilde», sagte Bastian und drückte ihr einen Kuss auf die Stirn. «Wie geht es dir?»

«Es ging mir schon mal besser.» Ihre Stimme klang angegriffen.

«Das glaube ich. Aber jetzt kannst du dich ja ausruhen.»

«Wenn das so einfach wäre.» Sie wurde leiser. «Du musst mir helfen, Sebastian.»

«Wobei denn?»

«Ich will hier raus. Aber die lassen mich nicht.»

«Hilde.» Er strich ihr über die Hand. «Du bist viel zu schwach. Du kannst erst gehen, wenn du wieder gesund bist.»

«Aber ich muss doch aufräumen.» Sie wischte über die Bettdecke, hin und her, immer wieder. «Zu Hause sieht es bestimmt schrecklich aus. Die ganze Unordnung, der Dreck. Wo ist das Feuer überhaupt hergekommen, Sebastian?»

«Es war ein Unglück, Hilde.»

«Wie meinst du das?»

«Du hast den Herd nicht ausgestellt. Und dann etwas Brennbares auf die Platten gelegt.»

«Nein, nein, das kann nicht sein. Ich schalte den Herd immer aus.» Die Hand wischte über die Decke. «Es soll wieder so aussehen wie vorher, verstehst du. Wenn ich alles sauber mache, dann …»

Sollte er sie schonen? Die bittere Erkenntnis, dass es kein Zurück gab, auf später verschieben? Nein, die Zeit der Täuschungen war vorbei, je eher sie die Wahrheit akzeptierte, desto besser.

«Du gehst nicht nach Hause, Mutter. Nie mehr.»

Sie schaute ihn mit großen Augen an. *Mutter* sagte er nur selten und nie in angenehmen Situationen. «Was redest du da, Sebastian?»

«Das Haus ist nicht mehr bewohnbar, es muss abgerissen werden.»

«Unsinn. Ich brauche nur ein bisschen Hilfe, dann …»

«Nein. Du wirst weder in dem Haus in Horstmar noch in einer anderen Wohnung leben. Jedenfalls nicht allein. Du kannst nicht mehr für dich selbst sorgen, das wäre zu gefährlich. Du brauchst Leute, die sich Tag und Nacht um dich kümmern.»

Ihr Mund verkrampfte sich, aus den Augenwinkeln liefen kleine Rinnsale über die rissige Haut. «Du bist genauso wie Mia. Ihr habt euch beide gegen mich verschworen.»

Es fiel ihm schwer, hart zu bleiben, aber in diesem Punkt konnte es keinen Kompromiss geben. Hilde würde es einsehen, wenn nicht in einigen Wochen, dann in einigen Monaten.

«Du hättest letzte Nacht ums Leben kommen können. Und wer wäre dafür verantwortlich gewesen? Mia und ich. Weil wir wussten, wie es um dich steht.»

«Unsinn.»

«Und stell dir mal vor, das Feuer wäre auf die Nachbarhäuser übergesprungen. In deiner Verfassung bist du nicht nur eine Gefahr für dich selbst, sondern auch für andere.»

Hilde sagte nichts mehr. Sie starrte trotzig auf die Wand, wie ein Kind, das sich von den Eltern ungerecht behandelt fühlt. Bastian spürte die Blicke der beiden anderen Frauen im Zimmer. Wahrscheinlich verachteten sie ihn für das, was er sagte. Beinahe tat er es ja selbst.

«Wir werden ein schönes neues Zuhause für dich suchen», redete er weiter. «Du wirst sehen, es ist nicht so schlimm, wie du denkst.» Hoffentlich, fügte er in Gedanken hinzu.

Hilde sagte noch immer nichts. Und das blieb auch in den nächsten zehn Minuten so. Länger hielt Bastian es nicht aus.

|||||

Und da er gerade dabei war, konnte er gleich noch die nächste Schuld auf sich nehmen. Von der Uni-Klinik fuhr er zum Präsidium, ging aber nicht durch den Vordereingang, wo der Pförtner ihn gesehen hätte, sondern um das Gebäude herum zum Innen-hof. Ein paar Kollegen standen vor der Tür und rauchten. Bastian wartete, bis sie ihre Kippen ausgedrückt und sich wieder hin-einbegeben hatten, dann zog er seinen Dienstausweis durch das Kartenschloss, drückte die Tür auf und wandte sich nach rechts. Im Überwachungsraum vor den Arrestzellen befand sich nur ein einziger Uniformierter. Bastian kannte ihn vom Sehen, irgendwas mit M, Matthias oder Martin.

M. grinste ihn freundlich an. «He, ich dachte, du hast ein langes Wochenende. Habe ich jedenfalls gehört.»

«Tja, das dachte ich auch.» Bastian grinste zurück. «Aber du kennst das ja: zu viel Arbeit, zu wenig Leute.»

«Wem sagst du das?» M. drehte sich zu den Monitoren um, auf denen er sehen konnte, was sich in den Arrestzellen abspielte. «Obwohl heute nicht viel los ist.»

Bis auf einen waren alle Monitore schwarz, die dazugehöri-gen Zellen leer. Der letzte Monitor zeigte das Bild, das Bastian befürchtet hatte: Yasi hockte mit hängenden Schultern auf der einzigen Sitzgelegenheit im ansonsten kargen Raum, einer harten Pritsche.

«Hübsche Braut, muss ich schon sagen.» M. schnalzte. «Die würde ich gerne mal vernehmen. Richtig vernehmen, verstehst du, mit allem …»

«Ja», würgte ihn Bastian ab. Noch ein paar falsche Worte von M. und er würde sich nicht mehr beherrschen können. «Ich muss kurz mit ihr sprechen.»

«Hattest du nicht was mit ihr?»

«Ein dummes Gerücht. Es wird viel geredet, wenn der Tag lang ist.»

Auf M.s Gesicht lag ein Anflug von Misstrauen. «Klar, ich mach die Zelle auf.» Er räumte das angebissene Butterbrot und die Zeitung mit den großen Buchstaben beiseite. Darunter befanden sich die Schalter für die elektronischen Zellenschlösser. «Die Sechs. Ganz am Ende.»

Bastian hatte keine Ahnung, was ihn erwartete, ob Yasi sich freuen oder ihm die Augen auskratzen würde. Er wusste nur, dass er die Sache klarstellen musste, das war er Yasi und sich selbst schuldig.

Yasi schaute auf, als er die Zelle betrat. In dem grellen Neonlicht, das von den weiß gekachelten Wänden reflektiert wurde, sah ihre Haut fast grau aus.

Bastian traute sich nicht, zu ihr zu gehen. «Hallo.»

Sie wirkte müde. «Was willst du hier?»

«Mit dir reden.»

«Danke. Ich habe keinen Gesprächsbedarf. In den letzten sechzehn oder achtzehn Stunden habe ich sehr viel geredet. Mit deinen Kollegen.»

«Ich kann's mir denken.»

«Sie halten mich für eine Mörderin. Zumindest für eine Komplizin.»

«Ich weiß. Es tut mir leid.»

«Und mir erst.» Sie stand auf und streckte sich. Obwohl sie vermutlich in der Nacht kein Auge zugemacht hatte und bei den Vernehmungen die schlimmsten Anschuldigungen auf sie eingeprasselt waren, wirkte sie ungebrochen. Bastian konnte nicht anders, er begehrte sie mehr denn je. Selbst in diesem nach Desinfektionsmitteln stinkenden Loch war sie einfach bewundernswert.

Yasi kam mit federnden Schritten auf ihn zu. «Wenn ich gewusst hätte, dass du das, was ich dir erzähle, gegen mich verwendest, hätte ich die Klappe gehalten.»

«Ich bin Polizist, Yasi. Wie hätte ich der Möglichkeit, dass hinter den Morden an den Eigentümern von Lambert-Pharma militante Biopiraterie-Gegner stecken, nicht nachgehen sollen?»

Yasis Finger tippte schmerzhaft gegen seine Brust. «Es gibt keine weißen Adler und keine guten Polizisten.»

«Wer sagt das?»

«Altes Mosuo-Sprichwort.»

«Ich dachte, ihr braucht keine Polizisten, weil es bei euch immer friedlich zugeht.»

Der Ansatz eines Lächelns zuckte über ihr Gesicht. «Ich habe das Sprichwort leicht abgewandelt.»

«Warum hast du mir nicht gesagt, dass du in Hamburg politisch aktiv warst?»

«Weil ich es nicht für wichtig hielt.»

«Das ist naiv.» Bastian schüttelte den Kopf. «Du musstest damit rechnen, dass wir Aufnahmen von Demonstrationen finden, auf denen du zu sehen bist.»

«Na und? Es ist in Deutschland nicht verboten zu demonstrieren.»

«Yasi, du gehst bei einer Demo neben Annika Busch, der Frau, die im Mordfall Mergentheim dringend tatverdächtig ist. Als meine Kollegin das entdeckt hat, war die Lawine nicht mehr aufzuhalten. Ich hätte die Ermittlungen gegen dich nicht stoppen können.»

«Annika Busch?» Yasi seufzte und lehnte ihren Kopf gegen seine Brust.

Bastian dachte an Martin oder Matthias, der garantiert die ganze Zeit auf den Monitor glotzte. Wahrscheinlich verschluckte der Typ sich gerade an seinem Butterbrot.

Bastian schob Yasi sanft zurück. «Wir werden beobachtet. Über der Tür ist eine Kamera.»

«Ich kenne diese Frau nicht», sagte Yasi. «Ich meine, vielleicht bin ich ihr bei unseren Treffen begegnet. Aber da waren viele, die sich engagierten. Ich hatte seitdem jedenfalls keinen Kontakt zu einer Annika Busch.»

«Ich glaube dir», sagte Bastian. Er wollte ihr wirklich glauben.

Die Tür sprang auf. Dirk Fahlen trat ein. Dahinter Matthias oder Martin.

«Wir müssen reden, Matt», sagte Fahlen bitter.

ⅠⅠⅠⅠⅠ

Zwanzig Minuten später saß Bastian im Büro von Kriminalrat Biesinger, der von Fahlen und KK-11-Chef Brunkbäumer flankiert wurde. Biesinger guckte ernst, auch Fahlen und Brunkbäumer sahen so aus, als hätten sie gerade einen Schluck saure Milch getrunken.

«Was sollen wir nur mit Ihnen machen, Herr Matt?», fragte Biesinger.

Da offenbar eine Antwort von ihm erwartet wurde, zuckte Bastian mit den Schultern.

«Herr Fahlen hat Ihnen doch die Chance gegeben, die Angelegenheit geräuschlos zu handhaben. Warum haben Sie die nicht genutzt?»

Wieder der erwartungsvolle Blick. Bastian hatte keine Lust, ständig mit den Schultern zu zucken, also starrte er schweigend auf die Tischplatte. Der Tisch mitsamt den vier Freischwingern stand in der Besprechungsecke. Als Leiter der Kriminalinspektion I war Biesinger für das KK 11 und ein Drittel aller übrigen Kommissariate zuständig. Die Sitzecke im Büro gehörte zu den Insignien seiner Macht.

«Mensch, Matt», polterte Brunkbäumer. «Du bist doch nicht blöd. Wieso reitest du dich so in die Scheiße?»

Kommt endlich zur Sache!, dachte Bastian.

«Sie haben sich mit einer Tatverdächtigen eingelassen», schnappte Biesinger. «Allein das ist problematisch genug. Aber jetzt widersetzen Sie sich den Anweisungen Ihrer Vorgesetzten und versuchen womöglich, die Ermittlungen zu behindern.»

«Hat sich der Tatverdacht denn erhärtet?», fragte Bastian.

«Das steht hier nicht zur Debatte.»

«Für mich schon», widersprach Bastian. «Ich habe Frau Ana nicht als Tatverdächtige, sondern als Rechtsmedizinerin kennengelernt, die an der Ermittlungsarbeit beteiligt war. Ich erinnere mich an eine MK-Sitzung, bei der Frau Ana auf Einladung von Herrn Fahlen referiert hat und der MK-Leiter anschließend eine Tasse Kaffee mit ihr trinken wollte.»

Fahlen lief rot an. «Was willst du mir da unterstellen? Das ist eine Unverschämtheit.»

«Meine Herren!» Biesinger breitete beschwichtigend die Arme aus. «Auf diesem Niveau möchte ich nicht diskutieren.»

«Ich weise nur darauf hin, dass ich nicht der Einzige bin, der Kontakt zu Yasi Ana hatte», schob Bastian hinterher. «Allerdings wird nur mir ein Strick daraus gedreht.»

«Das haben wir verstanden», schaltete sich Brunkbäumer ein. «Aber wir reden hier nicht über die Vergangenheit, Matt, sondern über die Gegenwart. Und gegenwärtig können wir Frau Ana aus dem Kreis der Tatverdächtigen nicht ausschließen.»

Das klang ziemlich defensiv. Wollte ihm Brunkbäumer zu verstehen geben, dass Yasi das Schlimmste überstanden hatte? Und er, Bastian, damit auch?

«Sehr richtig», sagte Biesinger. «Ihr eigenmächtiger Aufenthalt in der Arrestzelle war mit Sicherheit grenzwertig. Trotzdem sind wir aus meiner Sicht noch nicht gezwungen, Disziplinarmaßnahmen zu ergreifen. Vorausgesetzt, ich betone: Vorausgesetzt, Sie zeigen sich einsichtig.»

«Was heißt das?», fragte Bastian.

«Erstens: Keinen Kontakt zu Frau Ana bis zum Abschluss der Ermittlungen, weder persönlich noch telefonisch noch schriftlich. Das gilt so lange, bis wir Entwarnung geben.»

«Einverstanden», sagte Bastian. Es war ein Deal, der den Chefs erlaubte, ihr Gesicht zu wahren, nichts weiter. Sobald sie Yasi aus dem Arrest entlassen mussten, würde sich sowieso keiner darüber aufregen, ob er sie traf oder nicht.

«Zweitens: Nachdem Sie in den nächsten Tagen Ihre Überstunden abgebaut haben, nehmen Sie eine Woche Urlaub. Danach sehen wir weiter. Voraussichtlich kehren Sie in die K-Wache zurück. Und es gibt keinen Eintrag in Ihre Personalakte.»

«Einverstanden», wiederholte Bastian.

«Gut. Dann sind wir uns ja einig.»

Bastian stand auf. Er wollte nur noch so schnell wie möglich raus.

«Ach, noch etwas», sagte Biesinger. «Sie haben gestern den Termin bei der Psychologin geschwänzt.»

Tatsächlich hatte er die Warmbier völlig vergessen.

«Ich habe mir erlaubt, einen neuen Termin für Sie zu arrangieren.» Der Kriminalrat tat so, als habe er sich für Bastian eine Nettigkeit ausgedacht. «Und zwar …», er schaute auf seine Armbanduhr, «… in zehn Minuten. Danach verlassen Sie bitte das Gebäude. Umgehend.»

Achtzehn

Wie geht es Ihnen?»

Eine Frage, auf die normalerweise niemand eine ehrliche Antwort erwartete. Es sei denn, die Fragerin war Psychologin, hatte eine Ausbildung in Gesprächstherapie und sich darauf spezialisiert, posttraumatische Belastungsstörungen zu behandeln. Man sah der Frau mit der rundlichen Figur nicht an, dass sie sich jeden Tag Geschichten von Katastrophen anhören musste. Katastrophen, die sich bei Bundeswehreinsätzen in Afghanistan, bei Polizeiaktionen, die aus dem Ruder gelaufen waren, bei Hausbränden, die nicht rechtzeitig gelöscht werden konnten, bei schwersten Unfällen auf der Autobahn oder auf Zuggleisen unter einem nicht zu stoppenden IC abgespielt hatten. Anna Warmbier redete mit Soldaten, mit Polizisten, mit Feuerwehrleuten, Rettungssanitätern und Lokomotivführern. Und sie blieb, vermutete Bastian, bei allen in derselben Weise freundlich-interessiert und sachlich-distanziert, als könne sie die Geschehnisse, die sich in die Psyche ihrer Patienten eingebrannt hatten, einerseits an sich heranlassen und andererseits am Ende der Sitzung gut verpackt und etikettiert in einem Fach ihres Gedächtnisses ablegen. Man konnte auch sagen: Anna Warmbier war ein Profi. Und das mochte Bastian an ihr.

Sie war etwa Mitte fünfzig, trug eine graue Pagenfrisur und eine modische schwarze Hornbrille. Seit fast zwei Jahren versuchte er alle vierzehn Tage die Frage, wie es ihm ging, so ehrlich wie möglich zu beantworten.

«Nicht besonders gut.»

«Können Sie das etwas präzisieren?» Die Psychologin unterlegte ihre Frage mit einem angedeuteten Lächeln.

«Meine Mutter wäre fast gestorben, meine Freundin steht unter Mordverdacht, und ich bin knapp einem Disziplinarverfahren entgangen. Und das sind nur die groben Punkte.»

«Was ist mit Ihrer Mutter passiert?»

«Sie hat einen Brand in ihrem Haus verursacht und wäre beinahe darin umgekommen.»

Seit einigen Monaten hatte ein schicker Tablet-Computer die Rolle des Schreibblocks übernommen, auf dem sich die Psychologin handschriftliche Notizen machte. Warmbier gab eine Information ein und forderte: «Erzählen Sie!»

Bastian berichtete.

Als er fertig war, fragte die Psychologin: «Was empfinden Sie, wenn Sie an den Abend denken?»

Bastian überlegte. «Ich schäme mich.»

«Warum?»

«Weil ich meiner Mutter nicht geholfen habe. Weil ich zu betrunken war, als es darauf ankam.»

«Sie hätten ihr auch nicht helfen können, wenn Sie nüchtern gewesen wären.»

«Vielleicht nicht. Aber ich habe gemerkt, wie mich alle anguckten. Als ob sie mich …»

«Ja?»

«… verachten würden.»

«Verachten Sie sich selbst auch für das, was Sie getan oder nicht getan haben?»

«Ja. Kann sein.» Bastians Mund wurde immer trockener. Auch

nach zwei Jahren Therapie fiel es ihm schwer, über sich selbst zu reden. «Dabei geht es nicht allein um diesen einen Abend. Ich hätte schon vorher gemeinsam mit meiner Schwester etwas unternehmen müssen, genug Warnhinweise gab es ja. Und meine Schwester hat mehrfach deutlich darauf hingewiesen.»

Warmbier nickte verständnisvoll. «Eine Entscheidung über die eigenen Eltern zu treffen, ist wohl das Schwierigste, was einem Kind abverlangt werden kann. Gestern noch waren Vater und Mutter Autoritäten, denen man sich untergeordnet hat, und heute soll man sie behandeln wie Schutzbefohlene. Ich kenne niemanden, dem so etwas leichtfällt.»

Bastian hatte den Eindruck, dass ihm die Psychologin einen winzigen Einblick in ihr eigenes Seelenleben erlaubte. Die Vorstellung, dass sie sich trotz ihrer Kenntnisse mit einer störrischen Mutter oder einem halsstarrigen Vater herumschlug, machte ihm mehr Mut als eine ganze theoretische Abhandlung.

Sie tippte auf die Oberfläche ihres Geräts. Irgendwie vermisste Bastian die Bewegung des Kugelschreibers.

«Haben sich Ihre Träume in letzter Zeit verändert?»

«Nein, es geht nach wie vor um die Frau und den Jungen in diesem Haus im Kosovo.»

«Sehen Sie einen Zusammenhang zwischen beiden Brandkatastrophen?»

Bastian schnaubte. «Der ist wohl kaum zu übersehen. In beiden Fällen habe ich versagt. Ich habe zugesehen, wie die Frau und der Junge in den Flammen umkamen. Und bei meiner Mutter habe ich abgewartet, bis ein Unglück passierte.»

Die Psychologin schaute ihn lange an. «Bei dem Einsatz im Kosovo haben Sie Ihr Leben riskiert. Das ist für mich etwas anderes als zusehen.»

Er machte eine müde Handbewegung. «Es war zu spät.»

«Ich würde Ihnen gerne sagen, dass Sie zu streng über sich urteilen. Aber ich weiß, dass Sie das nicht hören wollen.» Warmbier setzte ein ironisches Lächeln auf. «Dann machen wir Ihr Versagen mal komplett. Wie war das mit Ihrer Freundin?»

Bastian ließ nur ein paar sexuelle Details aus, ansonsten erzählte er die ganze, gar nicht so lange Geschichte von der ersten Begegnung mit Yasi Ana in der Rechtsmedizin bis zur letzten an diesem Vormittag in der Arrestzelle. Warmbier stellte nur wenige Zwischenfragen, lediglich der Teil, in dem Bastian seine Frustration über die speziellen Liebesbeziehungen der Mosuo äußerte, erregte ihre gesteigerte Aufmerksamkeit.

«Das ist ja faszinierend», murmelte sie mehrmals.

«Für mich weniger», sagte Bastian. «So toll ich Yasi auch finde, mir wäre es lieber, ich müsste nicht bei Morgengrauen das Bett räumen.»

«Umso erstaunlicher, dass Sie trotz allem zu ihr gehalten haben.»

«Was beinahe zu meiner Suspendierung geführt hätte …»

«Sie haben das Risiko abgewogen. Für mich zeigt das, dass Sie sehr wohl in der Lage sind, Verantwortung zu übernehmen und für Ihre Position einzustehen. Auch was Ihre Mutter angeht, sind Sie ja auf dem richtigen Weg. Eine späte Entscheidung ist deshalb keine falsche Entscheidung.» Warmbier schielte auf ihre Armbanduhr. «Es tut mir leid. Einige der heutigen Themen würde ich gerne vertiefen, aber ich habe noch andere Termine.»

Bastian beobachtete, wie sie ihren Mini-PC in der Handtasche verstaute. «Und welche Empfehlung werden Sie Kriminalrat Biesinger geben?»

Die Psychologin schaute auf. «Wie meinen Sie das?»

«Sollen Sie nicht beurteilen, ob ich noch diensttauglich bin?»

«Alles, was wir hier besprechen, bleibt unter uns, das wissen

Sie. Und wenn ich den Eindruck habe, dass Sie den Anforderungen Ihres Jobs nicht mehr gewachsen sind, werden Sie der Erste sein, dem ich das mitteile. Darauf können Sie sich verlassen. Im Moment sehe ich jedoch nicht, dass dieser Punkt erreicht ist.»

Bastian fühlte sich unbeschwert, wie nach einer überstandenen Grippe, als er den schmucklosen Raum in der obersten Etage des Präsidiums verließ, in dem die Psychologin ihre Therapiesitzungen abhielt. Auf dem Weg zum Aufzug schaute er auf das Display seines Handys, das er während des Gesprächs lautlos gestellt hatte. Eine SMS von Susanne: «Ich muss mit dir reden.»

|||||

Der stickige, von flackerndem Neonlicht erhellte Gang vor dem Heizungskeller des Polizeipräsidiums war kein Ort für intime Bekenntnisse. Und doch schien Susanne genau das zu beabsichtigen.

«Ich mag dich», sagte die Hauptkommissarin. «Ich möchte, dass du das weißt. Selbst nach dem, was gestern gelaufen ist. Mit Fahlen und so.»

Die Verletzbarkeit im Blick seiner Kollegin ließ Bastian ahnen, dass das erst der Anfang war. «Ich mag dich auch», erklärte er. «Und du musst nicht befürchten, dass ich dir die Sache krummnehme. Wahrscheinlich hätte ich an deiner Stelle genauso gehandelt.»

Susanne kam näher. Ihr Atem roch nach Kaffee und Pfefferminzbonbons. «Diese Frau ist nicht gut für dich.»

«Susanne …»

«Lass dich nicht von ihr benutzen. Ich habe mitbekommen, dass du heute Morgen in ihrer Zelle warst. Fahlen ist ausgerastet, als er das gehört hat. Und sogar Brunkbäumer ist laut geworden.»

«Ich weiß. Ich hatte eine Unterhaltung mit Kriminalrat Biesinger.»

«Diese Ana spielt mit dir, Bastian. Du denkst, weil sie dich in ihr Bett gelassen hat, bist du ihr gegenüber zu Loyalität verpflichtet. Überleg doch mal, warum eine studierte Frau Rechtsmedizinerin sich mit einem einfachen Kriminalbeamten abgibt.»

«Sag du es mir.»

«Weil sie Einfluss auf die Ermittlungen nehmen will. Um ihre Freunde und sich selbst zu schützen.»

Bastian trat einen Schritt zurück und stand jetzt mit dem Rücken an der Wand. «Du verdrehst die Tatsachen, Susanne. Den Tipp, dass Lambert-Pharma den Mosuo in China ein Arzneimittel geklaut hat, habe ich von Yasi bekommen. Sie hätte auch den Mund halten können, dann wären wir nie oder erst viel später darauf gestoßen.»

«Sie ist eben clever.» Susanne verkürzte den Abstand erneut und blies ihm ihren Pfefferminz-Atem ins Gesicht. «Weil sie wusste, dass wir irgendwann darauf kommen würden, hat sie dir die Info freiwillig rübergereicht. Und du hast angebissen.»

«Habt ihr denn inzwischen mehr gegen Yasi in der Hand? Kontakte zwischen ihr und Annika Busch seit der Demo in Hamburg?»

«Bislang nicht. Aber wir haben noch längst nicht alles ausgereizt.»

Hatte er also richtig vermutet. Die Anschuldigungen gegen Yasi drohten als Rohrkrepierer zu enden. Deshalb ruderten Biesinger und Brunkbäumer bereits zurück und beließen es bei einer lauwarmen Ermahnung an Bastian. In der Öffentlichkeit würde es nicht gut ankommen, dass die münstersche Polizei eine Rechtsmedizinerin mit Migrationshintergrund grundlos festgenommen hatte. Den einzigen Kriminalbeamten, der den Fehler von vorneherein erkannt hatte, zusätzlich zu suspendieren, würde die Sache in den Augen der Kritiker noch schlimmer machen.

«Diese Chinesin sieht vielleicht besser aus als ich.» Susannes Mund war nur noch wenige Zentimeter von seinem entfernt. «Aber ich verarsch dich nicht. Ich meine es ehrlich.»

Bastian verkrampfte. «Susanne, es kann jemand vorbeikommen.»

«Höchstens der Hausmeister.» Ihr Kopf zuckte nach vorn, cremige Lippen pressten sich auf seine. Bastian hielt den Mund geschlossen und verweigerte der tastenden Zunge den Eintritt.

Nach ein paar Sekunden gab Susanne auf. «Entschuldige. Ist so über mich gekommen.»

Bastian nutzte die Lücke, die sich auftat, zu einem Schritt zur Seite. «Schon okay.»

Die Hauptkommissarin wurde rot. «Scheiße! Was denkst du jetzt von mir?»

«Nichts Schlimmes.» Bastian entschärfte die Situation durch ein Lächeln. «Ich muss jetzt wirklich gehen. Sonst kriege ich noch mehr Ärger.»

Um keine Zweifel an seiner Entschlossenheit aufkommen zu lassen, machte er den ersten Schritt.

Susanne trottete hinterher. «Was hältst du davon, wenn wir mal essen gehen? Irgendwann in nächster Zeit?»

«Klar», sagte Bastian. «Aber im Moment habe ich ziemlich viel um die Ohren. Das Haus meiner Mutter ist abgebrannt. Und sie weigert sich immer noch, in ein Altenheim zu ziehen.»

«O, das ist bestimmt nervig.»

«Und wie.»

Sie erreichten das Treppenhaus.

«Wir sehen uns!», rief Bastian und rannte die Treppe hinauf.

Auf dem Innenhof lief ihm Udo Deilbach über den Weg.

«Nachmittagsschicht?», fragte Bastian. Die Arbeit in der K-Wache fühlte sich wie graue Vorzeit an, dabei lag sie erst wenige Tage zurück.

«Ich hoffe, es bleibt ruhig, ich habe eine Karte für Preußen Münster heute Abend.» Udo kratzte sich an der Schläfe. «Mensch, Partner, kaum passe ich nicht mehr auf dich auf, springst du völlig aus den Gleisen.»

«Halb so wild.» Bastian winkte ab. «Ich habe alles im Griff.»

«Wenn ich dich angucke, sieht das nach einer fetten Lüge aus.»

«Wieso?»

«Zu unserer Zeit hast du noch keinen roten Lippenstift getragen.»

Neunzehn

Die beiden Männer, die eine Handkarre hinter sich herzogen, rutschten mehrfach aus. Trotz der Spikes unter ihren Schuhen konnten sie sich in dem abschüssigen, mit zentimeterdickem Eis bedeckten Tunnel kaum auf den Beinen halten. Ulrich Vogtländer hatte es etwas einfacher, er hangelte sich freihändig an der metallverkleideten Wand entlang.

Eigentlich durfte es hier gar kein Eis geben. Doch beim Bau des hundertdreißig Meter langen Tunnels, der zum *Svalbard Global Seed Vault*, dem globalen Saatgut-Tresor auf Spitzbergen, führte, war nicht alles nach Plan gelaufen. Der Permafrost kehrte nicht so schnell zurück wie die Baufirma, die während der Bauphase einen Teil des Platåberget-Massivs erwärmt hatte, vermutete. Als Folge bildete sich im Sommer Tauwasser, das durch die losen Gesteinsschichten in der Nähe des Eingangs drang und sich im mittleren Teil des Tunnels als Eis kristallisierte. In ein paar Jahren, so hofften die Experten, würde der eisgekühlte Berg den Tunnel vor Tauwasser schützen.

Die Männer mit der Karre hatten die Eisschicht überwunden und befanden sich jetzt in dem trockenen, ebenerdigen Tunnelabschnitt direkt vor der ersten massiven Stahltür der *Vault*. Die Lagerhallen der Samenbank waren so konstruiert, dass sie auch einen drastischen Anstieg des Meeresspiegels, einen Flugzeugabsturz oder eine Atombombenexplosion überstehen würden.

Vogtländer schloss zu den beiden Männern auf, als sich die Stahltür öffnete. Dahinter erstreckte sich ein Korridor, der die drei Lagerhallen miteinander verband. Nur die mittlere Halle wurde bislang genutzt, die Gesamtkapazität der Samenbank reichte für mehr als vier Millionen unterschiedliche Samenproben, tatsächlich lagerte auf Spitzbergen aber erst ein Fünftel der maximal möglichen Menge.

Die Luft im Korridor war bereits merklich kühler als die im Tunnel, jedoch nicht zu vergleichen mit dem schneidenden Frost hinter der zweiten Stahltür, vor der die drei Männer erst einmal stehen blieben. Ein Kühlsystem sorgte in der Lagerhalle für gleichbleibende minus achtzehn Grad, die Temperatur, bei der Samen am längsten haltbar blieben, manche sogar bis zu zehntausend Jahre. Sollte das Kühlsystem ausfallen, ließ der Permafrost die Lufttemperatur nicht über minus fünf Grad ansteigen, das verschaffte den Betreibern der *Vault* genügend Zeit, die Anlage zu reparieren, ohne dass die Samen Schaden nahmen.

Die beiden Lagerarbeiter streiften dick wattierte Overalls über ihre Winterkleidung und zogen ein zweites Paar Handschuhe an. Sie verständigten sich mit kurzen, knappen Bemerkungen und vermieden den Blickkontakt mit Vogtländer. Der Biologe kannte das. Die meisten Menschen wirkten in seiner Gegenwart gehemmt, seitdem sich seine Krankheit nicht mehr verheimlichen ließ. Durch die Chemotherapie hatte er alle Haare verloren. Jetzt wuchsen zwar wieder ein paar Stoppeln auf seinem schmalen, ausgemergelten Schädel, aber ein angenehmer Anblick war er wirklich nicht. Außerdem stank er. Der Gnade der Natur, die die Nase lediglich Veränderungen, aber keine gleichbleibenden Düfte wahrnehmen ließ, verdankte er, dass er seinen eigenen

Gestank nur im Ausnahmefall bemerkte. Allerdings konnten manche, denen er nahe kam, ihren Ekel nicht verbergen. So wie Lise Eriksen, die Managerin der Anlage, mit der er heute Morgen gesprochen hatte. Für ein paar Sekunden hatte er das Entsetzen in ihrem Blick gesehen, die Angst vor dem Pesthauch des Todes. Und wahrscheinlich war es genau das: die Ankündigung des Todes. In einem Internetforum hatte er gelesen, dass der Gestank die letzte Phase der Krankheit begleitete. Man verweste quasi bei lebendigem Leib. Als Signal an die Umwelt: Haltet euch fern, diesem Lebewesen kann nicht mehr geholfen werden. In der Steinzeit hatte man solche todgeweihten Schmarotzer aus der Höhle geworfen, heute schob man sie in gut klimatisierte Intensivstationen ab. Oder erfüllte ihnen ohne Nachfrage jeden Wunsch, damit sie möglichst schnell wieder verschwanden. Denn normalerweise gehörte es nicht zu Vogtländers Job, die *Vault* zu betreten. Die Aufenthalte in der Kühlkammer waren streng reglementiert, weil Menschen Feuchtigkeit transportierten, die eine Gefahr für die Samen darstellte. Doch Lise Eriksen hatte nicht nachgefragt, als Vogtländer bat, die heutige Lieferung begleiten zu dürfen. Sie hatte nur genickt, die Genehmigung unterschrieben und ihm alles Gute gewünscht. Und Vogtländer hatte sich die Frage verkniffen, an welches Gute sie dabei denke – an das vor oder das nach dem Tod.

Der Biologe hatte nun auch seinen Overall angezogen und die Kapuze über die Strickmütze gezogen. Er nickte den Lagerarbeitern zu, die daraufhin die innere Stahltür öffneten. Dahinter befand sich eine Kälteschleuse, und erst dann stand man im Allerheiligsten der *Vault*, der bei der feierlichen Eröffnung im Jahr 2008 von den Politikern so hoch gepriesenen Arche Noah der Pflanzen. Wer allerdings auch nur einen Hauch von sakralem Glanz erwartete, musste von den rot und blau lackierten Baumarktregalen, auf denen sich schlichte Kisten bis an die sechs Meter hohe Decke stapelten, enttäuscht sein. Abgesehen von der Kälte, unterschied sich die Kammer nicht von einem stinknormalen Lagerraum einer kleinen Handelsfirma.

Die heutige Lieferung bestand aus rund fünfzig Kisten, die aus verschiedenen Ländern Europas, aber auch aus Afrika und Südamerika stammten und vom nur wenige Kilometer entfernten Flughafen direkt zum Eingang der *Vault* gebracht worden waren. Während die Arbeiter die Kisten nach einem festgelegten Schema auf die verschiedenen Regale verteilten, verschwand Vogtländer hinter dem letzten Regal auf der rechten Seite. Ganz am Ende des Regals lagerten grüne Kisten aus Deutschland, von einem Institut in Gatersleben. Vogtländer überflog die Beschriftungen der Kisten, zog dann eine nach vorn und öffnete sie. Dafür, dass das problemlos möglich war, hatte er selbst gesorgt. Vor zwei Jahren, als er die Kiste, in der sich angeblich Erbsensamen befanden, unter eine Lieferung aus Deutschland geschmuggelt hatte, war er so umsichtig gewesen, das Klebeband nur lose am Deckel zu befestigen. Das Institut aus Deutschland eignete sich als Versteck besonders gut, weil dessen Kisten vom Eingang der Kühlkammer aus nicht zu sehen waren. So konnte Vogtländer einige der handgroßen, mit Samen gefüllten Aluminiumtüten herausnehmen und in die Innentaschen seines Overalls stopfen, ohne dass die beiden Lagerarbeiter etwas mitbekamen.

||||

Vogtländer breitete die Aluminiumtüten auf seinem Schreibtisch aus. *Baba.* Sein alter Freund Bo aus China hatte Kopf und Kragen riskiert, um ihm die Samenproben zu schicken, verbunden mit dem Wunsch, dass Vogtländer die Welt über *Baba* aufklären möge. Nicht nur über die Herkunft des Heilkrautes, sondern auch über die Geschichte seiner Erforschung. Der unrühmlichen Erforschung.

Vogtländer hatte das Projekt auf Eis gelegt – im buchstäblichen Sinn. Er hatte die Samen in der *Vault* versteckt und sich eingeredet, dass der richtige Zeitpunkt noch nicht gekommen sei. Nicht aus Rücksicht auf Helene Lambert, die mit *Baba* reich geworden war. Schon damals, als Helene Lambert, Christian Weigold und er im Land der Mosuo nach Pflanzenwirkstoffen gesucht hatten, war Helene diejenige von ihnen dreien gewesen, die immer zuerst an den kommerziellen Aspekt der Forschungsreise gedacht hatte. Helene hatte die Verträge mit den Chinesen ausgehandelt, sie hatte die Klauseln formuliert, die ihre späteren Lizenzrechte begründeten, sie war am rücksichtslosesten mit den Mosuo-Frauen umgesprungen. Und er, Vogtländer, hatte bei allem mitgemacht, hatte nicht sehen wollen, was da passierte. Weil er in Helene verliebt gewesen war. Weil er diese taffe, selbstbewusste Frau bewundert hatte, ihren Verstand und ihre Sinnlichkeit. Weil er ihren knabenhaften Körper begehrte. Erst viel später, als ihm klar wurde, dass Helene mit Christian und ihm nur gespielt hatte, dass sie alles, auch die intimste Beziehung, einer Kosten-Nutzen-Rechnung unterwarf, hatte er seine eigene Mitschuld erkannt, seine Mitläufer-Schuld an dem Verbrechen, das sie begangen hatten. Deshalb lehnte er auch den Anteil an Lambert-Pharma ab, den Helene ihm anbot. Das wusch ihn zwar nicht rein von seinem moralischen Versagen, aber es ersparte ihm wenigstens den Selbstekel bei jeder jährlichen Gewinnausschüttung. Christian dagegen hatte die Hand aufgehalten. Christian war ein Opportunist gewesen, einer, der sich die Tatsachen schönredete, bis der letzte Selbstzweifel beseitigt war. Wie hatte dieser Idiot nur bis zu seinem Tod glauben können, dass Vogtländer sein Freund war?

Nein, Vogtländer hatte nicht aus Rücksicht auf Helene Lambert und auch nicht aus Rücksicht auf Christian Weigold geschwiegen. Die Wahrheit war einfacher und beschämender: Er war feige. Er hatte Angst vor der Reaktion der Öffentlichkeit, vor der Kritik seiner Fachkollegen, vor der Verachtung, die ihm entgegenschlagen würde. Vielleicht auch vor den juristischen Folgen. Das und nichts anderes war der Grund, warum er die *Baba*-Samen versteckt und den Mund gehalten hatte.

Der Biologe nahm eine Aluminiumtüte in die Hand und schüttelte sie. Im Inneren raschelten die Samenkapseln. Man musste sie bald säen, sonst würden sie verderben. Der Bericht, über zweihundert Manuskriptseiten lang, war längst fertig. Er wollte ihn zusammen mit jeweils einer Samenprobe an zehn der renommiertesten biologischen Institute auf der ganzen Welt verschicken. Das Geheimnis würde gelüftet werden, die Gerüchte, die sich in Fachkreisen um die Pflanze und ihre angebliche Entdeckung rankten, fänden dann endlich ein Ende. Vogtländer hoffte, dass die einsetzende Empörung das Patent der Chinesen in der Luft zerreißen würde. *Baba* könnte seinen Status als Luxusmedikament verlieren, stattdessen überall auf der Welt angebaut und zu moderaten Preisen verkauft werden.

Aber das war eine Zukunftsvision. Vogtländer würde das nicht mehr erleben. Genauso wenig, wie er sich der Kritik würde stellen müssen. Bis dahin hätte er die Flucht ergriffen. Wäre an einem Ort, an dem ihn niemand mehr zur Rechenschaft ziehen konnte. Denn sein Mut war ja nicht plötzlich gestiegen, nein, er war so feige wie zuvor. Er hatte lediglich den letztmöglichen Zeitpunkt in seinem Leben erreicht, an dem er reinen Tisch machen konnte. Und er riskierte nicht einmal etwas dabei.

Vogtländer legte die Aluminiumtüte auf den Schreibtisch zurück und griff nach seinem Handy. Seltsam, wie sich die Ereignisse zuspitzten. Mergentheim, der Geldgeber, tot. Christian Weigold tot. Die Vergangenheit holte ihn just in dem Moment ein, in dem er sich ihr stellen wollte. Und dann diese SMS, die ihn erreicht hatte, als sein Handy nach Verlassen der *Vault* wieder auf Empfang ging. Die Nachricht beunruhigte ihn mehr als alles andere, was in letzter Zeit geschehen war. Komisch, welche Wirkung diese Frau noch immer auf ihn hatte.

Bin in drei Tagen in Longyearbyen. Müssen uns unbedingt treffen. Hel.

Zwanzig

Auf der *Station Sonnenschein* roch es penetrant nach Urin. Was die Heimleiterin, die Mia und Bastian herumführte, nicht zu bemerken schien.

«Sie sehen, wir haben offene und helle Räume. Ihre Mutter wird sich bei uns wohl fühlen. Hier zum Beispiel.» Sie blieb stehen. «Der Gemeinschaftsraum.»

Sechs alte Leute beiderlei Geschlechts saßen mehr oder weniger teilnahmslos um einen Tisch herum. In der Ecke lief ein Fernseher, aber niemand schaute hin. An zwei Rollstühlen baumelten Katheterbeutel. War das der Grund für den Uringestank? Oder deuteten die Wülste, die sich unter manchen Hosen abzeichneten, auf Windeln hin?

«Manchmal spielen oder singen wir mit den Senioren. Gerade das Singen bekannter Lieder weckt Erinnerungen an früher. Hinterher sieht man manchen an, dass sie regelrecht glücklich sind.»

Bastian verzog sich auf den Flur. Das hier war der nackte Horror. Dann lieber schnell sterben.

Mia räusperte sich und trat mit der Leiterin ebenfalls wieder auf den Flur. «Unten habe ich nicht so einen … intensiven Geruch bemerkt.»

Die Heimleiterin nickte verständnisvoll. «Auf dieser Station wohnen viele Pflegefälle. Da bleibt es nicht aus, dass –»

«Ist denn auf den anderen Stationen ...»

«... leider kein Zimmer frei», ergänzte die Heimleiterin. «Sie haben großes Glück, dass gerade etwas vakant geworden ist. Es gibt Zeiten, in denen müssen wir die Bewerber monate-, wenn nicht jahrelang vertrösten.»

«Könnte unsere Mutter denn innerhalb des Hauses umziehen, wenn ...»

«Natürlich ist es möglich, von einer Station auf die andere zu wechseln. Aber Sie müssen auch bedenken, dass jeder Umzug eine erneute Verunsicherung bedeutet. Zumal es sich bei Demenz um einen chronisch fortschreitenden Prozess handelt. Heute kann sich die Seniorin vielleicht noch selbst waschen, morgen vergisst sie es.»

Mia schaute ihn an. «Was meinst du?»

Das Heim lag mitten in der Stadt, sogar fast an der Strecke, die Bastian vom Präsidium zu seiner Wohnung nahm, wenn er mit dem Fahrrad unterwegs war. Er könnte Hilde zwei- oder dreimal in der Woche besuchen, mit ihr im Garten spazieren gehen oder sich in das Café in der Nähe setzen. Sicher, es gab schönere Orte, um auf den Tod zu warten. Aber keine bessere Lösung, die es ihm erlaubte, weiterhin ein eigenes Leben zu führen.

«Wir sollten es machen.»

«Sie können selbstverständlich noch darüber nachdenken», sagte die Heimleiterin. «Allerdings darf ich Ihnen den Platz nicht frei halten. Schon aus wirtschaftlichen Gründen ...»

«Wir nehmen das Zimmer», sagte Mia.

Bastians Handy klingelte. Yasi. Er murmelte eine Entschuldigung, trat einen Schritt zur Seite und nahm das Gespräch an.

«Sie haben mich freigelassen», sagte Yasi.

«Ohne Auflagen?»

«Ich soll mich zur Verfügung halten, falls es noch Fragen gibt.

Aber ich glaube, das haben sie nur gesagt, weil sie sich nicht entschuldigen wollen.»

«Wo bist du jetzt?»

«In meiner Wohnung.»

Bastian zögerte, die naheliegendste Frage zu stellen. Yasi nahm ihm die Entscheidung ab: «Ich warte auf dich.»

«In einer Viertelstunde bin ich da.» Er steckte das Handy ein.

«Dringende dienstliche Verpflichtung», sagte er zu seiner Schwester gebeugt.

Mia glaubte ihm nicht, das sah er ihr an. Aber hier und jetzt war nicht die Gelegenheit, über Yasi zu reden.

«Du schaffst das auch ohne mich, oder?»

Mia verdrehte die Augen, während die Frau vom Heim ihm zum Abschied ein huldvolles Lächeln schenkte.

‖‖‖

Yasi kam direkt aus der Dusche, ihre nassen schwarzen Haare lagen auf einem Handtuch, das sie sich über die Schultern geworfen hatte. Darunter trug sie den Bademantel, den Bastian schon kannte.

«Mach dir keine falschen Hoffnungen», sagte sie zur Begrüßung. «Ich bin todmüde.»

«Sieht man dir nicht an.» Bastian gab ihr einen Kuss. Dann noch einen.

«Bevor ich in Versuchung komme.» Yasi schob ihn zurück. «Wir haben zu tun.»

«Was denn?», fragte Bastian irritiert.

«Ich hätte das schon längst machen sollen. Aber damals war ich ja noch ein Kind. Und später wurde nur im Flüsterton darüber gesprochen. Aus Angst vor den Han-Chinesen.»

Sie zog ihn hinter sich her in das mit bunten Tüchern behängte Wohnzimmer und ließ sich auf ein weiches Sofa fallen. Duftkerzen verbreiteten einen süßlichen Geruch.

Bastian hockte sich neben Yasi. «Aber mir kannst du verraten, was du meinst. Ich bin kein Han-Chinese.»

«Du Dummer.» Sie tippte ihm gegen die Stirn. «Denk mal nach. Das Volk der Mosuo ist nicht groß, wir sind vielleicht vierzigtausend Menschen. Und im Jahr 1990, also zu der Zeit, als die Wissenschaftler in unser Land kamen, waren Ausländer noch eine Seltenheit. Da nützte es ihnen nichts, dass sie ihr Expeditionslager in einem kleinen, abgelegenen Bergdorf aufschlugen. Die Nachricht, dass sich drei Weiße für unsere Nahrung und für unsere Pflanzen interessieren, verbreitete sich so schnell unter den Mosuo, wie die Männer reiten konnten.» Mit dem Handtuch rubbelte sie sich die Haare trocken. «Meine Familie lebt in der Nähe von Yongning, weit entfernt von der Bergregion, die sich die Wissenschaftler ausgesucht hatten. Trotzdem saß bald ein Cousin meiner Mutter am Feuer im Haupthaus und erzählte, was die Fremden den ganzen Tag machten. Dass sie viel fotografierten, Pflanzensamen und Wurzeln sammelten und sich genau erklären und zeigen ließen, woraus unser Essen bestand, der einfache Maisbrei genauso wie das zehn Jahre alte Schweinefleisch. Die Wissenschaftler blieben einige Monate, und als sie schließlich fortgingen, nahmen sie fünf Frauen mit, von denen ein Jahr später nur zwei zurückkehrten. Was mit den anderen drei passiert ist, blieb im Dunkeln. Vielleicht sind sie tot, vielleicht leben sie heute irgendwo in Peking oder Shanghai. Die beiden Frauen, die zurückkamen, redeten nur ungern über das, was sie erlebt hatten. Man habe sie getrennt, ihnen immer wieder Blut aus den Armen entnommen und sie in laut kreischende Röhren geschoben – womit sie wohl ein CT oder MRT meinten. Stets bekamen sie seltsame Gerichte in unterschiedlichen Mengen zu essen, bis ihnen schlecht wurde oder sie stundenlang von Halluzinationen verfolgt wurden.» Yasi legte das Handtuch zur Seite und richtete sich auf. «Aus heutiger Sicht würde ich sagen, dass man die Frauen gefährlichen Experimenten unterzogen hat, um die Wirkungsweise und Dosierung von *Baba* zu testen. Experimente, die nach wissenschaftlichen und ethischen Kriterien nicht zu rechtfertigen sind. Denn bei *Baba* ist es genauso wie bei allen anderen Wirkstoffen: Nimmst du zu viel, schadest du deiner Gesundheit. Nimmst du viel zu viel, kannst du sterben.»

Sie stand auf, ging in die Küche und kam mit zwei Tassen zurück, in denen Fettaugen auf einer bräunlichen Flüssigkeit schwammen.

«Was ist das?», fragte Bastian.

Yasi trank ihre Tasse halb leer und schaute ihn erwartungsvoll an. Er probierte einen Schluck. Das Zeug schmeckte wie fettiger Tee mit Maggi.

«Buttertee», sagte Yasi. «Ein- oder zweimal im Jahr, wenn die Erinnerungen an die Heimat mich wehmütig machen, setze ich eine Kanne auf. Buttertee ist unser Nationalgetränk. Wir trinken es morgens, mittags und abends.»

Bastian stellte die Tasse auf einem Hocker ab. «Hast du meinen Kollegen von den drei verschwundenen Frauen erzählt?»

«Nein.»

«Warum nicht?»

«Hätte mich das nicht noch verdächtiger gemacht?»

«Es macht dich mit Sicherheit verdächtig, wenn sie es herausfinden.»

«Deshalb müssen wir deinen Kollegen einen Schritt voraus sein.» Yasi griff nach dem schnurlosen Telefon, das auf einem Beistelltischchen stand.

«Und was hast du vor?»

«Mit meinen Verwandten telefonieren. Mittlerweile gibt es auch bei uns Strom und Telefon. In den größeren Dörfern zumindest.»

«Ist es in China nicht mitten in der Nacht?»

Yasi drückte am Telefon auf eine Taste. «Nein, erst später Abend. Meine Mutter schläft wahrscheinlich schon, sie geht immer früh ins Bett, aber meine Geschwister sind sicher noch wach.»

Eine Frauenstimme meldete sich. Yasi stieß einen freudigen Schrei aus, gefolgt von einem Lachen. Dann stellte sie eine Reihe von Fragen in ihrer Muttersprache. Dass es sich um Fragen handelte, schloss Bastian aus der Betonung. Und da er inzwischen wusste, wie viel die Familie den Mosuo bedeutete, nahm er an, dass Yasi sich nach jedem einzelnen Mitglied ihrer vielköpfigen Verwandtschaft erkundigte. Vorher würde sie mit Sicherheit nicht auf ihr eigentliches Anliegen zu sprechen kommen.

Weil das noch eine Weile dauern konnte, schlenderte Bastian mit der Tasse Buttertee in die Küche. Die Gelegenheit war günstig, den Inhalt der Tasse in den Ausguss zu kippen. Liebe machte vielleicht manchmal blind, aber sie lähmte nicht die Geschmacksnerven.

Mit einem Glas Mineralwasser kehrte er schließlich ins Wohnzimmer zurück. Wie der Ton ihrer Stimme hatte Yasis Gesicht einen ernsteren Ausdruck angenommen. Offenbar war sie jetzt bei ihrem eigentlichen Anliegen. Bastian verstand nicht das Geringste, allerdings schien es ihm so, als würde sie einen Namen häufig wiederholen. Er klang wie Bo Liu. Kurz darauf leitete Yasi die Verabschiedung ein. Lachen, ein Nicken, das vom ganzen Oberkörper verstärkt wurde, Sätze, die nur geringfügig variiert wurden. Dann war das Gespräch zu Ende.

«Und?», fragte Bastian.

«Interessant.» Yasi nahm Bastian das Glas Mineralwasser ab und trank es in einem Zug leer.

So viel zum Thema Buttertee.

«Es war tatsächlich jemand in dem Dorf, aus dem die fünf entführten Frauen stammen, aber keine NGOs aus dem Westen, sondern …»

«NGOs?»

«Nicht-Regierungs-Organisationen, also Bürgerrechtler, Hilfsorganisationen, Aktivisten aller Art.» Für einen Moment sah Yasi ihn fragend an. Dann fuhr sie fort: «Von denen ist niemand in das Dorf gekommen, stattdessen ein alter Chinese. Bo Lijun. Er war als Wissenschaftler und Dolmetscher bei der Expedition vor zwanzig Jahren dabei, zusammen mit den Europäern.»

«Und was hat er dort gewollt?», fragte Bastian.

«Meine Schwester sagt, er hat sich entschuldigt. Nicht im Namen der Regierung, sondern in seinem eigenen Namen. Er habe die Dorfbewohner um Verzeihung gebeten. Immer wieder. Er habe geweint und erzählt, was damals in Peking geschehen sei. Eine Mosuo-Frau sei in ihrem Institut an Krämpfen und Koliken gestorben, eine andere aus dem Fenster im vierten Stock gesprungen, wahrscheinlich infolge einer Wahnvorstellung. Die dritte Frau sei aus dem Institut geflüchtet und spurlos verschwunden, trotz intensiver Suche.»

«Wie haben die Dorfbewohner auf diesen Bo reagiert?»

«Sie haben ihm verziehen. Hätten sie ihn schlagen oder töten sollen? Dadurch wäre nichts besser, aber vieles schlechter geworden.»

Ein seltsames Volk, diese Mosuo, dachte Bastian. «Denkst du, dieser Kerl hat etwas mit den Mordanschlägen im Münsterland zu tun?»

«Keine Ahnung. Ich werde ihn fragen, sobald ich ihn am Telefon habe. Ich kenne noch ein paar Leute in Peking, und ein Pharmakologe namens Bo Lijun sollte zu finden sein.»

Wieder verstand Bastian kein Wort, als Yasi telefonierte. Er registrierte nur, dass sie eine andere Sprache benutzte. Chinesisch, nahm er an. Und sosehr er Yasis Gegenwart genoss, allmählich kam er sich ziemlich überflüssig vor. Warum hatte sie ihn überhaupt herbestellt? Yasi dabei zuzuhören, wie sie in fremden Sprachen redete, war ungefähr so spannend wie eine Casting-Show im Fernsehen. Von denen hatte er auch noch keine bis zum Ende geguckt.

Erneut drehte Bastian eine Runde durch die Wohnung. An einer Pinnwand hinter Yasis Schreibtisch im winzigen Arbeitszimmer hingen Fotos. Lachende Mosuo in festlicher Kleidung. Die Frauen trugen weiße Röcke und bunte Oberteile, in den schwarzen, kunstvoll hochgesteckten Haaren glitzerten weiße Perlenketten, darüber hingen seltsam gefaltete rote Tücher. Die Männer waren etwas schlichter gekleidet, mit ihren weißen Strohhüten sahen sie ein bisschen wie amerikanische Touristen aus. Auf einem Foto stand Yasi in westlicher Kleidung, mit Jeans und Bluse, inmitten prächtig herausgeputzter junger Frauen in ihrem Alter. Was mochten ihre früheren Freundinnen über sie denken, über die Frau, die in Peking studiert hatte? Neben bewundernden glaubte Bastian auch kritische Blicke zu erkennen. Sosehr Yasi die Traditionen der Mosuo beschönigte, es blieben Traditionen, die das Leben einengten. Wer ausbrach, wurde zum Außenseiter, von den einen beneidet, von den anderen verurteilt. Andere Fotos zeigten Yasi in Peking und in Hamburg. Vor den Landungsbrücken in St. Pauli stand sie neben einem mindestens zwanzig Jahre älteren Mann, der seinen Arm um ihre Taille gelegt hatte. Ihr Freund? Ihr Professor?

Bastian spürte die kleinen, verletzenden Eifersuchtsstiche. Und das bei einem Mann, den Yasi verlassen hatte. Wie würde das erst sein, wenn sie Bastian eröffnete, dass sie außer ihm mit einem anderen Mann schlief? Nein, daran würde er sich nie gewöhnen können.

Bastian kehrte ins Wohnzimmer zurück. Yasi schirmte den Hörer ab und flüsterte: «Ich habe ihn. Bo Lijun.»

Bastian verdrängte das Bild des grauhaarigen, durch seine randlose Brille blasiert in die Kamera guckenden Professors. Hier war die Gegenwart. Hier war Yasi, die in ihrem chinesischen Singsang versuchte, Licht in das Dunkel von drei Morden zu bringen. Und dann sagte sie plötzlich etwas, das er verstand. Drei Namen: «Hel Lambert, Chris Weigold, Ujo Ogtländer.»

Helene Lambert, Christian Weigold und der Dritte musste Ulrich Vogtländer sein. Waren sie die drei Europäer, die vor zwanzig Jahren im Land der Mosuo gewesen und auf *Baba* gestoßen waren? Ja, das würde Sinn ergeben.

Einige Minuten später beendete Yasi das Gespräch. «Er ist müde», teilte sie Bastian mit. «Er will jetzt nicht mehr reden.»

«Ich kann mir denken, was er gesagt hat», meinte Bastian. «Der Dritte, den du vielleicht nicht kennst, ist Ulrich Vogtländer, ein Biologe, der mit Christian Weigold befreundet war.»

«Ich will mit ihnen sprechen», sagte Yasi entschlossen. «Mit Helene Lambert und mit Vogtländer. Ich will wissen, was sie getan haben. Was sie sich dabei gedacht und wie sie sich gefühlt haben. Sie sollen es mir, einer Mosuo, ins Gesicht sagen!»

«Wie stellst du dir das vor? Hier geht es um eine polizeiliche Ermittlung.»

«Ganz einfach: Ich gehe zu ihnen und frage sie. Und wenn deine Kollegen mich davon abhalten wollen, sollen sie es versuchen. Was habe ich denn zu verlieren? Mein Ruf ist ohnehin schon ruiniert.»

«Da gibt es noch eine klitzekleine Schwierigkeit», warf Bastian ein. «Helene Lambert ist auf einer Kreuzfahrt in der Arktis, und

Ulrich Vogtländer arbeitet auf Spitzbergen. Vor ein paar Tagen habe ich selbst mit ihm telefoniert.»

«Spitzbergen? Gehört das nicht zu Norwegen?»

«Ich glaube schon.»

Yasi öffnete ihr Notebook, das auf dem niedrigen Holztisch lag.

«Was suchst du?», fragte Bastian, als er sah, dass sie ins Internet ging.

«Die nächste Flugverbindung nach Spitzbergen.»

«Du willst sofort …»

«Ja. Bevor Vogtländer untertaucht.» Nach einer Pause fügte sie noch hinzu: «Oder ermordet wird.»

«Du darfst nicht so ohne weiteres ins Ausland reisen», sagte Bastian und kam sich sofort blöd vor. Warum redete er mit Yasi wie ein Bulle?

«Nein? Wer sagt das? Deine Kollegen haben mir geraten, mich zur Verfügung zu halten. Das klingt für mich wie eine Bitte, nicht wie ein Verbot. Sonst hätten sie mir meinen Pass abgenommen.»

«Und wenn Vogtländer gar nicht mit dir sprechen will?»

Sie tippte etwas ein. «Dann habe ich Pech gehabt.»

Bastian kam ein über Verdacht: Wollte sie nach Spitzbergen, um Vogtländer zu töten? Hatte Susanne vielleicht recht mit ihren Anschuldigungen?

Nein, das war total absurd. Yasi hatte doch gerade eben erst erfahren, dass Lambert, Weigold und Vogtländer zu dem damaligen Expeditionsteam gehörten. Oder hatte sie das Gespräch mit diesem Bo nur vorgetäuscht, um ihn, Bastian, in Sicherheit zu wiegen? Litt er allmählich unter Paranoia?

Yasi schaute ihn über den Bildschirm ihres Notebooks an. «Du kannst ja mitkommen und auf mich aufpassen. Ich würde mich freuen.»

Einmal Spitzbergen und zurück – das war bestimmt nicht billig.

«Ich bezahle die Reise», sagte Yasi, als könne sie seine Gedanken lesen.

«Das ist nicht nötig», widersprach Bastian.

«Heißt das, du kommst mit?»

So schnell hatte er sich noch nie zu einer Reise entschlossen. «Ja.»

«Gut. Dann buche ich für zwei.»

Nachdem sie die Nummer ihrer Kreditkarte eingegeben und die Buchung abgeschlossen hatte, setzte sich Yasi neben Bastian. Sie schien wieder ganz die Alte: dynamisch und angriffslustig. Erstaunlich, wie sie die Anschuldigungen der Polizei und die Ereignisse der letzten 24 Stunden verkraftet hatte. Oder verfolgte sie doch ganz andere Pläne?

Bastian wusste nicht mehr, was er noch glauben sollte. Er wusste nur, was er glauben wollte.

«Unser Flug geht morgen früh ab Hamburg.» Genüsslich begann sie, sein Hemd aufzuknöpfen. «Bis dahin haben wir noch eine Menge Zeit. Und ich bin plötzlich gar nicht mehr müde.»

Einundzwanzig

Helene Lambert hatte sich für *Graved Lachs an Orangensoße und Mousse vom Meerrettich* als Vorspeise entschieden, den Suppengang ließ sie aus, erst beim Hauptgang wollte sie mit dem *Tête-à-Tête von Hummer, Riesengarnele und Seeteufel an Safranrisotto und grünem Spargel* wieder einsteigen. Captain's Dinner. Natürlich gehörte Helene jedes Mal zu den Auserwählten, die sich zum Kapitän an den großen runden Tisch in der Mitte des Speisesaals setzen durften. Besser gesagt: Sie saß stets neben dem Kapitän. Das gehörte zu den kleinen Privilegien der Royal-Suite-Bewohner. Und selbstverständlich wurden die übrigen Plätze am Tisch nur an Gäste der Gold- und Silberkategorie verteilt, die Blouson-, Sandalen- und Schlabberrockträger der unteren Decks waren nicht zugelassen. Das machte die Captain's-Dinner-Abende für Helene noch ein wenig reizvoller und entschädigte sie für die schmerzhaft vermisste Exklusivität in vielerlei Hinsicht.

Überhaupt war heute ein guter Tag gewesen. Die MS Albertina hatte in Ny Ålesund angelegt, der angeblich nördlichsten Siedlung der Welt mit dem angeblich nördlichsten Postamt der Welt, Superlative, ohne die Reiseleiter nicht auskamen. Früher war Ny Ålesund mal eine Kohlesiedlung gewesen, heute standen hier Forschungsstationen aller möglichen Länder, lebten chinesische Polarforscher neben japanischen und französischen. Helene hatte die bunten Häuser bei einem kleinen Rundgang durchs Dorf besichtigt. Die einzige Straße durfte man ja nicht verlassen, nicht nur wegen der Vögel, die in der kargen Tundra nisteten, sondern auch wegen der Gefahr, von hungrigen Eisbären angefallen zu werden. Helene fand die Eisbärenwarnschilder und die Aufforderung, die Siedlung nie ohne Gewehr zu verlassen, zwar ziemlich putzig, aber so hatten ihre Mitreisenden wenigstens schöne Fotomotive.

Der Höhepunkt des Reiseprogramms sollte allerdings noch kommen. Von Ny Ålesund im Königsfjord war die Albertina weiter nach Norden gefahren, bis zum Magdalenenfjord ganz im äußersten Nordwesten Spitzbergens. Am Ende der Bucht, in der kleine Eisberge schwammen, ragte die Abbruchkante eines Gletschers fünfzig Meter in die Höhe. Das bläulich schimmernde Eis des Gletschers war bislang das Beeindruckendste, was Helene auf dieser Reise gesehen hatte. Zumal sie es fast mit Händen greifen konnte. In einem Beiboot war sie mit dem Zweiten Offizier der Albertina und zwei Matrosen ganz dicht an den Gletscher herangefahren. Die Matrosen hatten ein frisch abgebrochenes Stück Gletschereis aus dem Meer gefischt und an Bord gezogen. Den größeren Teil des Brockens verwandelte später einer der philippinischen Kellner, der über eine gewisse kunsthandwerkliche Geschicklichkeit verfügte, auf dem Achterdeck in eine Eisskulptur. Unter den Augen der staunenden Passagiere, die das restliche Eis in ihren Whiskygläsern schwenkten. Eine der vielen Legenden, die vom Kreuzfahrtdirektor und seinen Leuten bei allen möglichen Gelegenheiten aufgetischt wurden, besagte, dass Gletschereis viel lauter knisterte als gewöhnliches Eis und dem Whisky einen außergewöhnlichen Geschmack verlieh.

Ob Legende oder nicht, der Trick hatte bei Helene funktioniert, sie hatte sich, ganz gegen ihre Gewohnheit, am Nachmittag zwei

Whiskys genehmigt. Und bei dieser Gelegenheit gleich noch Frederik dazu verdonnert, mit ihr zusammen am Captain's Dinner teilzunehmen. Frederik hatte sich gesträubt, darüber gejammert, dass diese Essen doch nur Versammlungen von Scheintoten seien, die lediglich von ihren Stützstrümpfen und Bauchweg-Gürteln aufrecht gehalten würden. Doch Helene hatte sich nicht erweichen lassen, für das, was Frederik ihr neulich an den Kopf geworfen hatte, würde er noch eine ganze Weile Buße leisten müssen.

Mit klammheimlicher Freude registrierte Helene, dass die Sitznachbarin ihres Sohnes, eine im Verhältnis zu Frederik mindestens dreimal so alte Dame, die zudem noch allein erschienen war, sich ihm gegenüber wie ein verliebter Teenager gebärdete. Sie redete fast ununterbrochen und versuchte ständig, ihn zu berühren, vorzugsweise indem sie ihre Hand auf seine legte. Frederiks Angespanntheit war fast physisch spürbar, der Junior stand kurz vor der Explosion.

Als er merkte, dass Helene ihn beobachtete, beugte er sich zu ihr herüber. «Die Oma nervt tierisch», flüsterte er ihr ins Ohr. «Ich halt das nicht mehr aus.»

«Du bleibst bis zum Ende», zischte Helene zurück. «Stell dich nicht so an! Leute wie wir haben gesellschaftliche Verpflichtungen. Und dazu gehört es nun mal, solche Situationen auszuhalten.» Und damit Frederik begriff, dass sie darüber nicht länger diskutieren wollte, wandte sie sich wieder dem Kapitän auf der anderen Seite zu: «Wie weit geht's denn noch nach Norden? Können Sie das schon sagen?»

«Na ja.» Kapitän Enno Visser präsentierte seine etwas zu makellosen Zähne. «Bis zur Packeisgrenze. Ich schätze, dass wir sie morgen früh erreicht haben. Vor ein paar Jahren wäre es noch nicht möglich gewesen, so hoch zu kommen, wissen Sie? Da zog sich das Eis im Sommer nicht so stark zurück. Wenn der Temperaturanstieg in der Arktis weiter anhält, dürfte es bald neue Kreuzfahrtrouten geben: Von Europa über den Nordpol nach Alaska.»

«Im Ernst?»

«Noch ist das Zukunftsmusik.» Visser lachte sein Seebär-Lachen. «Aber wer weiß? Es hätte auch niemand gedacht, dass die Nordwest- und die Nordost-Passage mal für die Frachtschifffahrt genutzt werden könnten. Heute ist das im Sommer fast normal. Mal sehen, vielleicht bringen wir morgen ein Beiboot an eine Eisscholle. Für einen kurzen Landgang unter Robben und Walrossen sind Sie doch bestimmt zu haben, Frau Lambert?»

«Robben und Walrosse sehe ich jeden Tag. Auf dem Sonnendeck.»

Der Kapitän lachte. «Aber die auf den Eisschollen haben weniger an.»

Helene mochte Vissers herben Charme. Als Kapitän eines Kreuzfahrtschiffes hatte der Ostfriese vielfältige Aufgaben, das Schiff zu lenken, war dabei die geringste, die überließ Visser meistens seinen osteuropäischen Offizieren. In erster Linie waren beim Kapitän Entertainer-Qualitäten gefragt. Und schon rein optisch entsprach Visser dem Anforderungsprofil: groß gewachsen, schlank, wettergegerbt, um die sechzig, blond und blauäugig. Ein solcher Kapitän flößte Vertrauen ein, besonders den Passagieren, die bei etwas stürmischerem Wetter von Untergangsphantasien geplagt wurden. Schon deshalb ließ sich Visser dauernd unter den Passagieren blicken, stand bei den Galas auf der Theaterbühne oder für alberne Scherze der Animateur-Crew zur Verfügung. «Solange Sie mich an Deck sehen, müssen Sie sich keine Sorgen machen», hatte Visser mal zu Helene gesagt. «Erst wenn Sie mich nicht mehr sehen, gibt es ein Problem.» Wie viel Wahrheit darin steckte, wusste Helene nicht. Denn auch bei dieser Gelegenheit hatte Visser den Kopf in den Nacken gelegt und gelacht.

Während Helene den Hummer und die Riesengarnele niedermachte, redete der Kapitän über die Route der nächsten Tage. An der Packeisgrenze entlang nach Osten, falls das Wetter es zulasse, wolle man einen Blick auf die Insel Moffen werfen und dann durch die Hinlopenstraße nach Süden, in die Barentssee. Nicht bei jeder Kreuzfahrt in die Arktis sei es möglich, die Hauptinsel von Svalbard, eben Spitzbergen, zu umrunden, doch in diesem Sommer seien die Bedingungen günstig. Und in zwei Tagen werde man dann in Longyearbyen anlegen.

Bei der Erwähnung des Namens dachte Helene unwillkürlich an Ujo. Ulrich Joachim Vogtländer, der an der Uni immer nur Ujo genannt wurde. Der Feigling hatte ihr zurückgeschrieben, dass er keine Zeit habe, sie zu treffen. Sie war allerdings nicht gewillt, das zu akzeptieren. Sie würde ihn finden, ihn notfalls auch aus seinem Kältebunker herausholen. Auf jeden Fall mussten sie reden, über die Vergangenheit und die Zukunft. Die Ereignisse der letzten Tage, die Ermordung von Mergentheim und Weigold, hatten ihr klargemacht, dass Ujo ein Sicherheitsrisiko darstellte. Zu lange dauerte das Schweigen zwischen ihnen schon an, zu sehr hatten sie sich entfremdet, um einschätzen zu können, ob sie sich noch auf ihn verlassen konnte.

Nicht dass Helene Angst gehabt hätte. Sie war ganz und gar kein ängstlicher Mensch. Auch dieser kleinkarierte Bürokratenkommissar aus Münster – wie hieß er noch gleich: Fahle? Oder Fahlen? – hatte es nicht geschafft, sie zu verunsichern. Bei dem Telefongespräch, das sie mit ihm geführt hatte, war von einer Todesliste die Rede gewesen, auf der möglicherweise auch ihr Name stand. Und wenn schon. Hier, auf der Albertina, war sie sicher. Bis sie wieder im Münsterland eintraf, hatte Kommissar

Fahle doch reichlich Zeit, die Mörder zu schnappen. Genau das hatte sie dem eingebildeten Bullen auch an den Kopf geknallt, verbunden mit der dringenden Bitte, sie nicht weiter zu behelligen.

Angst war es also nicht, weshalb sie mit Ujo reden wollte. Es ging vielmehr darum, ihr Lebenswerk zu sichern.

Die Teller des Hauptgangs waren abgeräumt. Der Restaurantchef wartete auf ein Zeichen des Kapitäns. Kein Captain's Dinner ohne Eisbomben mit brennenden Wunderkerzen, der Budenzauber gehörte einfach dazu. Und dann kamen sie auch schon herein: Kellnerinnen und Kellner in einer Reihe, die funkensprühenden Eisbomben einhändig über dem Kopf balancierend. Showtime.

«Danach verschwinde ich», sagte Frederik mit finsterem Gesicht.

«Ich möchte mit dir reden», antwortete Helene kühl. Es war an der Zeit, Frederiks neue Freundin etwas härter anzufassen. Um zu sehen, wie sie darauf reagierte.

«Worüber?»

«Mit dir und deiner Freundin.»

«Was soll das?»

«In einer halben Stunde in der Columbus-Bar.»

Frederik sagte nichts mehr, schlang das Eis hinunter und verabschiedete sich anschließend hart am Rand der Unhöflichkeit. Trotzdem war sich Helene sicher, dass er kommen würde. Ihr Sohn war klug genug, zu wissen, wann er keine Wahl hatte.

«Der junge Mann hat sich wohl ein wenig gelangweilt», bemerkte Kapitän Visser.

«Er muss lernen, mit solchen Situationen umzugehen», entgegnete Helene.

«Wem sagen Sie das? Ich habe selbst zwei erwachsene Töchter.» Visser ließ seine blauen Augen blitzen. «Was halten Sie von einem kleinen Absacker an der Bar, Frau Lambert?»

Schon beim ersten Captain's Dinner hatte sich Helene gefragt, wann der Kapitän wohl zum Angriff übergehen würde. Nicht weil sie darauf erpicht war, seine Kapitänskajüte zu besichtigen. Schon rein altersmäßig passte Visser nicht in ihr Beuteschema, seit etlichen Jahren bevorzugte sie wesentlich jüngere Männer. Doch als Frau, die mitten im Leben stand, testete sie selbstverständlich bei jeder Gelegenheit ihren Marktwert. Und so hätte sie sich vermutlich auf einen Flirt mit dem Uniformträger eingelassen, wäre ihr Kopf im Moment nicht mit anderen Dingen beschäftigt gewesen.

«Das würde ich wirklich sehr gerne, Herr Kapitän. Aber ich muss noch ein dringendes Mutter-Sohn-Gespräch führen.»

«Schade.» Visser wirkte ehrlich enttäuscht. «Na dann, vielleicht beim nächsten Mal.»

Helene stand auf und reichte dem Kapitän die Hand. «Ich bin sicher, beim nächsten Mal wird es klappen.»

||||

Die Columbus-Bar war Helenes bevorzugter Aufenthaltsort am späteren Abend. In den anderen Bars spielte entweder die schiffseigene Band oder ein DJ servierte Tanzmusik aus der Konserve – laut war es auf jeden Fall. Und das konnte sie jetzt nicht gebrauchen.

Abgesehen von der Ruhe, schätzte Helene an der Columbus-Bar die Einrichtung: viel Teakholz, alte Bücher, ein großer Globus und weiche Polstersessel. Als Helene die Bar betrat, waren Frederik und das Mädchen schon da. Beide hockten angespannt auf der vorderen Kante ihrer Sessel.

Mit einem Seufzer ließ sich Helene in das dritte Sitzmöbel fallen. Dem Kellner, der postwendend neben ihr stand, gab sie auf, ihr einen Gin Tonic zu bringen. «Aber bitte mit Bombay-Gin, nicht mit diesem billigen Fusel.»

Sie fasste die zwei jungen Leute ins Auge. «Schön, dass ihr gekommen seid.»

«Für mich klang das wie ein Befehl», motzte Frederik.

«Findest du es nicht völlig normal, dass ich deine Freundin beschnuppern möchte?»

«Mama», sagte Frederik genervt, «wir kennen uns seit gestern. Da gibt es nicht viel zu erzählen.»

«Siehst du, genau das weckt meine Neugier. Ihr seht euch, und ein paar Stunden später seid ihr schon ein Paar.»

«Auf einer Reise geht eben manches schneller als zu Hause.»

Nach Frederiks Ausraster auf dem Sonnendeck am Vortag hatte sich Helene gezwungen, erst einmal einen kühlen Kopf zu bewahren. Bevor sie sich erneut mit Frederik auseinandersetzen würde, brauchte sie Informationen. So ging sie auch bei wichtigen Geschäftsterminen vor. Sie verschaffte sich Kenntnisse über die Schwachstellen ihrer Gegenüber – und spielte diese bei passender Gelegenheit aus. Je mehr sie in der Hinterhand hatte, desto komfortabler war die eigene Position. Deshalb hatte sie ihren Assistenten Rafael beauftragt, Erkundigungen über diese Rike einzuholen. Und tatsächlich hatte Rafael bei seinen diskreten Recherchen einige Merkwürdigkeiten zutage gefördert. So waren Rike und ihre beiden Begleiter erst in Tromsø, am fünften Tag der Reise, an Bord gegangen. Gebucht hatten sie ihre schlichte Drei-bettkabine auf dem untersten Passagierdeck allerdings bereits vor Monaten. Alle drei gaben sich als Studenten aus, doch das Internet und die sozialen Netzwerke, ansonsten unerschöpfliche Quellen persönlichster Klatschgeschichten, spuckten über das Trio nichts aus.

Kurz war Helene sogar die Warnung des arroganten Kommissars aus Münster in den Sinn gekommen, Ökoterroristen könnten es auch auf sie abgesehen haben. Aber dann erschien ihr der Gedanke doch zu lächerlich. Ökoterroristen als Passagiere eines Luxus-Kreuzfahrtschiffes – was für eine alberne Vorstellung.

«Sehen Sie das auch so?», wandte sie sich an die junge, etwas zu stark geschminkte Frau. «Sie sagen ja gar nichts.»

«Was wollen Sie denn wissen?», fragte die Blonde schnippisch.

«Was Sie so machen, zum Beispiel.»

«Ich studiere in Hannover. Sprachen und Pädagogik. Auf Lehramt.»

«Eine solide Berufsbasis.»

«Finden Sie? Andere behaupten, so etwas studieren nur graue Mäuse.»

Der Kellner stellte den Gin Tonic ab. Helene nahm das Glas in die Hand. «Dafür ist Ihr Privatleben umso interessanter.»

«Wie kommen Sie denn darauf?», fragte Rike misstrauisch.

«Na ja, Sie checken mit zwei Männern ein, und ein paar Stunden später kommt noch ein dritter dazu.»

«Die beiden kenne ich vom Studium.»

«Und mit denen buchen Sie eine Kreuzfahrt? Wem wollen Sie das erzählen?»

«Mama!», sagte Frederik gereizt.

Rike schüttelte den Kopf. «Die Reise haben wir uns gegönnt, weil wir gemeinsam eine Prüfung bestanden haben.»

«Und dann steigen Sie auch noch verspätet ein.» Helene spitzte den Mund. «Das nenne ich Verschwendung.»

«Wird das hier ein Kreuzverhör?», fragte Frederik.

«Schon gut», sagt Rike. Und zu Helene: «Prüfungstermine. Wir haben es nicht eher geschafft.»

«Natürlich.» Helene sog am Strohhalm. «Mit welchem Ihrer beiden Kommilitonen haben Sie denn noch nicht geschlafen?»

«Das reicht.» Frederik stand auf. «Komm, Rike, wir gehen. Das musst du dir nicht gefallen lassen.»

Helene verfolgte den Abgang des Paares mit eisiger Miene. Irgendwie wurde sie das Gefühl nicht los, dass mit Rike etwas nicht stimmte.

«Wie ist es gelaufen?», fragte Rafael und setzte sich neben sie. Helene hatte gar nicht bemerkt, dass er hereingekommen war.

«Das Mädchen ist eiskalt. Ein Profi. Ich weiß noch nicht, was sie vorhat. Aber wir sollten sie unbedingt im Auge behalten.»

«Ich bleibe an ihr dran.» Rafael lächelte.

«Und vergiss nicht die Typen, mit denen sie zusammen ist. Ich könnte mir denken, dass die drei es auf Frederik abgesehen haben. Auf sein Geld, meine ich. Besser gesagt: auf *mein* Geld.» Helene legte ihre Hand auf Rafaels Oberschenkel. «Der Junge ist manchmal noch sehr naiv.»

Zweiundzwanzig

In elftausend Meter Höhe schrumpfte die Erde zu einem Koordinatensystem zusammen. Von A nach B in x Stunden. Nachts Münster, morgens Hamburg, mittags Oslo, abends Spitzbergen. Kaum aufwendiger als ein Ausflug in die Eifel. Während Bastian auf die weiße Wolkendecke blickte, durch deren Löcher ab und zu ein Stück vom glatten grauen Nordmeer zu erkennen war, dachte er darüber nach, wie eine solche Reise vor hundert Jahren abgelaufen wäre. Wahrscheinlich hätte sie wochenlange Vorbereitungen erfordert. Man brauchte Ausrüstung und Proviant, musste auf die richtigen Schiffsverbindungen und gutes Wetter warten. Und selbst dann wäre die Fahrt nach Spitzbergen noch ein Abenteuer gewesen, von dem man seinen Kindern und Enkeln erzählt hätte.

Heute war jeder Punkt auf der Erde gerade mal zwei Mausklicks entfernt: einen, um den Flug zu buchen, den zweiten, um die Buchung zu bestätigen. Vor vierundzwanzig Stunden hatte er nicht mal geahnt, dass er einen Tag später so nah am Nordpol sein würde, dass die Sonne nicht mehr unterging.

Auch davon, was sie am Boden erwartete, wenn sie erst einmal gelandet waren, besaß Bastian nicht die geringste Vorstellung. Er hatte einen Pullover und seine dicke Regenjacke eingepackt, dazu wetterfeste Schuhe angezogen. Das war alles an Vorbereitung. Vielleicht hätte er sich auf dem Flughafen einen Reiseführer kaufen sollen. Aber falls man auf Spitzbergen Schneeschuhe oder gefütterte Unterwäsche benötigte, gab es dafür bestimmt einen Laden.

Yasi schlief mit geöffnetem Mund. Sie hatten in der Nacht nicht viel Schlaf bekommen, weil sie um vier Uhr schon wieder aufstehen mussten. Bastian war zwar ebenfalls hundemüde, wusste jedoch aus Erfahrung, dass er in einem Flugzeug keine Ruhe fand. Zu eng, zu unbequem, außerdem schreckte er bei jedem ungewöhnlichen Geräusch hoch.

Yasi öffnete die Augen. «Woran denkst du?»

«Abgesehen von der Frage, wie es auf Spitzbergen wohl aussieht?»

Sie grinste spöttisch.

«An den Typ auf dem Foto hinter deinem Schreibtisch. Der grauhaarige, der aussieht ...»

«Klaus.»

«Ist das dein ...»

«Mein Professor, ja. Meine langjährige Beziehung.»

Bastian nickte. «Ich frage mich, was du an mir findest, wenn du vorher auf jemanden wie ihn gestanden hast.»

Yasi nahm seine Hand und hielt sie fest. «Klaus hat seine Qualitäten und seine Macken, und du hast deine. Ich vergleiche euch nicht. Und das solltest du auch nicht tun.»

«Sucht man bei einem Partner nicht immer wieder dasselbe?»

«Ja? Mit wie vielen Mosuo-Frauen warst du denn schon befreundet?»

Bastian lachte. «Punkt für dich.»

«Eines habt ihr übrigens doch gemeinsam, Klaus und du», sagte Yasi. «Ihr seid keine Arschlöcher. Arschlöcher kann ich nämlich nicht leiden.»

Schon beim Landeanflug wurde deutlich, dass sie nicht in eine Eis-
wüste geraten würden. Abgesehen von den Gipfeln der Bergket-
ten, die unter weißen Hauben steckten, war die Insel schneefrei.
Sogar grün. Zwar wuchsen keine Bäume oder Sträucher, dafür lag
die Landschaft unter einem dichten grünen Teppich, der im Licht
der strahlenden Sonne wie die Dekoration einer Modelleisenbahn
aussah.

«Da!» Yasi zeigte auf einen Hügel, auf dem einige hirschähnliche
Tiere mit hellem Fell grasten. «Rentiere.»

Nachdem sie ihre Reisetaschen am Gepäckband in Empfang
genommen hatten, machte sich Yasi auf die Suche nach einem
Mietwagen-Service.

«Hat das nicht Zeit bis morgen?», fragte Bastian. «Es gibt
bestimmt eine Busverbindung ins Zentrum. Oder Taxis. Checken
wir erst mal im Hotel ein und ruhen uns aus. Vogtländer läuft uns
nicht weg.»

«Vielleicht doch», sagte Yasi. «Ich bin nicht hergekommen, um
Urlaub zu machen, Bastian. Ich will mit Vogtländer reden.»

«Jetzt sofort?»

Es gab tatsächlich Mietwagen, allerdings zu astronomischen
Preisen. Yasi wählte das kleinste Modell und füllte das entsprechende Formular aus.

«Weißt du denn, wo Vogtländer wohnt?», fragte Bastian, als sie
über den Parkplatz auf das Auto zugingen.

«Seine Telefonnummer und seine Adresse stehen im Internet.
Außerdem ist Longyearbyen eine Stadt mit zweitausend Einwoh-
nern. Da wird es nicht so schwer sein, ihn zu finden.» Yasi warf
ihm den Autoschlüssel zu. «Du fährst.»

Die zweispurige Straße, auf der ihnen etliche Autos entgegenkamen, führte am Meer entlang. Yasi war damit beschäftigt, sich den Stadtplan von Longyearbyen auf ihr Smart Phone zu laden. Ihre Entschlossenheit nährte den Zweifel, der Bastian schon seit Beginn der Reise plagte. Warum hatte sie es so eilig, Vogtländer zu treffen? Warum konnte sie nicht bis zum nächsten Tag warten? Wollte sie vielleicht doch etwas anderes als eine Aussprache? Aber was? Ihn umbringen? Wie sollte sie das anstellen?

Bastian konnte sich nicht vorstellen, dass Yasi eine Waffe in ihr Gepäck geschmuggelt hatte. Im Handgepäck war das sowieso unmöglich, und die Reisetasche lag verschlossen im Kofferraum. Trotzdem nahm er sich vor, Yasi im Auge zu behalten und darauf zu achten, ob sie den Kofferraum öffnete. Gepäckkontrollen in Flughäfen waren manchmal ziemlich lax, Bastian kannte Fälle, in denen Kriminelle Schusswaffen mit dem Flugzeug transportiert hatten.

Schon nach wenigen Kilometern erreichten sie das Zentrum von Longyearbyen. Der Ort sah nach Arbeit aus: Frachtschiffe, Kräne, Lagerhallen, schmucklose Wohnhäuser und eine Seilbahn, die offenbar nicht mehr genutzt wurde. Kein Ferienidyll, sondern eine Industriesiedlung.

«Da vorne rechts», sagte Yasi. «Wir müssen ein Stück den Berg hinauf.»

Die Häuser reihten sich an einer Straße auf, die ins Landesinnere führte. Mit Kohle beladene Lkw fuhren von einer höhergelegenen Zeche in Richtung Hafen. Yasi dirigierte Bastian in eine Wohnsiedlung. Hier standen holzverkleidete Häuser, die in allen möglichen Pastellfarben leuchteten.

«Fahr langsamer!», befahl Yasi und schaute sich nach den Hausnummern um. «Das da ist es.»

Vogtländer wohnte in einem mattgelben Haus.

Erleichtert registrierte Bastian, dass Yasi nicht zum Kofferraum, sondern direkt zur Haustür ging und auf die Klingel drückte. Im Haus blieb es still. Yasi klingelte erneut. Wieder keine Reaktion. Bastian trat ein paar Schritte zurück und schaute nach oben. Hinter dem Vorhang im oberen Stockwerk entfernte sich ein Schatten. Oder hatte sich ein vorbeifliegender Vogel in der Scheibe gespiegelt?

«Er ist nicht da», sagte Bastian. «Lass uns zum Hotel fahren.»

Yasi war noch nicht überzeugt. Sie ging, soweit das die Verbindungsmauern zu den Nachbargebäuden zuließen, um Vogtländers Haus herum und blickte durch die Fenster. Erst dann gab sie auf.

«Wir versuchen es morgen noch mal», versuchte Bastian sie aufzumuntern. «Wenn er dann nicht öffnet, fahren wir zu seiner Arbeitsstelle.»

«Er versteckt sich», sagte Yasi. «Er hat Angst.»

Vermutlich hatte Vogtländer allen Grund dazu. Falls Bos Angaben zutrafen, war der Wissenschaftler mitschuldig am Tod mehrerer Menschen, ganz abgesehen von der dreisten Enteignung der Mosuo, was *Baba* anging. Sollte er also gesehen haben, dass eine Frau mit asiatischen Zügen vor seiner Tür stand, musste ihm das einen gehörigen Schrecken eingejagt haben.

Yasi lotste Bastian zum *Polarhotel*, einem lichtdurchfluteten Gebäude, in dem helle Hölzer dominierten. Die Unterkunft hatte sie zusammen mit dem Flug gebucht.

«Nur ein Zimmer?», fragte Bastian, als sie den Aufzug verließen. «Was ist mit deinen Prinzipien?»

«Auf Reisen gelten Ausnahmen. Außerdem gibt es hier keine Morgendämmerung.» Yasi schloss die Tür auf. «Und ein Doppelzimmer ist wesentlich billiger.»

Bastian ließ sich auf das Bett fallen. «Jetzt ein Bier und was zu essen. Und dann schlafen.»

«Können wir vorher noch einen Versuch machen?», fragte Yasi.

Bastian schaute sie fragend an.

«Ruf Vogtländer vom Zimmertelefon aus an. Wenn er sieht, dass es eine örtliche Nummer ist, geht er vielleicht ran. Und er kennt deine Stimme.»

Nach dem dritten Klingeln meldete sich ein krächziger Bass: «Hei!»

«Herr Vogtländer? Mein Name ist Bastian Matt. Wir haben schon mal miteinander telefoniert. Der Kriminalbeamte aus Münster, erinnern Sie sich?»

«Was machen Sie in Longyearbyen?»

«Sie sind ein wichtiger Zeuge in den Mordfällen Weigold und Mergentheim. Ich würde gerne persönlich mit Ihnen sprechen.»

«Deshalb kommen Sie extra nach Spitzbergen?»

Bastian ignorierte die Frage. «Wann würde es Ihnen passen? Morgen am Vormittag? Oder lieber etwas später?»

Vogtländer sagte nichts. Bastian fürchtete schon, der Wissenschaftler würde auflegen. Dann ein hustenähnliches Räuspern. «Sie sind nicht allein. Wer ist die Frau?»

«Sie haben uns gesehen?»

«Ich habe Sie gefragt, wer die Frau ist.»

«Ihr Name ist Yasi Ana. Sie ist …»

«Eine Mosuo», unterbrach Vogtländer. «Was will sie von mir?»

«Herr Vogtländer, wir wissen bereits einiges über die Ereignisse vor zwanzig Jahren im Land der Mosuo und in Peking. Frau Ana hat ein persönliches Interesse, von Ihnen mehr darüber zu erfahren.»

Vogtländer hustete. «Ich will nicht mit ihr reden. Sagen Sie ihr das. Sie soll mich in Ruhe lassen.»

«Sie haben nichts zu befürchten, Herr Vogtländer.» Bastian

bemühte sich um einen vertrauenerweckenden Ton. «Ich garantiere für Ihre Sicherheit.»

Der Biologe schien zu überlegen. Bastian spürte, dass der Moment der Entscheidung gekommen war.

«Ich bin krank», sagte Vogtländer. «Ich werde bald sterben. Alles, was ich zu sagen habe, habe ich aufgeschrieben. In einigen Tagen oder Wochen werden Sie die Wahrheit erfahren. Sagen Sie Frau Ana, dass es mir leidtut. Aber ich habe nicht die Kraft, mit ihr zu reden. Versuchen Sie doch morgen Ihr Glück bei Helene Lambert.»

«Helene Lambert? Sie ist hier?»

«Ihr Kreuzfahrtschiff wird morgen früh in Longyearbyen anlegen.»

Ein Tuten signalisierte, dass Vogtländer aufgelegt hatte.

Bastian schaute Yasi überrascht an. «Wusstest du, dass Helene Lambert morgen in Longyearbyen sein wird?»

«Woher denn?», antwortete Yasi. «Warum guckst du mich so an? Denkst du jetzt auch, ich bin eine Attentäterin? *Du* hast mir gesagt, dass sie eine Kreuzfahrt macht.»

«Und dann hast du dir die Route im Internet angesehen.»

«Nein.» Sie stampfte wütend mit dem Fuß auf. «Vielleicht hätten wir doch zwei getrennte Zimmer nehmen sollen.»

«Als Polizist bin ich eben allergisch gegen Zufälle», sagte Bastian. «Aber gut. So haben wir die Chance, Vogtländer *und* Helene Lambert zu befragen.» Er stand auf und versuchte, Yasi an sich zu drücken. «Frieden?»

Sie verschränkte die Arme. «Weiß ich noch nicht.»

«Und was machen wir jetzt?»

«Erst mal essen gehen. Dann sehen wir weiter.»

Zum *Polarhotel* gehörte auch die *Brasseri Nansen*, ein À-la-carte-Restaurant mit grandiosem Ausblick auf den Fjord und die dahinterliegenden Berge. Sie entschieden sich für einen Tisch am Fenster, und Bastian hätte diesen Moment vielleicht in die Hitliste seiner perfekten Erlebnisse aufgenommen, wäre die Stimmung zwischen ihnen nicht immer noch angespannt gewesen. So studierte Yasi beleidigt die Speisekarte, während sich Bastian die Frage stellte, ob es eine gute Idee gewesen war, nach Spitzbergen zu fliegen und zwei der wichtigsten Zeugen in der Mordermittlung ohne Rückendeckung seiner Vorgesetzten zu vernehmen. Und das auch noch in Begleitung einer Tatverdächtigen. Biesinger und Brunkbäumer würden ausrasten, Fahlen sowieso.

«He», sagte Yasi. «Das ist wirklich mal eine interessante Karte. Walcarpaccio, Robbenschinken und Schneehuhn.»

«Gibt es auch Steak mit Pommes?», fragte Bastian.

«Ja. Vom Rentier.»

Bastian stöhnte.

«Was der Bauer nicht kennt, verdirbt ihm den Brei», meinte Yasi spöttisch.

«So ähnlich», sagte Bastian.

Nach dem Essen verzichteten sie auf einen Absacker an der Bar und gingen direkt zurück auf ihr Zimmer. Yasi verkündete, dass sie müde sei, und war nach fünf Minuten eingeschlafen. Bastian blieb noch lange wach und beobachtete, wie sich die Strahlen der Mitternachtssonne zwischen den Vorhängen hindurch ins Zimmer stahlen.

Dreiundzwanzig

Du siehst beschissen aus, Ujo.»

Seit wie vielen Jahren hatte ihn niemand mehr Ujo genannt? Damals war er jedenfalls noch ein Mensch gewesen und kein Todeskandidat. Die drei blöden Buchstaben lösten eine Gefühlswelle aus, die Vogtländer unter sich zu begraben drohte. Verdammtes Selbstmitleid. Nur jetzt nicht heulen. Nicht vor diesem Kameraauge, das ihn bläulich anstarrte und jede seiner Gefühlsregungen auf Helenes Notebook übertrug.

«Ich fühle mich auch beschissen.»

Er hob den Kopf und schaute Helene trotzig in die Augen. Was für ein Unterschied zu seiner eigenen Erscheinung. Helene sah perfekt aus. So attraktiv, wie eine Frau um die fünfzig nur sein konnte. Und so kalt, wie eine erfolgreiche Geschäftsfrau sein musste.

Helene legte ihre Stirn in Falten. «Bist du krank?»

«Lungenkrebs. Endstadium.»

Es dauerte eine knappe Sekunde, bis sie die Antwort verdaut hatte. «Das tut mir leid. Ehrlich.»

Der Vorschlag, ein Videogespräch zu führen, war von Vogtländer gekommen. Nachdem Helene seine Ausreden nicht akzeptiert und ihn weiter mit SMS bombardiert hatte, war ihm klar geworden, dass er sich ihr nicht entziehen konnte. Und eine Begegnung im Internet schien ihm im Vergleich mit einem leibhaftigen Aufeinandertreffen das geringere Übel zu sein. So redeten sie nun miteinander, wobei er in seinem Haus in Longyearbyen saß und sie in ihrer superteuren Luxuskabine auf dem Fünf-Sterne-Kreuzfahrtschiff in der Barentssee.

«Von deiner Sorge um mich mal abgesehen, Hel», sagte Vogtländer ironisch. «Du hast doch etwas auf dem Herzen?»

«Du spielst immer noch den harten Hund, was, Ujo?»

Wieder stauten sich die Tränen in seinen Augen. Bestimmt lag es an den verfluchten Tabletten, die mit seinem Hormonspiegel Pingpong spielten, dass er heute so sentimental war. Es konnte jedenfalls nicht an dieser Frau liegen, die er vor zwanzig Jahren geliebt hatte und deren Kaltschnäuzigkeit ihm heute mehr als alles andere verdeutlichte, von welchem sinnlosen, unerheblichen Dasein er sich bald verabschieden würde.

«Komm zur Sache, Hel.»

«Hast du mitbekommen, dass Chris und Mergentheim ermordet worden sind?»

Vogtländer nickte. «Die Kripo in Münster hat sogar schon bei mir angerufen.»

«Offenbar hat es jemand auf Lambert-Pharma abgesehen.»

«Weißt du was, Hel?» Auf dem kleinen Bildschirmausschnitt, der die Projektion seiner eigenen Kamera zeigte, beobachtete Vogtländer, wie sich in seinem vom Tod gezeichneten Gesicht ein Grinsen abzeichnete. «Ganz kurz habe ich darüber nachgedacht, ob du selbst diese Morde in Auftrag gegeben hast. Immerhin befreien sie dich von zwei lästigen Mitgesellschaftern.»

«Sei nicht albern, Ujo», sagte Helene mürrisch. «Der Tod der beiden verschafft mir keinerlei Vorteile. Und ich mag zwar kein Engel sein, aber eine Mörderin bin ich auch nicht.»

«Ja, das habe ich mir dann auch gesagt.»

«Die Polizei in Münster geht davon aus, dass irgendwelche Öko-terroristen für die Morde verantwortlich sind. Jemand hat der Polizei gesteckt, dass der wirtschaftliche Erfolg von Lambert-Pharma auf *Baba* basiert. Aber noch wissen sie nicht, dass wir in China waren. Und vor allem nicht, was wir dort gemacht haben.»

Vogtländer dachte an die Mosuo-Frau, die vor seiner Tür gestanden hatte und dann unverrichteter Dinge wieder gefahren war. Und er dachte an die Andeutungen, die dieser Kriminalbe-amte Matt bei seinem Anruf aus Longyearbyen gemacht hatte. Wieso wusste er mehr als seine Kollegen in Münster? Oder war das vielleicht gar kein Polizist, sondern einer der Mörder? Auf kei-nen Fall würde er ihn oder die Mosuo in sein Haus lassen.

Seltsam, wie er plötzlich an dem letzten Fetzen seines Lebens hing, der noch in ihm steckte.

«Was ist los, Ujo? Hörst du mir überhaupt zu?»

«Natürlich», sagte Vogtländer. «Du denkst, dass du deinen Arsch retten kannst?»

«Meinen und deinen Arsch, Ujo. Du hängst da mit drin.»

«Ich habe keinen einzigen Euro an *Baba* verdient.»

Helene lachte gehässig. «Und damit wäschst du deine Hände in Unschuld? Hast du vergessen, dass zwei, wahrscheinlich drei Mosuo-Frauen hopsgegangen sind? Aufgrund der Experimente, die wir *gemeinsam* durchgeführt haben. Zusammen mit unseren chinesischen Freunden.»

Nein, er hatte es nicht vergessen. Er dachte jeden Tag daran. Bo auch. Im letzten Jahr hatte der Chinese Vogtländer von seinen Alb-träumen erzählt, die ihm jede Nacht den Schlaf raubten. Der harte Bo. Vor zwanzig Jahren noch ein eiskalter Technokrat, trieb ihn sein schlechtes Gewissen heute zu einer Buß-Fahrt ins Land der Mosuo. Das war das Letzte, was Vogtländer von Bo gehört hatte, dass der Chinese an den Lugu-See reisen und die Dorfgemeinschaft, die sie damals heimgesucht hatten, um Verzeihung bitten wollte. Seitdem herrschte Funkstille. *Bo.* Ein Gedanke blitzte in Vogtländers Gehirn auf: Hatte der alte Chinese die Mordserie ausgelöst? Waren die Attentate eine Art tätige Reue für ihr kollektives Versagen? Aber warum stand er, Vogtländer, dann auch auf der Liste? Schließlich hatte er Bo zugesichert, seinen Teil zur Aufklärung beizutragen.

Der Biologe blickte zu den bereits adressierten, dicken Umschlägen, die neben dem Computermonitor auf dem Schreibtisch lagen. Ja, versprochen hatte er es Bo schon, bloß gehalten hatte er sein Versprechen bislang nicht. Das musste er unbedingt ändern. Gleich morgen früh würde er die Briefe zur Post bringen.

«Deshalb ist es wichtig, dass wir den Mund halten», redete Helene weiter, als ahne sie seine nächsten Schritte. «Solange wir nichts ausplaudern, kann uns niemand etwas nachweisen. Auf die chinesischen Behörden ist Verlass. Die werden einen Teufel tun, irgendwelche Informationen preiszugeben.»

«Ich mache reinen Tisch, Hel.»

«Was?»

«Die Veröffentlichung der unrühmlichen Geschichte unserer Expedition ist mein Vermächtnis. Sie geht morgen an zehn der wichtigsten biologischen Institute auf der Welt, zusammen mit einer Samenprobe *Baba*.»

Schweigen.

Nach einer Weile räusperte Helene sich. «Wo hast du die Samen her?»

«Von Bo.»

«Bo also!», spuckte Helene. «Er steckt dahinter?»

«Vielleicht. Vielleicht auch nicht. Bo ist ein alter Mann, der Skrupel bekommen hat. So wie ich.»

«Und deshalb willst du verbrannte Erde hinterlassen?»

Vogtländer lachte. Oder versuchte es zumindest. «Ich bin am Ende, Hel. Ich habe nichts mehr zu verlieren. Das *Baba* gehört den Mosuo, nicht dir. Und wenn sie schon nicht die Möglichkeit haben, davon zu profitieren, dann soll es wenigstens allen zur Verfügung stehen, denen der Wirkstoff helfen kann. Nicht nur den Auserwählten, die deine hohen Preise zahlen können.» Er richtete sich auf. «Das hätte ich schon längst machen sollen. Aber ich war zu feige.»

Die Rede hatte Vogtländer angestrengt. Er schnappte nach Luft und spürte, wie ihm der Schweiß ausbrach.

Auch Helene schwieg. Für ihre Verhältnisse eine Ewigkeit. Dann sagte sie: «Ich verstehe, dass du mich hasst.»

«Ich hasse dich nicht.» Vogtländer hustete. «Ich …»

«Ich bin nicht fair zu dir gewesen. Ich habe mit dir gespielt.»

«Und wenn schon. Was spielt das für eine Rolle?»

«Bist du nach mir mit einer Frau glücklich geworden?»

Vogtländer schluckte. Seine Stimme wurde brüchig: «Was soll das, Hel? Die Mitleidsschiene zieht bei mir nicht.»

«Hast du Kinder, Ujo? Gibt es wenigstens einen Menschen, der sich um dich kümmert, wenn du stirbst?»

Er konnte es nicht verhindern, die Tränen liefen ihm über die Wangen. «Warum tust du das?», flüsterte er mit erstickter Stimme. «Warum quälst du mich?»

«Ich bin die einzige Frau, die du jemals geliebt hast?»

Er nickte. Wie ein treuherziger Idiot.

«Und wenn ich dir sage, dass du einen Sohn hast?»

«Du lügst.» Er schluchzte.

«Ich lüge nicht. Ich habe dir damals erzählt, dass der Mann, den ich geheiratet habe, der Vater von Frederik ist, weil ich nicht wollte, dass du dich in mein Leben einmischst. Aus demselben Grund weiß auch Frederik nicht, dass du sein Vater bist.»

«Und warum soll ich dir jetzt glauben?», fragte Vogtländer.

«Du musst mir nicht glauben», sagte Helene. «Ich bringe dir morgen ein Haar von Frederik mit. Sicher verfügst du über Geräte, mit denen du die DNA analysieren und mit deiner eigenen vergleichen kannst. Dann weißt du es.»

«Selbst wenn es stimmt», keuchte Vogtländer, «was ändert das?»

«Vieles», sagte Helene. «Falls du das tust, was du vorhast, zerstörst du nicht nur mein Leben, sondern auch das deines Sohnes. Ich bitte dich nur um eines, Ujo: Warte mit deiner Entscheidung bis morgen. Warte so lange, bis du deinem Sohn in die Augen geblickt hast.»

Die Verbindung brach ab.

Lange starrte Vogtländer auf den dunklen Bildschirm. Er war unfähig, einen klaren Gedanken zu fassen. Wieso hatte diese Frau eine solche Macht über ihn? Wie schaffte sie es, ein derartiges Chaos in ihm auszulösen? Warum musste sie ihn mit der Hoffnung demütigen, einen Sohn zu haben?

Vogtländer zog die Briefe zu sich heran und fuhr gedankenverloren mit der Hand darüber. Ja, er würde warten. Diesen einen Tag. Aber das würde nichts an seinem Entschluss ändern. Oder doch? Oh Gott, wie er sich für seine Schwäche hasste. Wie er die Sonne hasste, die unbarmherzig am Himmel stand und verhinderte, dass ihn die Dunkelheit verschluckte. Wie er es hasste, am Leben zu sein.

Vierundzwanzig

Wütend knallte Helene ihr Notebook zu. Dieser gottverdammte sentimentale Scheißkerl!

Über zwanzig Jahre hatte Ujo die Klappe gehalten, und ausgerechnet jetzt, kurz vor seinem Abgang, musste er seinem inneren Gutmenschen Zucker geben. Das hatte ihr, bei allem Ärger, mit dem sie sich ohnehin schon herumschlug, gerade noch gefehlt. Ujos Beichte würde eine öffentliche Schlammschlacht sondergleichen auslösen, so viel war sicher. Man würde ihre wissenschaftliche Qualifikation in Frage stellen, ihr menschliches Versagen vorwerfen, sie vielleicht sogar vor Gericht zerren. Die Lizenz für *Bochera* und damit der ökonomische Erfolg von Lambert-Pharma standen ebenso auf dem Spiel wie ihr persönliches Schicksal. Eine Katastrophe. Vermutlich wandten sich sogar die Chinesen von ihr ab und schoben ihr die alleinige Schuld für die damaligen Ereignisse in die Schuhe.

Helene trat an die Balkontür und schaute aufs Meer hinaus. Glücklicherweise hatte sie noch diesen letzten Trumpf im Ärmel gehabt. Den ultimativen. Den Trumpf, den sie eigentlich nie hatte ausspielen wollen. Aber in diesem Fall hätte nichts anderes gestochen, das war ihr sofort klar gewesen. Die Taktik, mit der sie normalerweise bei Verhandlungen ihr Ziel erreichte, eine Mischung aus Einschmeichelung und Einschüchterung, fruchtete nicht bei einem Mann, der den Tod bereits vor Augen hatte. In den vielen Jahren, in denen sie die Firma leitete, hatte sie ein feines psychologisches Gespür für ihre Gesprächspartner entwickelt. Und so hatte sie instinktiv erkannt, dass bei Ujo nur noch eines half: ein Schuss ins Herz, ins Zentrum der Gefühle.

Das Bewusstsein, nicht allein auf der Welt zu sein, sondern einen Sohn zu haben, würde ihn eine Zeitlang verwirren. Und diese Zeit musste Helene nutzen, die Dinge in ihrem Sinn zu regeln.

Im optimalen Fall konnte sie Ujo dazu bringen, die Berichte und die *Baba*-Samen freiwillig zu vernichten. Notfalls galt es, dafür zu sorgen, dass das belastende Material bis zu Ujos Tod unter Verschluss blieb. Danach würden sich schon kreative Lösungen finden lassen.

Einen Haken gab es bei der Sache jedoch: Sie kam nicht darum herum, Frederik einzuweihen. Ohne seine Hilfe würde sie bei Ujo auf Granit beißen. Und dieser Teil ihres Plans lag Helene besonders im Magen. Denn Frederik hatte nicht die geringste Ahnung, dass Ulrich Joachim Vogtländer sein Vater war. Mit keiner Silbe hatte Helene diese Möglichkeit jemals auch nur angedeutet. Frederik würde toben, ihr schwere Vorwürfe machen, keine Frage. Aber zur Aussprache existierte keine Alternative. Und letztlich würde Frederik einsehen, dass es im Sinn der Familie, in seinem ureigensten materiellen Interesse war, sich mit Vogtländer zu arrangieren.

Jemand klopfte an die Kabinentür.

«Wer ist da?», rief Helene.

«Rike.»

Was wollte diese Schnepfe von ihr? Eine Aussprache unter Frauen? Für so einen Quatsch hatte Helene jetzt keine Zeit. Sie musste darüber nachdenken, wie sie bei Frederik am besten vorging.

Genervt stapfte Helene durch den Wohnzimmerteil ihrer Suite.

Zu unfreundlich durfte sie mit dem Luder auch nicht umgehen, sonst rannte das Mädchen heulend zu Frederik.

Mit Schwung riss Helene die Tür auf. «Was gibt es denn?»

«Darf ich reinkommen?» Rike lächelte künstlich. Sie trug eine verwaschene Jeans und einen schwarzen Rollkragenpullover, über ihrer linken Schulter hing eine Art Strandbeutel im typischen Schlabberlook, den Helene so hasste.

«Im Moment passt es nicht so gut. Ich bin sehr beschäftigt.»

«Es ist aber wichtig.» Die Studentin gab nicht auf.

Herrgott noch mal, dachte Helene. Was konnte so verdammt wichtig sein? «Falls Sie mit mir über unsere gestrige Begegnung reden wollen …»

«Nein, das ist es nicht.»

«Was dann?»

«Das Thema ist Schuld und Vergeltung. Wie damals, vor vielen Jahren, im Land der Mosuo.»

Helene spürte, wie ihre Gesichtszüge entglitten. Sie musste sich verhört haben. Es konnte einfach nicht sein, dass dieses unscheinbare, blasse Etwas über ihre, Helenes, Vergangenheit Bescheid wusste. «Wie?»

«Sie haben mich schon verstanden.» Rike trat näher und schob einen Fuß über die Türschwelle.

Vor der Entschlossenheit der jungen Frau wich Helene zurück. Ein entscheidender Fehler, wie sie sofort bemerkte, denn die Besucherin nutzte die Gelegenheit, um die Kabine zu betreten und die Tür hinter sich zu schließen.

«Verlassen Sie meine Suite!» Helene versuchte, ihre Autorität zurückzugewinnen. Sie brauchte Zeit. Und eine verdammte Strategie, wie sie die Situation in den Griff kriegen sollte.

Rike steckte ihre rechte Hand in die Umhängetasche. «Setzen Sie sich auf den Sessel.»

«Sie befinden sich in meiner Kabine», fauchte Helene. «Also benehmen Sie sich gefälligst auch so.»

Die rechte Hand der Studentin kam wieder zum Vorschein. Und mit ihr eine Pistole, deren Lauf auf Helene zielte.

«Ich sagte: Setzen Sie sich auf den Sessel.»

Obwohl das niemand verlangt hatte, hob Helene die Hände. Endlich begriff sie. Warum hatte sie bloß die Warnungen dieses Kommissars aus Münster in den Wind geschlagen? Sie hätte es doch ahnen können: Rike war gar nicht an Frederik interessiert. Sie hatte ihn nur angebaggert, um an Helene heranzukommen. Das blond gefärbte Luder und die beiden maulfaulen Typen, die sie begleiteten, hatten wahrscheinlich auch Carl Benedikt Mergentheim und die Weigolds auf dem Gewissen. Deshalb war das Trio erst in Tromsø an Bord der Albertina gekommen, es hatte ja noch ein paar Morde zu erledigen.

«Setzen Sie sich.» Rike fuchtelte mit der Waffe. «Oder ich schieße Ihnen eine Kugel in Ihr hübsches Knie.»

Helene machte ein paar unbeholfene Schritte rückwärts und plumpste auf den Polstersessel. Die Gedankenspirale in ihrem Kopf drehte sich weiter. Was Rike vorhatte, war nicht schwer zu erraten. Nach Mergentheim und Weigold war sie nun an der Reihe. Auf einen harmlosen Ausgang des Überfalls zu hoffen, wäre also naiv. Es gab nur eine Möglichkeit: Sie musste selbst eine Lösung finden.

Streng dich an, dachte Helene, benutz deine Intelligenz, auf die du immer so stolz bist.

Das Handy lag auf dem Tisch. Viel zu weit entfernt, um es unbemerkt in die Hand zu nehmen.

«Ich weiß, wer Sie sind und was Sie beabsichtigen.»

«Tatsächlich?»

«Sie wollen mich töten.» Helene staunte über die Gelassenheit, mit der sie den Satz aussprach. «So wie Sie Carl Benedikt Mergentheim, Karin und Christian Weigold getötet haben.»

Rike sagte nichts.

«Drei Menschenleben. War es das wert? Ich nehme an, Sie denken, dass die Welt dadurch gerechter geworden ist. Aber das ist sie nicht. Sie haben nur neue Schuld auf alte gehäuft und sich dabei selbst ins Unglück gestürzt.»

Rike stieß Luft durch die Nase aus. Ein Geräusch zwischen Entrüstung und Belustigung.

«Ja, wir haben Fehler gemacht», redete Helene weiter. «Ich will gar nichts beschönigen. Wir hätten diese Experimente nicht durchführen dürfen. Und wir hätten darauf dringen müssen, dass die Mosuo an den Gewinnen beteiligt werden. Heute sehe ich das anders als damals. Doch versetzen Sie sich einen Moment in unsere Lage. Wir waren junge Wissenschaftler, die unter extremen Bedingungen in einem kommunistischen Land gearbeitet haben. Man erwartete von uns Erfolge. Um jeden Preis. Und wir wollten selber Erfolge, um das Leben der Menschen zu verbessern. Das hat dazu geführt, dass wir Grenzen überschritten haben, die wir nicht hätten überschreiten dürfen.»

Helene lächelte traurig. Würde sie sich nicht so gut kennen – sie wäre von ihren eigenen Worten beeindruckt gewesen.

«Eine schöne Rede», sagte Rike mit beißendem Spott. «Leider erzählen Ihre Taten das Gegenteil. Sie reden wie diese Scheißpolitiker, die behaupten, sie würden etwas für die ärmsten Länder der Welt tun. Dabei geht es ihnen nur darum, Rohstoffe zu sichern und die Menschen auszubeuten. Woher stammt denn Ihr beschissener Reichtum? Womit bezahlen Sie diese Kackkabine hier? Mit Geld, das Ihnen nicht gehört. Das Sie gestohlen haben.»

«Einverstanden», sagte Helene. Ihr Mund war so trocken, dass ihr das Schlucken schwerfiel. Aber es schien, als sei sie auf dem richtigen Weg. Rike hatte angefangen zu reden. Und wer redete, schoss nicht. «Was in der Vergangenheit falsch war, muss in der Zukunft nicht falsch bleiben. Ich wäre bereit, einen Beitrag zu leisten und einen Teil meines Vermögens für einen guten Zweck zur Verfügung zu stellen.»

«Sie wollen verhandeln?», fragte Rike.

Natürlich wollte Helene verhandeln. Um ihr Leben. Ohne mit der Wimper zu zucken, hätte sie dafür eine Unsumme geboten. Zumindest auf dem Papier. «Wir können einen Vertrag aufsetzen, der Lambert-Pharma dazu verpflichtet, zukünftig einen Großteil seiner Gewinne an Organisationen oder Projekte abzuführen, die in Ihrem Sinne arbeiten. Ich lasse Ihnen da freie Wahl. Zum Zeichen meines guten Willens könnte ich hier und jetzt die Überweisung einer größeren Summe veranlassen. Auf jedes Konto, das Sie mir nennen.»

«Das wird nicht nötig sein.»

Das Grinsen, das über Rikes Gesicht huschte, beunruhigte Helene. Was hatte sie falsch gemacht? War ihr Angebot zu durchsichtig gewesen? Unterschätzte sie die Intelligenz dieser Mörderin? Oder steckte hinter den Verbrechen noch ein anderer Plan?

«Jetzt denken Sie nach, stimmt's?», höhnte Rike. «Jetzt fragen Sie sich, wer auf unserer Seite ist? Wer uns unterstützt? Wer dafür gesorgt hat, dass wir auf diesem Bonzenschiff einchecken konnten?»

Doch nicht etwa … Nein, das konnte nicht sein. Doch nicht Frederik! Die Liebelei war nicht echt. Sie durfte einfach nicht echt sein. Rike hatte sich Frederik an den Hals geworfen und ihn verführt, um sich Zutritt zu verschaffen, anders war das nicht denkbar. Nie und nimmer würde sich Frederik darauf einlassen, mit einer Mörderin gemeinsame Sache zu machen.

Rike lachte. «Na, sind Sie auf der richtigen Spur? Zweifeln Sie langsam an Ihrem Sohn?»

Plötzlich schwankte die Kabine. Mit beiden Händen klammerte sich Helene an den Sessellehnen fest und hatte doch das Gefühl, den Boden unter den Füßen zu verlieren.

«Frederik wird Lambert-Pharma in den Dienst der Sache stellen», sagte die Blonde. «Die Gewinne der Firma werden wir dazu nutzen, über die Ausbeutung der Natur und der Naturvölker durch den Kapitalismus aufzuklären. Ein Zeichen, das niemand übersehen kann.»

Helene verstand nichts mehr. Das sollte ihr Sohn versprochen haben? Derselbe Frederik, der schon als Grundschüler darauf bestanden hatte, nur Markenkleidung zu tragen? Der sich am liebsten mit teurem Spielzeug umgab? Der ihr zu seinem zweiundzwanzigsten Geburtstag einen italienischen Sportwagen abgeschwatzt hatte?

«Das hat er Ihnen gesagt?»

«Da staunen Sie, was?» Rike schnitt eine höhnische Grimasse. «Ich will Ihnen was verraten, Helene: Frederik ist zu *uns* gekommen, nicht wir zu ihm. Er hat in Ihrer Vergangenheit geschnüffelt und uns erzählt, wie sehr ihn das ankotzt, was Sie und diese anderen Arschlöcher getan haben. Und dass Sie und die anderen noch heute von diesen Verbrechen profitieren und kein Gericht der Welt Sie dafür verurteilen wird. Gemeinsam sind wir dann zu dem Schluss gekommen, dass wir etwas unternehmen müssen.»

«Das ist nicht wahr», krächzte Helene. «Das würde Frederik niemals wollen.»

«Wahrscheinlich kenne ich ihn besser als Sie.»

«Sie haben da etwas völlig missverstanden. Mag sein, dass Frederik sich häufig über mich ärgert. Mag sein, dass er mich heftig kritisiert. Aber ich bin immer noch seine Mutter. Wenn Sie mich umbringen, werden Sie ihn verlieren. Und ganz bestimmt werden Sie nicht die Kontrolle über Lambert-Pharma erlangen!»

«Netter Versuch», sagte Rike. «Aber leider wirkungslos.»

Helene sah ein, dass die Diskussion zwecklos war. Wer sich derart in seine fixen Ideen verrannt hatte wie dieses fanatische Weib, war durch Argumente nicht erreichbar. Helene musste sich etwas anderes einfallen lassen. Aber was?

Die Blonde horchte zur Tür. Sie schien jemanden zu erwarten. Frederik vielleicht?

Krampfhaft überlegte Helene, wie sie die Situation wenden könnte. Bei Vogtländer hatte es doch auch geklappt. Den hatte sie doch auch rumgekriegt. Und womit? Mit seiner Vaterschaft. Warum also nicht dasselbe noch einmal probieren?

«Eines weiß allerdings auch Frederik nicht …»

Rike wandte Helene wieder ihre volle Aufmerksamkeit zu. «Was kommt jetzt?»

«Frederik hat einen Vater.»

«Der ist tot, soviel ich weiß.»

«Nein, ist er nicht», sagte Helene. «Frederiks richtiger Vater heißt Ulrich Vogtländer. In meinem Testament habe ich Ulrich als Treuhänder eingesetzt, Frederik kann erst über sein Vermögen verfügen, sobald er sechsundzwanzig ist.»

Rike musterte ihr Gegenüber, als suche sie nach Anzeichen für eine Lüge. «Das haben Sie sich gerade ausgedacht.»

«Fragen Sie Vogtländer selbst. Er wohnt auf Spitzbergen.»

«Denken Sie, wir kennen ihn nicht? Wir wissen, dass Vogtländer zur Expedition gehörte. Bislang stand er nicht auf unserer Liste, weil er sich kein Geld in die Taschen gestopft hat.»

«Dabei war er die treibende Kraft hinter allem», improvisierte Helene. «Wir anderen haben nur gemacht, was Vogtländer für richtig hielt.»

Das war zwar eine bodenlose Gemeinheit, aber in ihrer lebensbedrohlichen Lage mussten solche Notlügen erlaubt sein.

Die Blonde dachte nach. «Wie auch immer. Um Vogtländer kümmern wir uns später. Zuerst sind Sie an der Reihe.»

Ein Klopfen an der Tür.

Mit einer schnellen Bewegung sprang Rike hinter den Sessel und drückte Helene den Pistolenlauf an den Kopf. «Ein falsches Wort und Ihr Gehirn klebt an der Wand.»

Erneutes Klopfen.

«Sag was», zischte die Blonde in Helenes Ohr.

«Wer ist da?»

«Rafael», kam es dumpf aus dem Gang vor der Kabine.

Helene rechnete damit, dass Rike sie zwingen würde, den Assistenten wegzuschicken. Während sie noch überlegte, wie sie in einem scheinbar unverfänglichen Satz eine versteckte Botschaft unterbringen sollte, bemerkte sie, dass die Blonde zur Kabinentür ging. Noch überraschender als ihre Gelassenheit war das siegessichere Lächeln, mit dem die Mörderin die Tür öffnete.

Einen Moment später sah Helene die nackte Angst in Rafaels Augen. Die beiden jungen Männer, mit denen Rike auf die MS Albertina gekommen war, schoben den kreidebleichen Assistenten in die Kabine.

Die ganze Zeit hatte Helene vermieden, daran zu denken. Jetzt sah sie den Abgrund direkt vor sich.

Fünfundzwanzig

Bastian hatte versagt. Es war ihm nicht gelungen, die Frau und den Jungen zu retten. Jetzt rannte er um sein eigenes Leben. Nur noch wenige Meter bis zum Fenster. Plötzlich schoss vor ihm eine Stichflamme aus dem Boden. Sie erfasste zuerst seine Hose, dann das T-Shirt. Bastian spürte das Feuer auf der Haut, er würde bei lebendigem Leib verbrennen.

«He, was ist los?»

Bastian schnellte hoch und schnappte nach Luft.

«Alles in Ordnung?», fragte Yasi.

Er nickte. «Ja.»

«Du hast geschrien.»

«Ein Albtraum.» Bastian atmete tief ein und aus, sein Herzrhythmus beruhigte sich.

«Ziemlich heftig.»

«Ich träume immer dasselbe.» Er legte sich wieder hin, das Kissen unter seinem Kopf war feucht vom Schweiß. «Früher jede Nacht, inzwischen nur noch drei- oder viermal in der Woche.»

«Nun mach's nicht so spannend!», forderte Yasi. «Lass dir doch nicht jedes Wort aus dem Hals ziehen.»

Bastian erzählte von dem brennenden Haus, der Frau und dem Jungen. Und wie er selbst von den Flammen eingeschlossen wird. «Meistens wache ich an dieser Stelle auf. Bei der üblteren Variante läuft der Traum noch ein Stück weiter, und meine Kleidung fängt Feuer – so wie heute Nacht.»

«Hast du so etwas erlebt?», fragte Yasi.

Das hatte er nun von seiner bereitwilligen Auskunft. «Müssen wir unbedingt jetzt darüber reden?»

«Warum nicht?» Sie strich ihm über das Haar. «Ich will wissen, mit welchen Geistern der Vergangenheit ich im Bett liege. Verstehst du das nicht?»

Bastian gab sich geschlagen. «Es war vor drei Jahren im Kosovo …», begann er zögerlich. «Ich hatte mich freiwillig gemeldet. Es ging darum, die mehr oder weniger demokratisch gewählte Regionalregierung bei der Ausbildung von Polizisten zu unterstützen.» Er fuhr sich mit der Hand durchs Gesicht. Dann sprudelte es aus ihm heraus. «Wir waren in einer Stadt stationiert, in der noch relativ viele Serben lebten. Immer wieder kam es zu Konflikten zwischen Serben und Kosovo-Albanern. Eines Abends eskalierte die Situation. Zuerst fielen Schüsse, danach steckten die Albaner mehrere Häuser in Brand. Eines davon befand sich ganz in der Nähe unserer Unterkunft. Ich rannte auf die Straße und sah eine Frau und einen Jungen, die am Fenster im ersten Stock standen und um Hilfe schrien und –» Er stockte.

«Und dann?», fragte Yasi vorsichtig.

«Ich hoffte, die Feuerwehr würde kommen. Aber sie kam nicht. Vielleicht hatten die Feuerwehrleute Angst vor dem Mob. Ich wartete und wartete. Irgendwann hörte die Frau auf zu schreien. Eigentlich war es schon viel zu spät, aber ich bin dann doch noch rein ins Haus. Eine idiotische Tat. Alles stand in Flammen, auch das Treppenhaus. Es gab nicht die geringste Chance, nach oben zu kommen. Wahrscheinlich waren die beiden zu diesem Zeitpunkt längst tot.» Bastian drehte sich auf die Seite und betrachtete Yasi, die in einem dünnen schwarzen Nachthemd vor ihm hockte. «Beinahe hätte es mich dann auch noch erwischt. Die Decke krachte ein, und etwas Schweres traf mein linkes Bein. Ich fiel hin, konnte mich nicht mehr bewegen, weil der Balken oder was immer es war, auf meinem Bein lag. Bevor ich ohnmächtig wurde, sah ich, wie die Flammen auf mich zukrochen.»

Yasi streckte ihre Hand aus und streichelte Bastians Brust. «Die Brandnarben sind mir gleich aufgefallen, aber ich wollte nicht fragen.»

«Zwei Kollegen haben mich in letzter Sekunde gerettet. Anschließend war ich eine Zeitlang in einer Klinik. Dort habe ich auch einen Vortrag über posttraumatische Belastungsstörungen gehört, allerdings hat mich das nicht weiter interessiert, denn ich hatte ja keine Probleme. Die Albträume kamen erst später, als ich wieder zu Hause war.»

«Hast du etwas dagegen unternommen?»

«Erst mal nicht. Ich wollte meinen Job nicht verlieren. Ein Bulle mit psychischen Problemen gilt als Sicherheitsrisiko. Ich fürchtete, dass sie mich dazu verdonnern würden, nur noch Innendienst zu machen.» Er seufzte tief. «Also habe ich die Klappe gehalten, blöd, wie ich war. Denn es wurde immer schlimmer. Manchmal hatte ich eine derartige Angst vor dem Schlafen, dass ich die ganze Nacht wach geblieben bin. Morgens bin ich dann todmüde zum Dienst getorkelt. Die Kollegen dachten, ich wäre zum Partykönig mutiert, dabei hätte ich nichts lieber gemacht, als mal eine Nacht durchzuschlafen.»

Yasi ließ ihre Finger über seine Haut gleiten und setzte die Inspektion seiner Brust fort. «Erzähl weiter.»

«Meine damalige Freundin hat das total aufgeregt, wir kriegten uns immer häufiger in die Haare. Schließlich hat Lisa sich von mir getrennt.»

«Wann war das?»

«Vor etwas mehr als zwei Jahren. Der absolute Tiefpunkt. Ich war am Ende. Wahrscheinlich musste es so weit kommen, bis ich bereit war, Hilfe anzunehmen. Inzwischen habe ich die Pillen, die man mir am Anfang verschrieben hat, wieder abgesetzt und gehe nur noch alle zwei Wochen zu einer Psychologin.» Bastian richtete sich auf und warf einen Blick auf das Handy. Sechs Uhr. Viel zu früh, um aufzustehen. Aber er musste sich den Angstschweiß vom Körper waschen.

Durch das Badezimmerfenster drangen Sonnenstrahlen.

Bastian drehte den Wasserhahn auf und schaufelte sich Wasser ins Gesicht und auf den nackten Oberkörper. Die Kälte tat gut. Langsam trocknete er sich ab. Aus dem Zimmer nebenan war plötzlich Yasis Stimme zu hören.

«What?»

Mit wem redete sie da? Auf Englisch? Bastian lauschte.

«Police. Open the door.» Die männliche Stimme klang gereizt.

Konnte das ein Trick sein? Hatte Vogtländer ihnen jemanden auf den Hals gehetzt? Nein, sagte sich Bastian, viel wahrscheinlicher war es, dass vor der Tür ein echter Polizist stand. Um sechs Uhr morgens klopften nur echte Polizisten an.

Er ging zurück ins Zimmer. Yasi saß aufrecht im Bett und schaute ihn fragend an. «Hast du mit jemandem telefoniert?», flüsterte sie.

«Nein. Wann denn?» Bastian lächelte ihr aufmunternd zu. «Ich mache jetzt auf. Okay?»

Erneutes Pochen. «Police.»

Bastian riss die Zimmertür auf. Vor ihm standen drei Männer in blauen Uniformen, ihre rechten Hände ruhten auf den Pistolen an ihren Gürteln.

«Mister Bastian Matt?», fragte der vorderste Polizist.

Erst in diesem Moment wurde Bastian bewusst, dass er lediglich Shorts und das über die Schulter geworfene Handtuch trug. «Ja.»

«And Miss Jazzy Ana?»

Bastian deutete über seine Schulter.

«Ihr musst mitkommen», sagte ein anderer Polizist auf Deutsch. «Wir haben Fragen an euch.»

IIIII

Vom Hotel bis zur Polizeistation waren es nur ein paar Schritte. Nachdem sich Bastian und Yasi bereitwillig angezogen und das Hotelzimmer ohne Protest verlassen hatten, entspannten sich die Norweger sichtlich. Knut Hansen, der deutschsprechende Polizist, erzählte sogar, dass er einige Seminare der Polizeihochschule in Münster-Hiltrup besucht habe. «Schöne Stadt, gutes Bier. Wir waren in Kuh…»

«Im Kuhviertel», half Bastian.

«Richtig. *Nice little pubs.* Und viel blonde Frauen. Fast wie in Norwegen.»

Bastian lächelte höflich. Zu gern hätte er erfahren, was der Grund für den Überfall am frühen Morgen war, doch er kannte das Geschäft lange genug, um zu wissen, dass die Kollegen die Katze erst aus dem Sack lassen würden, wenn sie glaubten, die Situation vollständig unter Kontrolle zu haben.

Das schlichte Gebäude, das sie betraten, beherbergte offenbar nicht nur die Polizei, sondern noch andere öffentliche Einrichtungen.

«Das Sysselmannskontor», sagte Hansen.

«*Sysselmanns-* was?», fragte Bastian.

«Büro des Regierungsvollmachtigen. Wir sind ja nicht richtig Norwegen, nur halb. Der Sysselmann ist Chef von Spitzbergen. Aber ein netter Kerl.»

Bastian und Yasi durften sich an einen Tisch setzen und bekamen frischen Kaffee in großen Bechern. Währenddessen palaverten die Norweger untereinander. Anscheinend waren sie sich nicht einig über das weitere Vorgehen.

«Weißt du, was das soll?», fragte Yasi leise.

«So wenig wie du», gab Bastian zurück.

Das Gespräch der Norweger verebbte. «Okay», sagte Knut Hansen. «Ihr wollt wissen, warum ihr seid hier?» Er schaute Bastian an. «Am besten, du hörst auf deinen Chef.»

Bastian schloss die Augen. Ein Gespräch mit Fahlen oder Brunkbäumer war so ziemlich das Letzte, was er sich auf nüchternen Magen wünschte.

Inzwischen hatte einer der anderen Polizisten eine Nummer gewählt und den Telefonlautsprecher aktiviert. Schon nach dem ersten Freizeichen meldete sich Fahlen.

«Knut Hansen hier», sagte Hansen. «Dein Kollege und Miss Jazzy sitzen bei uns.»

«Danke», sagte Fahlen knapp. Und eine Spur unfreundlicher: «Matt, hörst du mich?»

«Laut und deutlich.»

«Verdammte Scheiße!» Fahlen explodierte sofort. «Was hast du dir dabei gedacht? Hast du wirklich geglaubt, wir würden nicht merken, dass Frau Dr. Ana das Land verlässt?»

«Soweit ich weiß, ist sie nicht mehr tatverdächtig.»

«Wir haben sie gebeten, in Münster zu bleiben. *Gebeten!* Du bist lange genug bei uns, um zu wissen, was das heißt. Und sie ist ja nicht bloß zum Shoppen nach Holland gefahren, sie ist nach Spitzbergen geflogen, wo sich mit Dr. Vogtländer ein weiteres potenzielles Opfer aufhält. Da hätten bei dir doch alle Alarmglocken läuten müssen.»

«Guten Morgen», sagte Yasi. «So viel Höflichkeit sollte sein, Herr Fahlen. Und um die Frage, die Sie mir gar nicht gestellt haben, zu beantworten: Ich wäre sowieso nach Spitzbergen geflogen. Bastian ist mitgekommen, weil er mich *und* Dr. Vogtländer beschützen will. Sie sollten ihn nicht kritisieren, sondern loben.»

«Frau Dr. Ana», sagte Fahlen gespreizt. «Wir unterhalten uns, wenn Sie wieder in Deutschland sind. Vorläufig ist das hier eine Angelegenheit zwischen mir und Oberkommissar Matt.»

Bastian verdrehte die Augen. Fahlen war einfach zum Kotzen.

«Verdammt noch mal, Matt», polterte der MK-Leiter weiter. «Du hättest mich oder Susanne informieren müssen. Vogtländer ist ein wichtiger Zeuge in einer Mordermittlung, du kannst nicht als Tourist bei ihm aufkreuzen.»

«Wie Frau Ana bereits …»

«Hör auf mit dem Scheiß!», unterbrach ihn Fahlen. «Pass auf, ich sage es nur einmal, und das ist keine Bitte, sondern eine dienstliche Anweisung: Du setzt dich mit Dr. Ana in das nächste Flugzeug, das Spitzbergen verlässt, und kommst auf dem schnellsten Weg nach Münster zurück. Verstanden?»

«Verstanden», wiederholte Bastian. So ganz ungelegen kam ihm der Befehl nicht. Was Yasis Absichten anging, hegte er selbst immer noch Bedenken. Hatten sie Spitzbergen erst einmal Richtung Deutschland verlassen, war er zumindest diese Sorge los.

«Herr Hansen?», fragte Fahlen.

«Ja?»

«Haben Sie mitgehört?»

«Alles klar.» Hansen zwinkerte Bastian zu. «Wir setzen sie in nächste Flugzeug.»

Als das Telefonat beendet war, stieß Hansen einen Pfiff aus. «Nicht easy dein Boss, wie?»

«Er ist ein Idiot», mischte sich Yasi ein. «Ich habe ein Recht darauf, mit Dr. Vogtländer zu sprechen. Ich habe nichts verbrochen.»

Bei der Erwähnung des Namens Vogtländer sahen die beiden

anderen Polizisten Hansen fragend an. Bastian nahm an, dass der Biologe in Longyearbyen kein Unbekannter war.

Hansen redete eine Weile Norwegisch, vermutlich übersetzte er für seine Kollegen den Inhalt des Telefongesprächs. Dann wandte er sich wieder Bastian und Yasi zu: «Wir wissen, was Fahlen sagt. Aber wie ist eure Geschichte?»

Bastian zögerte.

«Keine Angst», sagte Hansen. «Flugzeug geht am Nachmittag. Wir haben Zeit. Hier oben passiert nicht viel.»

Gemeinsam redeten sie mehr als eine Stunde lang, Yasi auf Englisch und Bastian auf Deutsch, Hansen übersetzte, wo es nötig war. Sie referierten die Fakten, die Annahmen und die wichtigsten Theorien. Die Norweger schenkten Kaffee nach, stellten ab und zu Fragen und hörten ansonsten schweigend zu. Dann war alles gesagt. Sogar die Ankunft von Helene Lambert im Laufe des Vormittags hatte Bastian erwähnt.

Die Norweger besprachen sich. Anschließend verschwanden zwei der Polizisten, nur Knut Hansen blieb mit den beiden Deutschen zurück.

«Was geschieht jetzt?», fragte Bastian.

«Oh.» Hansen grinste. «Tor holt Brote und Lars Dr. Vogtländer.»

IIIII

Vogtländers Kleider schlabberten um einen erbärmlich abgemagerten Körper, die Wangenknochen stachen fast durch die Gesichtshaut. Als der Biologe Yasi entdeckte, senkte er sofort den Kopf, auch Bastian würdigte er keines Blickes. Sie begrüßten ihn, doch Vogtländer murmelte nur eine knappe Erwiderung. Und wie um die Distanz zu seinen Landsleuten zu unterstreichen, beantwortete er die Fragen der Polizisten ausschließlich auf Norwegisch.

Nach einiger Zeit konnte sich Yasi nicht mehr zurückhalten und wandte sich direkt an Vogtländer: «Haben Sie ihnen von den Experimenten in Peking erzählt? Von den toten Mosuo-Frauen?»

«Es gab keine Toten.»

«Sie lügen», fuhr Yasi ihn an. «Ich habe mit Bo gesprochen.»

«Bo weiß nichts», beharrte Vogtländer. «Er spielt sich auf.»

«Und warum haben Sie mir gestern gesagt, dass es Ihnen leidtut?», mischte sich Bastian ein. «Dass Sie die Wahrheit aufgeschrieben haben und in ein paar Tagen veröffentlichen werden?»

«Das habe ich gesagt, weil ich mich von Ihnen bedroht fühlte.»

«Warum tun Sie das?», fragte Yasi. «Vor wem haben Sie wirklich Angst?»

Vogtländer schüttelte den Kopf. «Das ist die Wahrheit.»

Das Telefon klingelte, und Tor nahm den Anruf an. Bastian merkte an der Reaktion des norwegischen Polizisten, dass etwas Ungewöhnliches passiert sein musste. Er wirkte sehr besorgt, sogar Vogtländer lauschte jetzt aufmerksam dem Telefonat.

«Was ist los?», fragte Bastian Knut Hansen.

«Ein Selbstmorddoppel auf dem Cruise Liner, der heute anlegt. Eine ältere Frau und ein junger Mann. Offensichtlich ein Liebespaar.»

«Habt ihr die Namen?», fragte Bastian und kannte doch schon die Antwort.

Hansen gab die Frage an Tor weiter, der sie wiederum seinem Gesprächspartner am anderen Ende der Leitung stellte. Aus dem, was Tor anschließend sagte, hörte Bastian den Namen heraus, den er erwartet hatte: Lambert.

«Das war kein Selbstmord, das war Mord», sagte er. Dann schaute Bastian sich nach Vogtländer um. Doch der Biologe war verschwunden.

Sechsundzwanzig

Helene war tot. Aber er empfand keine Trauer. Nicht mal Mitleid. Er hatte nur Angst um sein eigenes kleines beschissenes Restleben. Wo war seine Gleichmütigkeit hin? Wo das Einverständnis mit dem Tod? Alles weg. Übrig geblieben nur der kreatürliche Wille zum Überleben, vermutlich ein genetisch gesteuerter Instinkt aus grauer Vorzeit. Nur noch einen Tag, eine Woche, einen Monat leben, mehr verlangte er ja gar nicht. Seinen Nachlass regeln, seinem Sohn in die Augen blicken, sich verabschieden – waren das übertriebene Wünsche?

Dass Helene ermordet worden war, stand für Vogtländer außer Frage. Selbstmord aus Liebe? Was für ein hirnverbrannter Schwachsinn! Niemals hätte sich Helene zu so etwas Sentimentalem hinreißen lassen. Nein, der Selbstmord musste arrangiert worden sein. Vermutlich von denselben Tätern, die auch Mergentheims Selbstmord vorgetäuscht hatten und die Christians Haus in den Baumbergen angezündet hatten. Und die jetzt ihn jagen würden. Er war der letzte Überlebende, der letzte Schuldige, der Letzte, der beseitigt werden musste.

Vogtländer hörte die Sirene des Kreuzfahrtschiffes. Die Mörder würden das Schiff bald verlassen. Wahrscheinlich wussten sie, wo er wohnte. Es war ja kein Geheimnis, der Kripo-Mann und die Mosuo-Frau hatten ihn schließlich auch gefunden. Spätestens in

einer Stunde durfte er sich in seinem Haus nicht mehr sicher fühlen. Ihm blieb verdammt wenig Zeit.

Seine Nachbarin Tine Olsen, die im Kaufhaus Lompen arbeitete,
stand neben ihrem hochrädrigen Geländewagen und winkte kurz,
als er an ihr vorbeifuhr. Fünfzig Meter weiter stoppte Vogtländer
vor seinem eigenen mattgelben Haus. Er stieß die Wagentür auf
und stieg aus. Im selben Moment durchzuckte ihn ein furchtbarer
Schmerz, der ihm fast das Bewusstsein raubte. Gekrümmt stützte
er sich auf der Motorhaube ab. Dieser verfluchte Krebs, der ihn
auffraß. Warum musste er sich ausgerechnet jetzt bemerkbar
machen?

Die zehn Schritte bis zum Haus wurden zur Qual. Sich an der
Holzfront festhaltend, wankte Vogtländer zur Haustür. Während
ihm der Schweiß in die Augen lief, tastete er in der Hosentasche
nach dem Schlüssel.

IIIII

Wellenförmig verebbten die Schmerzen. Die Pillen taten ihre
Wirkung. Leider nicht nur im positiven Sinn. Das Opiat verlieh
Vogtländer eine trügerische Gelassenheit, vernebelte sein Gehirn.
Dabei brauchte er seine volle Konzentration. Für einen Plan zur
Rettung der *Baba*-Samen. Für einen Plan, um sich selbst zu ret-
ten. Zumindest ein paar Stunden lang. Oder einen Tag. Bis das
Schlimmste vorüber war.

Er schaute auf die Uhr. Schon zwanzig Minuten waren vergan-
gen. Zwanzig wertvolle Minuten, in denen er in der Küche gesessen und darauf gewartet hatte, dass die Schmerzen nachließen. Er
hievte sich aus dem Stuhl hoch und stapfte mit bleiernen Füßen
ins Arbeitszimmer. Die Umschläge. Er musste sie an einem sicheren Ort verstecken. Zum Abschicken hatte er jetzt keine Zeit

mehr. Vielleicht hatten es die Killer gar nicht auf die *Baba*-Samen abgesehen, vielleicht war es ihnen egal, was damit passierte. Aber er durfte es nicht darauf ankommen lassen, durfte kein Risiko eingehen.

Unter der Treppe befand sich ein Stauraum, vollgestopft mit Gerümpel. Ausrangierte Kleidung, kaputte Elektrogeräte, mit überflüssigen Erinnerungen gefüllte Koffer, Dinge, die längst auf den Müll gehört hätten. Kein ideales Versteck, doch ein besseres fiel ihm auf die Schnelle nicht ein. Immerhin machte er sich die Mühe, die Umschläge ganz weit hinten, in einer Kiste mit alten Schallplatten, zu vergraben. Seit bestimmt zwanzig Jahren hatte er die Platten nicht mehr gehört, die meisten stammten noch aus seiner Studentenzeit. Eigentlich schade, er hatte die Musik geliebt. Vogtländer nahm sich vor, einen ganzen Abend lang Platten abzuspielen. Sollte das hier gut ausgehen.

Während er sich rückwärts aus dem kleinen Kabuff bewegte, verursachte er so viel Chaos wie möglich, schob die Behälter und losen Teile in- und übereinander. Wer auch immer einen Blick in den Verschlag warf, durfte keine Lust verspüren, sich durch den ganzen Kram zu wühlen. Im Flur hörte er, wie vor dem Haus ein Auto hielt.

Verdammt! So schnell hatte er nicht mit ihnen gerechnet.

Vogtländer kroch auf allen vieren in das Zimmer zur Straße und hob den Kopf so weit, dass er vors Haus blicken konnte. Sie waren zu dritt, zwei Männer und eine Frau. Junge Europäer, Deutsche wahrscheinlich. Sie schauten sich um. Die Straße war leer. Vogtländers Nachbarn arbeiteten oder lagen nach einer Nachtschicht im Bett.

Der Biologe kroch zurück in den Hausflur. Sollte er die Polizei anrufen? Den Männern, die er gerade noch belogen hatte, erklären, dass er sich in Lebensgefahr befand? Wie lange würde es dauern, bis sie kamen? Fünf Minuten? Zehn Minuten? Nein, so viel Zeit hatte er nicht.

Es klingelte an der Haustür. Vogtländer erstarrte. Dann ein Klopfen und eine freundliche Frauenstimme: «Dr. Vogtländer? Sind Sie da? Mein Name ist Franziska Schmidt, ich komme von der MS Albertina. Ich habe eine wichtige Mitteilung für Sie. Von Frau Lambert.» Klopfen. «Herr Dr. Vogtländer, hören Sie mich? Bitte öffnen Sie die Tür!»

Er musste weg. Sofort. Die Verbindungsmauern zwischen den einzelnen Häusern verhinderten, dass man von der Straße zur Rückseite der Gebäude gelangte. Das war seine Chance. Vogtländer schlich in die Küche, die sich auf der Bergseite befand, und öffnete das Fenster. Plötzlich kamen ihm Zweifel. War er draußen nicht noch schutzloser als drinnen? Er konnte ja nicht einmal rennen. Und wohin sollte er flüchten?

Wieder pochte es an der Haustür.

Wo konnte er bloß hin? Tine! Ja, das war die Lösung. Vogtländer wusste, dass seine Nachbarin meistens den Autoschlüssel im Zündschloss stecken ließ. Wie viele andere Einwohner von Longyearbyen. Auf Spitzbergen musste man sich nicht vor Autodieben fürchten, weil auch die längste Straße schon nach zwanzig Kilometern endete.

Vogtländer schob ein Bein über das Fenstersims und zog das andere hinterher. Dann ließ er sich auf die karge graubraune Erdkruste fallen. Die Anstrengung und der Schmerz raubten ihm den Atem. Für solche Hochleistungen war sein Körper nicht mehr geeignet. Wie gern hätte er sich ausgeruht, doch er musste weiter.

Tine wohnte am Ende der Häuserzeile, ihr Auto wäre von dort aus leicht zu erreichen. Unterwegs zog Vogtländer sein Handy aus der Tasche und wählte die Nummer des Regierungsbevollmächtigten. Besetzt. Natürlich, die Polizisten hatten jetzt viel zu tun. Der angebliche Doppelselbstmord auf dem Schiff. Vogtländer dachte an den Kripomann aus Münster, Matt, ja, das war sein Name. Anscheinend war der Kerl tatsächlich ein Bulle, zudem kannte er die Hintergründe. Er würde seinen norwegischen Kollegen schon klarmachen, dass es sich bei Helenes Tod um einen Mord handelte. Andererseits bedeutete das, dass sich wahrscheinlich alle Polizisten, mit Ausnahme einer Stallwache, gerade auf dem Schiff aufhielten.

Tines Haus war türkisfarben, ansonsten baugleich. Der Biologe drückte sich an die Hauswand und lugte die Straße hinauf. Einer der beiden Männer lungerte vor dem Mietwagen der drei herum, der andere Mann und die Frau waren nicht zu sehen. Gebückt lief Vogtländer zu Tines Allradmonster, das rückwärts in der Auffahrt parkte. Die paar Meter kosteten ihn alle Kraft. Auf der Beifahrerseite ging er hinter dem schwarzen Blech in Deckung. Gott sei Dank, das Auto war nicht verschlossen. Und der Schlüssel steckte!

Vogtländer kletterte auf den Fahrersitz und startete den Motor. Er sah, wie weiter oben auf der Straße der Typ sich umdrehte. Als Vogtländer losraste, wandelte sich der Gesichtsausdruck des Mannes von Überraschung in Wut.

IIIII

Vor dem Sysselmannskontor, dem Amtssitz des Bevollmächtigten, stand kein Polizeiwagen. Wie Vogtländer vermutet hatte, waren alle Polizisten ausgeschwärmt. Im ungünstigsten Fall saßen nur eine Sekretärin oder der Sysselmann selbst am Telefon, unbewaffnet und nicht in der Lage, ihn vor seinen Verfolgern zu beschützen.

Der Biologe fuhr weiter in Richtung Hafen, behielt dabei stets den Rückspiegel im Auge. Das Kreuzfahrtschiff, das hochhaushoch am Kai aufragte, degradierte die anderen Boote im Fjord zu

Modellschiffchen. Sollte er an Bord gehen und um Hilfe bitten? Was, wenn ihn der Wachmann, der an der Straße den Zugang zum Kai kontrollierte, nicht die Absperrung passieren ließ? Dann saß er in der Falle.

Im Rückspiegel tauchte das Auto des mörderischen Trios auf. Vogtländer spürte, wie eine Schraubzwinge seine Brust zusammenpresste. Er bekam keine Luft mehr.

Reiß dich zusammen, sagte er sich, verfall jetzt nicht in Panik!

Eine Sekunde, zwei Sekunden. Rasselnd drang Sauerstoff in den einen halbwegs intakten Lungenflügel. Was für ein glückseliges Gefühl, atmen zu können. Vogtländer gab Gas. Noch drei Kilometer bis zum Flughafen. Dann war die Welt zu Ende.

Nein, oberhalb des Flughafens befand sich die *Vault*. Warum war ihm das nicht schon früher eingefallen? Hinter der Stahltür der *Vault* konnte ihm niemand etwas anhaben. Er brauchte nur eine Minute Vorsprung. Denn so lange dauerte es, bis die Automatik die Tür hinter ihm wieder verriegelt hätte.

Siebenundzwanzig

Yasi hatte in der Polizeiwache bleiben müssen, bewacht von Tor. Bastian fand das zwar vollkommen überflüssig, doch in diesem Punkt blieb Knut Hansen unerbittlich. Und so standen sie jetzt zu dritt in der Kabine von Helene Lambert und betrachteten die Inszenierung. Schon auf den ersten Blick war sie nicht glaubwürdig. Zwar lagen die Leichen auf dem Bett, mit einander zugewandten Gesichtern, als hätten Helene Lambert und ihr Assistent freiwillig den Tod erwartet, doch die zerrissenen Kleider und die Fesselspuren an den Händen sagten etwas anderes. Auch bei der Pistole, die dem Assistenten scheinbar aus der rechten Hand gefallen war und an der man vermutlich seine Fingerabdrücke finden würde, war den Mördern ein gravierender Fehler unterlaufen, sie hatten nämlich vergessen, den Schalldämpfer abzuschrauben.

Bastian zeigte Knut Hansen die Pistole. «Siehst du das? Welcher Selbstmörder benutzt einen Schalldämpfer? Wenn man abtreten will, nimmt man keine Rücksicht auf die Nachbarn.»

Hansen nickte sorgenvoll. «Das behagt mich gar nicht. Wir sind nicht ausgerüstet für so was.»

Lars, der zweite norwegische Polizist, der Bastian und Hansen auf die MS Albertina begleitet hatte, stellte einen silbern glänzenden Metallkoffer auf dem Teppichboden ab und ließ die Schlösser aufschnappen. Als Bastian die rudimentäre Spurensicherungsausrüstung sah, verstand er, was Hansen meinte. Allein die Tatsache, dass sie ohne Schutzanzüge am Tatort herumstanden, hätte bei den münsterschen KTU-Kollegen einen mittleren Wutanfall ausgelöst.

«Was macht ihr denn normalerweise, wenn hier ein Verbrechen geschieht?», wandte sich Bastian an Hansen.

«Das kommt nicht öfter vor. Und wenn, dann fragen wir die Kripo in Tromsø, um uns zu helfen. Aber das dauert.»

Ein Mann in blauer Galauniform, mit goldenen Knöpfen und Streifen besetzt, betrat bei Hansens letzten Sätzen die Kabine. «Eine schlimme Sache.» Der kantige blonde Mann streckte seine Hand aus. «Visser. Enno Visser. Ich bin der Kapitän von diesem Dampfer.»

Bastian stellte sich und Knut Hansen vor.

«So tragisch der Vorfall auch ist», sagte Visser, «wir müssen heute Abend ablegen, sonst bringt das unseren ganzen Zeitplan durcheinander.»

«Es tut mir leid, Ihnen das sagen zu müssen», widersprach Bastian, «aber Sie werden erst ablegen, wenn meine norwegischen Kollegen das erlauben.»

Vissers Augenbrauen kamen sich verdächtig nahe, als er die Stirn in Furchen legte. «Was heißt das?»

«Das da», Bastian deutete zum Bett, «sind keine Selbstmörder, sondern Opfer eines Doppelmordes. Und wenn Sie in der Nacht nicht irgendwo angelegt haben, bedeutet das, dass die Mörder auf Ihrem Schiff zu finden sind.»

«Verdammt», sagte Visser. «Sind Sie sicher?»

«Hundertprozentig. Es würde zu lange dauern, Ihnen alles zu erklären, doch in gewisser Weise ist Helene Lambert sogar der Grund, warum ich hier auf Spitzbergen bin. In Münster arbeiten wir nämlich an einer Mordserie, in die auch Helene Lambert verwickelt ist. Oder war.»

Visser dachte nach. «Am liebsten wäre mir, Sie würden den Fall bis achtzehn Uhr aufklären. Dann wollen wir die Anker lichten.»

«Je schneller, desto lieber», sagte Hansen. «Und mehr Unterstützung ist doppelt gut.»

«Natürlich bekommen Sie unsere volle Unterstützung», versicherte der Kapitän. «Wenn Sie es wünschen, werde ich alle meine verfügbaren Leute einsetzen.»

«Zunächst einmal brauchen wir Informationen», sagte Bastian. «Hat jemand etwas gesehen oder gehört?»

Visser verneinte. «Die Philippinin, die für diese Kabine zuständig ist, hat die Leichen heute Morgen entdeckt.»

Bastian schaute zum Bett, wo Lars mit Graphitpulver und Pinsel nach Fingerabdrücken suchte. «Hat die Frau etwas angefasst oder verändert? Oder eine andere Person?»

«Nein. Wir haben alles so gelassen, wie es war.»

«Gut», sagte Bastian. «Dann würden wir gern mit allen sprechen, die Kontakt zu Frau Lambert hatten.»

«Da sollten Sie mit ihrem Sohn anfangen. Frederik Lambert.»

«Wo finden wir ihn?»

«Er ist in seiner Kabine», sagte Visser. «Die Warnemünde-Suite. Auf diesem Deck, Richtung Bug, Backbordseite. Der Schiffsarzt ist bei ihm.» Er verschränkte die Hände hinterm Rücken. «Trotz allem hält sich der Junge ganz tapfer.»

«Ist es okay, dass ich hier an Bord das Reden übernehme?», fragte Bastian, als er mit Hansen wenig später vor der Warnemünde-Suite stand. «Schließlich bist du hier zuständig und nicht ich.»

«No problem», sagte Hansen. «Besser, ich beobachte und höre zu und suche nicht in meinem Kopf nach deutschen Worten. Außerdem: Das sind deine Leute, und du hast mehr Erfahrung in solche Sache.»

Bastian klopfte, und sofort antwortete eine energische Männerstimme. Vermutlich der Schiffsarzt.

«Mein Name ist Matt, Kripo Münster», rief Bastian. «Neben mir steht Knut Hansen von der hiesigen Polizei.»

Ein großer hagerer Mann in einem hellen Leinenanzug öffnete die Tür. «Was macht ein Kripobeamter aus Münster auf Spitzbergen?»

«Das ist eine lange Geschichte, Herr …»

«Dr. Holthoff, ich bin der Arzt hier an Bord.»

Bevor Holthoff Einwände erheben konnte, schoben sich Bastian und Hansen an ihm vorbei in die Kabine. Die Warnemünde-Suite war ungefähr halb so groß wie Helenes Reich, aber immer noch groß genug, um neben einem stattlichen Doppelbett eine Sitzecke mit Sofa und zwei Sesseln unterzubringen. Auf einem der Sessel lag ein gutaussehender Jüngling, dem eine dunkle Haartolle ins Gesicht fiel. Frederik Lambert hatte geweint, aus rot unterlaufenen Augen schaute er seinen Besuchern entgegen.

«Mein herzliches Beileid, Herr Lambert», sagte Bastian.

«Von mir auch», schloss sich Hansen an.

«Danke», kam es matt zurück.

«Herr Lambert steht verständlicherweise unter Schock», erklärte Holthoff. «Ich habe ihm ein Beruhigungsmittel gegeben. Sie sollten sich kurzfassen und ihn nicht unnötig aufregen.»

«Das werden wir», versicherte Bastian. Und an Frederik gewandt: «Sind Sie in der Lage, uns einige Fragen zu beantworten?»

«Ich werde es versuchen.» Der Junge lächelte traurig. «Aber ich begreife immer noch nicht, wie er so etwas tun konnte.»

«Wer?»

«Na, Rafael. Rafael van Meulen, Mamas Assi. Haben Sie die beiden nicht auf dem Bett gesehen?» Frederik schniefte. «Sie hat ihm nie etwas vorgemacht.»

«Sie denken, Rafael van Meulen hat erst Ihre Mutter ermordet und sich dann selbst erschossen?», vergewisserte sich Bastian.

«Ja. Wie soll es sonst gewesen sein?»

«Beim ersten Hinschauen sieht es aus wie eine doppelte Selbstmord», warf Hansen ein.

«Nein.» Frederik schüttelte den Kopf. «Mama hätte das nicht gewollt. Selbstmord stand definitiv nicht auf ihrer Agenda.»

«Und warum sollte van Meulen sie ermordet haben?», fragte Bastian.

«Aus enttäuschter Liebe, was weiß ich. Rafael war vernarrt in meine Mutter, er hat sie vergöttert. Sie musste nur mit dem kleinen Finger winken, dann hat er Männchen gemacht.» Frederik zog die Nase hoch. «Sie werden es ja sowieso herausfinden, deshalb sage ich es Ihnen gleich: Meine Mutter hat mit Rafael geschlafen. Sie hatte eine Affäre mit ihm. Denken Sie darüber, was Sie wollen, Altersunterschied und so. Aber niemals hätte sie die Verbindung offiziell gemacht. Da konnte sie nüchtern zwischen oben und unten unterscheiden.»

«Und van Meulen war unten?»

«Selbstverständlich. Er war recht ansehnlich gebaut und zudem ein ordentlicher Sekretär. Mehr aber auch nicht. Wahrscheinlich wollte er das nicht einsehen, hat sie unter Druck gesetzt und irgendwelche Scheiße gelabert, von wegen, dass sie zu ihm stehen soll oder so. Und sie, sie hat ihn eiskalt abfahren lassen, das konnte sie gut, darin war Mama einsame Spitze. Da hat er …» Frederik bildete aus Daumen und Zeigefinger seiner rechten Hand eine Pistole. «Scheiße …» Er kniff die Augen zusammen und machte ein schmerzverzerrtes Gesicht. «Ich werde das Bild nie vergessen.»

«Meine Herren!», sagte Holthoff.

«Noch zwei, drei Fragen», bat Bastian.

«Ist schon okay», nickte Frederik.

«Wann haben Sie Ihre Mutter zuletzt gesehen?»

«Gestern Abend, beim Abendessen. Wir wollten uns eigentlich später noch in der Bar treffen. Als sie nicht erschienen ist, dachte ich …»

«Sie dachten, dass Ihre Mutter mit Rafael van Meulen zusammen ist?»

«Logisch. Weil er auch nicht zu sehen war.» Frederik strich sich die widerspenstige Tolle aus dem Gesicht. «Sie wusste schließlich, was sie tat. Es gab keinen Grund, mir Sorgen zu machen.»

«Niemand macht Ihnen einen Vorwurf», sagte Bastian. «Wie wirkte Ihre Mutter gestern Abend auf Sie? War sie irgendwie anders als sonst?»

«Sie war ein bisschen neben der Spur, hörte nicht richtig zu. Allerdings kommt das bei ihr öfter vor, wenn ihr Dinge durch den Kopf gehen. Sie hat eine große Firma zu leiten. Nach dem Essen ist sie dann auch gleich aufgestanden und in ihre Kabine gegangen.»

Bastian nickte. «Herr Lambert, ist Ihnen in den letzten Tagen etwas aufgefallen? Hat sich jemand für Ihre Mutter interessiert, sie vielleicht beobachtet?»

«Nein. Warum fragen Sie?»

«Haben Sie von den Morden im Münsterland gehört, denen die Geschäftspartner Ihrer Mutter zum Opfer gefallen sind? Bankier Mergentheim und Professor Weigold?»

«Ja, natürlich.» Frederik riss die Augen auf. «Denken Sie, dass meine Mutter … Wie sollen die denn aufs Schiff gekommen sein? Wir sind seit neun Tagen unterwegs.»

«Das kann ich Ihnen nicht beantworten», gab Bastian zu. «Es ist jedoch möglich, dass hinter den Mordanschlägen eine ganze Gruppe steckt, dann müssen die Täter nicht identisch sein. Vielleicht waren die Mörder schon zu Beginn der Reise an Bord, während ihre Komplizen im Münsterland zuschlugen.»

«Und was ist mit Rafael? Wieso haben sie ihn ermordet?»

Bastian seufzte. «Weil die Täter versucht haben, das Mordmotiv zu verschleiern. Es sollte nach einem Doppelselbstmord aussehen oder – wie Sie annahmen – nach einem Mord aus enttäuschter Liebe. Das entspricht dem Muster der ersten beiden Mordfälle, wenn auch in unterschiedlicher Ausführung.»

Frederik starrte Bastian mit offenem Mund an. Offenbar sickerte das, was er soeben gehört hatte, nur sehr langsam in sein Bewusstsein. Bastian empfand dafür vollstes Verständnis. Es war erstaunlich genug, dass der Junge so kurz nach dem Verlust seiner Mutter in der Lage war, die Ereignisse zu reflektieren. Bastian selbst hätte das vermutlich nicht gekonnt.

Frederik senkte den Kopf und betrachtete das Muster auf dem Teppich.

«Sie sollten jetzt wirklich gehen», sagte Holthoff.

«Einen Moment noch», widersprach Bastian. Er hatte den Eindruck, dass Frederik ein Verdacht gekommen war. «Herr Lambert, Sie standen Ihrer Mutter am nächsten. Sie waren fast ständig mit ihr zusammen. Wenn uns jemand helfen kann, dann sind Sie es.»

«Rike», sagte Frederik tonlos.

«Bitte?»

«Rike. Eine Studentin aus Hannover. Wir haben geflirtet. Wie das halt so ist auf einer Kreuzfahrt. Man hat viel Zeit und nichts zu tun. Man langweilt sich tierisch. Schauen Sie sich doch mal um: Neunundneunzig Prozent der Frauen auf diesem Kahn, abgesehen von den Philippininnen im Service, sind über sechzig. Eine Frau unter dreißig war für mich wie eine Offenbarung. Rike sieht ganz gut aus, nicht sensationell, aber ... Um es kurz zu machen: Wir sind im Bett gelandet.»

«Und?», fragte Bastian.

«Na ja, zuerst dachte ich, wir wären uns rein zufällig begegnet. Aber jetzt, wo Sie es erwähnen, kommt es mir doch so vor, als hätte mich Rike gezielt angebaggert. Und sie war auch nicht richtig bei der Sache, beim Sex, meine ich. Eigentlich hat sie sich gar nicht für mich interessiert, sondern mehr für meine Mutter. Ständig hat sie mich über Helene ausgefragt, wie reich sie ist, wie sie die Firma aufgebaut hat, was ich über die Produkte der Firma weiß. Solche Sachen eben. Das hat mich schon echt angenervt.»

«Wie heißt diese Rike mit Nachnamen?»

«Habe ich nie gefragt.» Frederik schaute auf. «Sorry, Herr Kommissar, Sie halten mich jetzt sicher für oberflächlich. Aber ich hatte nie die Absicht, mit Rike eine langfristige Beziehung einzugehen.»

«Wann waren Sie zuletzt mit ihr zusammen?»

«Gestern Nacht. Aber nur kurz. Sie war total abgetörnt. Da lief überhaupt nichts.»

«Und wo ist diese Rike jetzt?», fragte Hansen.

«Keine Ahnung. Wahrscheinlich an Land gegangen.»

|||||

Auf dem Weg zur Brücke, den ihnen Dr. Holthoff beschrieben hatte, mussten sie irgendwo falsch abgebogen sein, jedenfalls fanden sie den durch eine Stahltür verschlossenen Eingang zur Kommandozentrale des Schiffes erst, nachdem sie sich erneut erkundigt hatten.

Kapitän Visser empfing sie mit gespannter Erwartung: «Sind Sie schon einen Schritt weitergekommen?»

«Vielleicht», sagte Bastian. «Ich nehme an, Sie haben alle Passagierdaten in Ihrem Computersystem?»

«Selbstverständlich. Man muss an allen Stationen darauf zugreifen können.»

«Ich suche eine junge Frau namens Rike. Das ist der Vorname, möglicherweise die verkürzte Form. Nachname unbekannt. Sie ist mit dem jungen Lambert befreundet.»

«Ich weiß, wen Sie meinen», antwortete Visser, ohne zu zögern. Er tippte ein paar Befehle in seinen Computer und las ab. «Sie heißt Mareike Vollmer. Eine Deutsche.»

«Kennen Sie sie?», fragte Bastian.

«Natürlich. Es gehört zu meinem Job, die Passagiere im Auge zu behalten. Und wenn der Sohn meines wichtigsten Gastes – ich spreche von Helene Lambert – mit einem Mädchen turtelt, weiß ich spätestens nach einer halben Stunde, um wen es sich handelt.»

«Können Sie mir mehr über Frau Vollmer sagen?»

«Sie ist erst in Tromsø zugestiegen, zusammen mit zwei Burschen in ihrem Alter. Die drei haben eine Dreibettkabine auf dem Budgetdeck, der billigsten Kategorie. Eine merkwürdige Ménage-à-trois, wenn man bedenkt, dass sich Mareike direkt auf Frederik Lambert gestürzt hat, der sechs Decks über ihr logiert.» Der Kapitän grinste. «Eine Liebesgeschichte auf Titanic-Niveau, nur mit umgekehrten Geschlechtern.»

«Tromsø?» Bastian war elektrisiert. «Wann war das?»

«Vor vier Tagen. Spielt das eine Rolle?»

Warum hatten sie diese Möglichkeit übersehen? Bei der Mordkommission in Münster waren sie davon ausgegangen, dass sich Helene Lamberts Gefährdung in Grenzen hielt, da sie sich zum Zeitpunkt der ersten Morde bereits auf See befunden hatte. Daran, dass die Mörder erst später an Bord gehen könnten, hatten sie schlicht nicht gedacht.

«Ist das nicht ungewöhnlich, dass Passagiere erst so spät zusteigen und einen Teil der Reise verfallen lassen?»

«Ja», sagte Visser. «Aber es kommt vor. Bei Terminschwierigkeiten. Bezahlen musste Frau Vollmer die Reise allerdings komplett.»

Bastian warf Hansen einen Blick zu. Der Verdacht, der sich nach Frederik Lamberts Äußerungen vage gebildet hatte, wurde konkreter.

«Haben Sie ein Foto von Frau Vollmer?», wandte sich Bastian an den Kapitän.

Visser erklärte, dass alle Reisenden beim Betreten des Schiffes fotografiert würden, zum einen für den Bordausweis, der die Gesichtskontrolle nach der Rückkehr von Landausflügen ermögliche, zum anderen seien die Servicekräfte angehalten, jeden Gast, der eine kostenpflichtige Bestellung aufgabe, einwandfrei zu identifizieren, um Reklamationen am Ende der Reise zu vermeiden.

Bastian und Hansen stellten sich neben den Kapitän, der die digitale Abbildung von Mareike Vollmer auf seinen Bildschirm holte.

«Hast du die Mädchen schon mal gesehen?», fragte der norwegische Polizist seinen deutschen Kollegen.

Und ob. Sie hatte ihre Haare gekürzt und blondiert und versucht, mit reichlich Make-up ihre Gesichtszüge zu verändern. Trotzdem erkannte Bastian sie sofort. Mareike Vollmer war Annika Busch.

Hansen nahm die Mitteilung mit Bestürzung auf. «Oh, verdammt.»

«Sie ist um acht Uhr dreißig von Bord gegangen», ergänzte der Kapitän. «Zusammen mit ihren Kabinengenossen.»

«Wir benötigen Verstärkung», stellte Bastian sachlich fest. «Am besten, wir greifen zu, sobald die drei das Schiff bei ihrer Rückkehr betreten. Doch dazu brauchen wir mehr Leute, sonst könnte die Situation außer Kontrolle geraten. Außerdem muss der Flughafen überwacht werden. Vielleicht haben sie gar nicht vor, weiter mit dem Schiff zu fahren.»

Hansen kratzte sich am Kopf. «Verstärkung? Wie meinst du das?»

«Na, so wie ich es sage, Knut. Mehr Polizisten. Wir sollten ihnen mindestens dreifach überlegen sein.»

«Das ist ein Problem.»

Eine Ahnung beschlich Bastian. «Heißt das, die Polizei auf Spitzbergen besteht nur aus drei Beamten?»

«Nein, wir sind vier. Aber Harald hat heute seine freien Tag.»

Und Bastian selbst war zum Zuschauen verdammt, weil man ihm keine Pistole anvertrauen würde. «Scheiße.»

«Du sagst es.»

«Du musst diesen Harald anrufen.»

«Geht nicht. Er ist auf See. Mit seinem Boot.»

«Dann hol wenigstens Tor hierher. Jeder Mann ist wichtig.»

«Gute Idee», nickte Hansen. «Ich sage ihn Bescheid.»

Ein Klingelton unterbrach ihre Unterhaltung. Kapitän Visser aktivierte einen Bildschirm, der den Vorraum der Brücke zeigte. Lars, der Polizist mit dem Spurensicherungskoffer, gestikulierte wild in Richtung Kamera.

Visser drückte auf einen Knopf, und Lars betrat die Brücke. Kaum hatte er Knut Hansen entdeckt, überschüttete er ihn mit einem Wortschwall. Bastian sah, dass Hansen bleich wurde. Die schlechten Nachrichten rissen anscheinend nicht ab.

«Es hat einen Störfall gegeben», sagte Hansen. «An der *Global Seed Vault*.»

«Der globalen Samenbank», übersetzte Visser.

«Jemand ist ohne Permission reingegangen.»

«Arbeitet Vogtländer nicht bei der Samenbank?», erkundigte sich Bastian.

Hansen nickte.

«Dann sind sie bereits hinter ihm her.»

Achtundzwanzig

Er würde es nicht schaffen. Er würde hier sterben. Den Kälte-
tod. Erfroren in der Lagerhalle der globalen Samenbank. Was für
ein Scheißtod. Was für ein Scheißleben. Nichts, rein gar nichts
hatte er aus seinem Leben gemacht. Dabei hatte es eigentlich
ganz vielversprechend angefangen. Behütete Kindheit. Überbe-
hütet manchmal, doch ohne große Schrecken. Der Vater Lehrer,
altsprachlich, ein bisschen streng, ein bisschen klugscheißerisch,
ansonsten ganz okay. Die Mutter verhuscht, aber liebevoll. Redete
dem Vater nach dem Mund, solange er anwesend war, verwöhnte
den kleinen Ulrich, sobald sie allein waren. Ulrich, das Einzelkind.
Intelligent, schwächlich, von seinen Klassenkameraden gehän-
selt, in Maßen neurotisch, ein Einzelkind eben. Für Geschwister
fehlte das Geld. Es gab Wichtigeres. Ein neues Auto, Sparen für
ein Eigenheim, der jährliche Italienurlaub. Drei Wochen Riviera.
Cesenatico, ja, so hieß der Ort. Eine Pension, in der man Deutsch
sprach. Sand, Hitze, Langeweile. Der kleine Ulrich baute Sand-
burgen und spielte mit anderen Kindern. Die Eltern tranken italienischen Rotwein, mittags, abends. Der Vater erzählte vom Krieg,
Schützengraben am Wolchow in Russland, fröhliches Schießen
zwischen Deutschen und Russen. Nach Rotwein und Krieg gingen die Eltern aufs Zimmer. Ulrich musste draußen bleiben und
noch eine Runde spielen. Erst später verstand er, was die Eltern

machten, wenn sie ihn nicht dabeihaben wollten. Eine behütete Kindheit eben. Man sprach nicht über Sex. Statt Aufklärung ein Aufklärungsbuch, das ihm die Mutter verschämt zusteckte. Über Geld redete man umso mehr. Für was es reichte und für was nicht. Die Nachkriegszeit war vorbei, man wollte leben. Für ein Kind reichte das Geld. Gymnasium, Studium, der Junge sollte es besser haben. Und Ulrich bemühte sich, bestand die Prüfungen mit Bestnoten. Alle waren der Überzeugung, dass aus ihm ein exzellenter Wissenschaftler würde. Hochschulkarriere, Professur, Renommee, Privilegien. Ein größeres Eigenheim als die Eltern, eine hübsche Frau, mindestens zwei Kinder. Das perfekte Leben. Dann war es anders gekommen.

Ulrich Vogtländer schloss die Augen. Nur jetzt nicht einschlafen. Noch nicht. Einschlafen war der Tod. Er würde nicht mehr aufwachen.

Sie hatten ihn vor der ersten Stahltür eingeholt, die beiden Männer und die Frau. Das Tor am Eingang war nicht schnell genug eingerastet. Schon im Tunnel hatte er ihre Schritte hinter sich gehört. Schnelle, dynamische Schritte. Er dagegen tapste kraftlos. Aber die Panik hatte ihn angespornt. Und so hatte er die erste Stahltür der Kühlkammer vor ihnen erreicht. Seine letzte Hoffnung bestand darin, rechtzeitig die Tür hinter sich zu verschließen. Im Korridor vor der eigentlichen Lagerhalle würde er überleben, den Schlüssel-Code der Tür konnten seine Verfolger nicht knacken. Doch dann hatte er einen Schwächeanfall erlitten. Ausgerechnet in dem Moment, als sich die Tür öffnete, war er zusammengebrochen. Sie hatten ihn hochgezogen, ins Innere geschleift, getreten. Geredet hatten sie auch, die Frau vor allem. Vogtländer hatte nicht verstanden, was sie sagte. Es spielte auch keine Rolle, er wusste ohnehin, um was es ging. Und was sie von ihm wollten: seinen Tod.

Sie hatten ihn durch die Kälteschleuse in die Lagerhalle gebracht, erneut geschlagen und getreten und ihn dann liegen gelassen. Bei achtzehn Grad minus. Ein gesunder Mensch hielt das ohne Thermokleidung ein paar Stunden aus. Aber er war nicht gesund, er war todkrank, verletzt und erbärmlich schwach. Trotzdem hatte er es versucht. Noch einmal aufzustehen und sich in den Korridor zu schleppen. Es ging nicht. Er hatte keine Kraft mehr.

Nur nicht entspannen. Auch wenn es verlockend war. Nicht mehr kämpfen müssen. Nachgeben. Den Tod akzeptieren. Vogtländer spürte die Kälte nicht mehr. Genauso wenig wie seine Beine und Arme. Ihm war jetzt ganz warm.

Er dachte an Helene. An ihren glatten, außerirdisch schönen Körper. An ihre Haare, die auf seiner Brust lagen. Damals, in Münster, in ihrem Studentenapartment. Sie hatten sich geliebt, die ganze Nacht lang. Sie waren so jung und gierig gewesen. Gierig nach Leben, nach Sex, nach Erfolg. Helene hatte ihn mitgerissen, hatte ihn in ihre Welt geholt. Eine Welt, in der andere Maßstäbe herrschten. Helenes Gesetze. Helenes Moral. Helenes Logik. Es hatte vor und nach Helene andere Frauen in seinem Leben gegeben. Aber keine war auch nur annähernd an ihre Klasse herangekommen. Und an ihre eiskalte Entschlossenheit.

Sie hatte ihn geformt und zu ihrem Geschöpf gemacht. Und ihn verstoßen, als er anfing, wieder eigenständig zu denken. Er hatte sich gefühlt wie ein Taucher, dessen Luftschlauch plötzlich durchgeschnitten wird. Von einem Tag auf den anderen war die Verbindung gekappt. Helene hatte ihn zurückgelassen – als seelischen Krüppel.

Es gab Affären, hier und da. Mal dauerten sie ein paar Tage, mal ein paar Monate. Sie halfen ihm, die Leere in seinem Leben zu verdrängen. So wie der Alkohol. Die glorreiche Hochschulkarriere, die ihm bevorgestanden hatte – nur noch eine bröckelnde Ruine. Er hangelte sich von einem Forschungsprojekt zum nächsten, angewiesen auf Christians Gnade. Dabei wusste er, dass Christian ihm nur half, weil Helene dafür sorgte. Noch immer hing er an Helenes Fäden. Sie wachte über ihn. Schließlich war er ein wandelndes Risiko, das ihr wachsendes Imperium zerstören konnte.

Spitzbergen war seine Rettung gewesen. Seine Flucht aus der Welt. Eine Existenz als Einsiedler. Ohne Frauen, ohne Alkohol, ohne Zwang, etwas beweisen zu müssen. Viele Jahre vergingen in erträglicher Halbdepression. Bis sich Bo meldete und die Zweifel zurückkamen. Der Drang größer wurde, reinen Tisch zu machen. Sich als das zu outen, was er war: ein Lügner, ein Betrüger, ein Verbrecher. Jeden Tag focht er diesen Kampf aus.

Und dann kam der Krebs. Vielleicht hing beides zusammen. Vielleicht war auch dafür Helene verantwortlich. Hatte sie ihm nicht das Gift injiziert, das sein Leben zersetzte? Und am Ende seinen Körper?

Zumindest eines hatte er Helene zu verdanken: dass er hier lag, dass er hier sterben würde. Ohne ihre Ankunft in Longyearbyen hätte er noch einige Tage oder Wochen länger geatmet. Was für ein lächerlicher Gedanke. Nein, er hatte dieses Ende verdient. Das beschissene Ende eines beschissenen Lebens.

Er dachte an seinen Sohn. Frederik. Wie alt mochte er jetzt sein? Zweiundzwanzig? Dreiundzwanzig? Kein Kind mehr, ein Mann. Wem er wohl ähnlicher sah, Helene oder ihm, seinem Vater? Wie gern hätte er Frederik wenigstens einmal in den Arm genommen, mit ihm über alles geredet, was sie verband und trennte. Vielleicht hätten sie sich verstanden, vielleicht hätten sie zusammen gelacht und geweint, vielleicht … Zu spät.

Die Gedanken verschwammen. Er begann zu träumen. Flog mit dem Schneemobil über das bläulich schimmernde Eis. Der schwarzblaue Februarhimmel. Keine Menschenseele. Nur Eis und Berge. Ein Licht am Horizont. Gleißend hell.

Vogtländer fuhr darauf zu. Bald würde ihn das Licht umhüllen. Um ihn herum tanzten Gestalten aus Nebel. Sie griffen nach seinen Armen und Beinen. Hoben ihn hoch und trugen ihn fort.

Mitten ins Licht.

Neunundzwanzig

Gibst du mir eine Waffe?», fragte Bastian.

Knut Hansen schüttelte den Kopf.

«Warum nicht?»

«Würde ich ja. Aber wir haben keine zu viel.»

Super, dachte Bastian. Drei norwegische Polizisten und ein Zivilist gegen drei Verrückte, die zu allem entschlossen waren. Die beste Voraussetzung für ein Desaster.

«Ich habe mit Tromsø telefoniert», sagte Hansen. «Sie sind auf dem Weg.»

«Wie lange dauert das?»

«Zwei Stunden. Oder drei.»

Bis dahin konnten sie alle tot sein.

Immerhin war Tor zu ihnen gestoßen. Hansen hatte sich dafür eingesetzt, dass Yasi freigelassen wurde. Bastian war es gelungen, kurz mit ihr zu telefonieren. Er hatte sie gebeten, im Hotel auf ihn zu warten. Sie war besorgt gewesen, natürlich, und er hatte versucht, sie zu beruhigen, von einem normalen Polizeieinsatz gesprochen, als ob so etwas jede Woche vorkommen würde. Dabei hatte er erst zweimal in seiner gesamten Polizeilaufbahn im Dienst eine Kugel abgefeuert. Einmal ganz am Anfang, kurz nach der Ausbildung, als er und seine Kollegen von einer Gruppe Neonazis angegriffen wurden. Ein Warnschuss, weit über die

Köpfe der Heranstürmenden. Mit dem zweiten Schuss, Jahre später, hatte er einen Hund getötet. Der Hund war von einem Auto angefahren worden und litt fürchterlich, Bastian hatte ihm den Gnadenschuss gegeben.

Noch ein Kilometer bis zum Flughafen. Im Auto roch es nach Schweiß. Männerschweiß mit einer Prise Angst. Bastian hatte Hansen eindringlich gewarnt, dass sie mit dem Schlimmsten rechnen mussten. Und Hansen hatte die Warnung an seine Kollegen weitergegeben.

Tor, der neben Bastian auf der Rückbank saß, guckte starr geradeaus. Die Augen von Lars, der den Wagen lenkte, waren hinter einer verspiegelten Sonnenbrille versteckt. Hansen telefonierte.

«Sie sind noch in der *Vault*.» Hansen stand in ständiger Verbindung mit der Managerin der Samenbank, die von ihrem Büro in der Innenstadt aus das Geschehen über Videokameras verfolgte. Daher wussten sie, dass Mareike Vollmer alias Annika Busch und die beiden Männer Vogtländer überwältigt und in die Kühlkammer geschleppt hatten. Der Biologe würde sterben, wenn es ihnen nicht gelang, ihn in der nächsten halben Stunde herauszuholen.

Falls er nicht schon tot war.

«Wo sind sie genau?», fragte Bastian.

«Auf dem Weg nach Ausgang.»

Lars bog von der Flughafenstraße ab und fuhr den Berg hinauf. Der Eingang zur Samenbank steckte wie ein stählerner Keil im Felsen.

«Du bleibst im Auto», sagte Hansen.

«Das könnte dir so passen», erwiderte Bastian. «Ich komme mit.»

Hansen seufzte. «Aber mach keine dummen Dinger. Du bist hinter mir, verstanden?»

Lars stoppte den Polizeiwagen auf dem kleinen Parkplatz gleich unterhalb des Eingangs. Die Männer sprangen heraus, Hansen sagte etwas, Lars und Tor nickten mit versteinerten Gesichtern. Bastian sah, wie die Norweger ihre Pistolentaschen öffneten, dann liefen sie mit gezogenen Waffen den asphaltierten Weg hinauf.

Bastian folgte ihnen zum Tor, auf dessen Schwelle ein Felsbrocken lag. Wie eine kaputte Aufzugtür rasselte der Stahlmechanismus immer wieder gegen den Stein. Sie quetschten sich durch den Spalt, den der Brocken offen hielt, und standen in dem hell erleuchteten Tunnel. Der denkbar schlechteste Ort für eine Festnahme, die glatten Tunnelwände boten keinerlei Deckung. Aber auch draußen, vor dem Eingang, hatte Bastian keine geeignete Stelle entdeckt. Und sie mussten unbedingt verhindern, dass die Mörder entkamen und womöglich Geiseln nahmen, um ihre weitere Flucht zu erzwingen.

Hansen hielt seine Kollegen an, sich über die Breite des Tunnels zu verteilen, so boten sie wenigstens kein einheitliches Ziel. Dann drehte er sich zu Bastian um: «Geh zurück ein Stück.»

Pro forma machte Bastian drei Schritte rückwärts. Das Trio, das Vogtländer gejagt hatte, war noch etwa fünfzig Meter entfernt. Die beiden Männer und Annika Busch hatten die Polizisten längst gesehen. Sie waren kurz stehen geblieben, um sich zu beraten, anschließend hatten sie sich weiter auf den Tunnelausgang zubewegt. Im gemächlichen Tempo, als wären sie Besucher eines Museums. Für Verbrecher in einer ausweglosen Situation wirkten sie erstaunlich ruhig. Konnte es sein, dass sie noch immer an ihre Chance glaubten? Verrückt genug waren sie ja.

Das mulmige Gefühl, das Bastian während der Autofahrt gespürt hatte, wurde stärker. Es sah nicht so aus, als würden sich die drei widerstandslos festnehmen lassen.

«Police!», rief Hansen. «Hands up! I want to see your hands.»

Keine sichtbare Reaktion.

«Polizei!», versuchte es Hansen auf Deutsch. «Nehmt die Hände über eure Köpfe! Sofort!»

Die drei gingen weiter, die Hände dicht am Körper. Bastian konnte nicht erkennen, ob sie Schusswaffen trugen. Aber es hätte ihn gewundert, wenn es nicht so gewesen wäre.

«Last warning!», brüllte Lars.

Ein Schuss, dessen Knall von den Metallwänden irrwitzig verstärkt wurde. Unmöglich zu sagen, wer ihn abgefeuert hatte. Dann sah Bastian das nächste Mündungsfeuer unten im Tunnel. Die Kugel schepperte an der Wand entlang. Hansen schrie etwas, und die Polizisten legten sich flach auf den Boden. Auch Bastian warf sich hin und robbte näher an Hansen heran. Jetzt schossen alle auf einmal, Dutzende Kugeln verursachten einen infernalischen Lärm, ein Querschläger prallte direkt neben Bastian von der Seitenwand ab.

Nach einer Viertelstunde oder einer Minute – Bastian hatte jegliches Zeitgefühl verloren – hörte die Schießerei auf. Stille trat trotzdem nicht ein, in Bastians Ohren kreischte ein Tinnitus, als läge er direkt unter einer Metallsäge. Tor schrie. Doch Bastian konnte es nicht hören, so taub, wie seine Ohren waren. Aber er sah, wie Tor den Mund aufriss und sein Bein umklammerte. Offenbar hatte eine Kugel seinen Oberschenkel getroffen, auf dem Stoff der Uniformhose bildete sich ein kreisrunder, dunkler Fleck.

Bastian schaute zu Hansen und Lars. Beide schienen unverletzt. Hansen stützte sich auf seine Ellenbogen und schaute auf. Bastian machte es ihm nach. Einer der Männer lag reglos auf dem Tunnelboden, der andere krümmte sich vor Schmerzen. Annika Busch kniete, eine Pistole mit beiden Händen haltend.

Zeit verstrich. Das Kreischen der Metallsäge verwandelte sich in ein unangenehmes, monotones Sirren. Wie durch Watte hörte Bastian Hansens Stimme: «Waffe weg!»

Und das Unmögliche geschah. Annika Busch warf die Pistole weg und hob die Hände.

Immer noch halb taub, verständigten sie sich mit Handzeichen über die Aufgabenverteilung. Lars wollte sich um Tor und den Transport der Verletzten kümmern, Hansen und Bastian, der Tors Pistole an sich genommen hatte, gingen den Tunnel hinunter. Während der Schießerei hatte Bastian eine fast überirdische Ruhe gespürt, doch jetzt konnte er das Zittern seiner Hände nicht unterdrücken. Eine natürliche Reaktion des Körpers beim Abbau von Adrenalin, das hatte er auf der Polizeihochschule gelernt. Wozu Lehrbuchwissen doch manchmal nützlich war.

Immerhin ging es Hansen nicht besser, wie Bastian mit einem Seitenblick sah.

«Ich behalte den Typ ganz links und den Verletzten im Auge. Du übernimmst die Frau.» Bastians Stimme hatte einen vierfachen Hall. Es klang wie bei einem Fahrgeschäft auf der Kirmes, wenn der Ansager den ultimativen Kick ankündigt.

«Der linke Typ ist tot, oder?», gab Hansen zurück. Seine Stimme hörte sich genauso verzerrt an.

«Sieht so aus. Aber vielleicht ist das ein Trick.»

Bastian traute weder der Situation noch sich selbst. Bei Schießübungen im Polizeipräsidium auf eine Wand zu feuern, auf die Personen projiziert wurden, war eine Sache. Das hier war eine ganz andere Nummer. Im Schießkeller konnte man höchstens auf das falsche Dia feuern und musste zur Strafe die Übung wiederholen – hier würde jeder Fehler fatale Folgen haben.

Der Verletzte, ein Mann mit kurzen blonden Haaren und wachsbleichem Gesicht, blutete aus dem Arm. «Helfen Sie mir, Mann. Ich verblute.»

«Später.» Bastian kickte die Pistole des Verletzten zur Seite. Dann wandte er sich der auf dem Bauch liegenden Gestalt zu.

«Er ist tot, das sehen Sie doch.»

Bastian antwortete nicht, hielt seine zitternde Pistole auf den regungslosen Körper gerichtet und drehte ihn mit dem Fuß um. Tatsächlich, die Brust war in der Herzgegend von zwei Kugeln getroffen worden. Noch ein Fußtritt und die zweite Pistole schlitterte über den Tunnelboden. Bastian entspannte sich etwas. Was jedoch nur dazu führte, dass das Zittern sich verstärkte. Seine Nebenniere musste literweise Adrenalin produziert haben.

Unterdessen hatte Hansen Annika Busch in Schach gehalten. Bastian ging zu ihnen hinüber. In einem Film, schoss es ihm durch den Kopf, würde die Szene sicher albern wirken: Zwei bewaffnete Polizisten standen zitternd vor einer zierlichen, knienden Frau.

Hansen reichte ihm ein Paar Handschellen.

Annika Busch guckte Bastian an. «Dich kenne ich doch. Du bist aus Münster.»

Bastian wollte gerade Buschs Hände auf den Rücken drehen, als er sah, wie ihr ein Blutstropfen aus dem Mund lief.

Sie hustete und spuckte Blut auf den eisbedeckten Boden. «Ihr habt ja keine Ahnung.» Dann fiel sie um und blieb liegen.

«Scheiße», sagte Hansen. «Nicht die auch noch!»

Bastian öffnete den Mantel der Frau. Der Pullover darunter war feucht und dunkelrot. «Ich glaube, sie ist tot.»

«Verdammt», fluchte Hansen.

«Es ist nicht deine Schuld.»

«Sieh zu, was mit Vogtländer ist», sagte Hansen. «Ich bleibe hier.»

Bastian rannte los. Dreißig Meter hatte er bereits zurückgelegt, als ihm einfiel, dass er nicht mal wusste, wo sich Vogtländer genau befand. Und dass er sich in der Samenbank überhaupt nicht auskannte. War das, was er hier machte, nicht total unsinnig? Konnte man sich in den Gängen verirren? Oder selbst versehentlich einschließen, in Dunkelheit und Kälte? Am Ende vielleicht wie Vogtländer erfrieren?

Hör auf damit!, sagte sich Bastian. Er zwang sich, die negativen Gedanken beiseitezuschieben. Vor ihm tauchte eine geöffnete Stahltür auf. Dahinter befand sich ein Flur. Nackte weiße Wände, grelles Neonlicht, ein paar freiliegende Rohre und Messinstrumente. Riesig schien die Samenbank jedenfalls nicht zu sein, er entdeckte lediglich drei weitere Türen. Und nur an der mittleren zeigten sich Gebrauchsspuren. Hatte Hansen nicht gesagt, dass Vogtländer in der Kühlkammer liegen würde?

Bastian atmete tief ein und öffnete die mittlere Tür. Ein eisiger Hauch schlug ihm entgegen. Zuerst kam ein gläserner Durchgang, vergleichbar den Sicherheitsschleusen an Flughäfen und Gerichten. Erst dahinter erstreckte sich der Lagerraum mit Regalreihen voller Kisten. Bastian spürte, wie die Kälte durch seine Kleidung drang.

«Dr. Vogtländer?»

Keine Antwort.

Er wandte sich nach rechts. Gleich im zweiten Gang sah er ihn. Seine Lippen waren blau verfärbt, er rührte sich nicht.

Bastian kniete sich neben den malträtierten Kopf des Bewusstlosen. Vogtländer war offensichtlich verprügelt worden. «Hören Sie mich?»

Bastian rüttelte an den Schultern. Der Kopf des Biologen fiel zur Seite. Ohne große Hoffnung griff Bastian nach dem spindeldürren Handgelenk und versuchte, einen Puls zu finden. Das Herz schlug. Schwach zwar, aber es schlug.

Vogtländer lebte.

Dreißig

Nein, er war nicht tot. Es sei denn, der Himmel oder die Hölle sahen aus wie ein Krankenhaus. Genauer gesagt: wie das Krankenhaus von Tromsø. Vogtländer erkannte den Raum. In diesem oder einem ähnlichen hatte er schon mehrfach gelegen. Selbst das Ticken der Instrumente über seinem Kopf und der Anblick der Schläuche und Infusionsbeutel kamen ihm vertraut vor.

Vorsichtig bewegte Vogtländer seine Gliedmaßen, zuerst die Arme, dann die Beine, nacheinander testete er Finger und Zehen. Es schien noch alles an seinem Platz zu sein, nichts erfroren oder amputiert. Beinahe hätte er gelacht. Dass er immer noch lebte, war ein Witz, ein übler Scherz des Schicksals. Irgendeine Macht oder was auch immer dafür verantwortlich war, wollte, dass er sein Leiden bis zum Ende auskostete. Vogtländer wusste, was ihm bevorstand: ein paar Wochen Siechtum und Schmerzen. Warum hatte man ihn nicht einfach erfrieren lassen?

Eine Krankenschwester kontrollierte den Tropf und sah, dass seine Augen geöffnet waren. «Sie sind wach?»

Vogtländer zwinkerte.

«Wie schön.» Sie lächelte fröhlich. «Ich sage Dr. Eriksson Bescheid.»

Vogtländer kannte Eriksson von seinen früheren Aufenthalten. Ein junger Arzt, der noch nicht vom Arbeitsalltag abgestumpft und gelegentlich zu einem Plausch an das Bett des Wissenschaftlers gekommen war. Vielleicht aus Mitgefühl, weil Vogtländer nie Besuch bekommen hatte. An manchen Abenden hatten sie eine halbe Stunde oder länger philosophiert, über das Leben und den Tod und die Ethik der Wissenschaft. Mehr als einmal war Vogtländer versucht gewesen, Eriksson von seinen persönlichen Verfehlungen zu erzählen. Die Angst, die Achtung des jungen Mannes zu verlieren, hatte ihn stets davon abgehalten.

Eriksson kam herein. Auch er lächelte. Vogtländer spürte, wie seine Augen feucht wurden. Es gab Menschen, die sich darüber freuten, dass er lebte.

«Dr. Vogtländer. Ich hätte es fast nicht mehr geglaubt.»

«Ich auch nicht», wollte Vogtländer sagen. Heraus kam nur ein Krächzen.

Eriksson gab ihm mit einer Schnabeltasse einen Schluck zu trinken. «Schonen Sie sich. Sie sind noch sehr schwach.»

«Wie lange …», flüsterte Vogtländer.

«Wie lange Sie hier sind? Vor drei Tagen hat man Sie mit dem Flugzeug hergebracht. Ehrlich gesagt, ich habe nicht damit gerechnet, dass Sie die Nacht überleben. Aber Ihr Herz ist ein kräftiger Muskel, der lässt sich nicht so leicht unterkriegen.»

«Wie lange habe ich noch?»

«Schwer zu sagen.» Eriksson machte ein ernstes Gesicht. «Sie kennen ja Ihre Prognose. Und der Kälteschock in der *Vault* hat Ihren Körper zusätzlich geschwächt. Allerdings sind die Organe, die nicht vom Krebs befallen sind, im Prinzip gesund. In Ihrem Alter lassen sich Abwehrkräfte mobilisieren, über die Siebzig- oder Achtzigjährige nicht mehr verfügen. Also ist es möglich, dass Sie noch eine Weile bei uns bleiben.»

Vogtländer wurde müde. «Kann ich …» Das Sprechen fiel ihm schwer.

«Soll ich jemanden benachrichtigen?» Eriksson drückte Vogtländers Hand. «Gibt es eine Person, die Sie sehen möchten?»

Frederik, dachte Vogtländer. Wie schön wäre es, wenn sein Sohn zu ihm kommen würde. Aber wahrscheinlich wusste Frederik nicht einmal, dass er sein Vater war.

Vogtländer schüttelte den Kopf. Dann schlief er ein.

ⅠⅠⅠⅠⅠ

Wenn Frederik nicht zu ihm kam, musste er zu Frederik reisen. Eine Wahnsinnsidee, das gestand Vogtländer sich ein. Doch warum sollte jemand mit seiner Zukunftsperspektive nicht eine verrückte Idee verfolgen? Was hatte er schon zu verlieren – außer seinem Leben? Eine Reise nach Deutschland war sein einziger Wunsch. Und mit Sicherheit würde es auch sein letzter sein.

Nein, es gab noch etwas, das er zu erledigen hatte. Die *Baba*-Samen mussten so schnell wie möglich verschickt werden, zusammen mit den Berichten. Doch dummerweise hing beides zusammen. Er konnte die Berichte nicht verschicken, ohne vorher mit Frederik gesprochen zu haben. Sein Sohn sollte die Wahrheit über seine Mutter und seinen Vater nicht aus den Medien erfahren, er musste ihn schonend darauf vorbereiten. Und hoffen, dass Frederik mit einer Veröffentlichung einverstanden war. Oder sich zumindest nicht dagegen wehrte. Vogtländer stellte sich vor, wie er seinen Sohn um Verzeihung bitten würde. Und wie Frederik ihn daraufhin in den Arm nehmen und ihm versichern würde, dass sie das gemeinsam durchstehen werden. Dann hätten sein Leiden und seine Quälerei am Ende doch noch einen Sinn gehabt.

Leider lagen vor der Begegnung von Vater und Sohn einige tausend Flugkilometer. In seiner Verfassung ein schier unüberwindliches Problem. Am Morgen war er zum ersten Mal aufgestanden und selbständig zur Toilette gegangen. Unterwegs wäre er vor Schwäche beinahe umgekippt. Aber er hatte es geschafft. Und am Nachmittag war er den Krankenhausflur auf und ab gegangen. Dreimal hintereinander. Mit eisernem Willen. Theoretisch war es also möglich, eine letzte Reise zu machen. Auch wenn Dr. Eriksson das für bodenlos unvernünftig halten würde. Und die Wahrscheinlichkeit, lebend am Ziel anzukommen, vermutlich geringer war als die, unterwegs zu sterben. Es kam auf einen Versuch an.

IIIII

Eriksson schüttelte den Kopf. «Das kann ich nicht verantworten.»

«Ich weiß», sagte Vogtländer. «Ich unterschreibe, dass ich gegen Ihren Rat handele.»

Der Arzt runzelte die Stirn. «Es gibt Telefon. Und Internet. Wenn Sie wollen, rufe ich Ihren Sohn an und bitte ihn herzukommen. So viele Möglichkeiten, Ihren Wunsch zu erfüllen. Was bringt Sie dazu, sich unnötig selbst zu quälen?»

«Ich wünschte, ich könnte es Ihnen verraten», sagte Vogtländer. «Glauben Sie mir, da ist etwas, das ich noch erledigen muss. Sehen Sie es einmal so: Eigentlich hätte ich in der Samenbank sterben müssen. Dass ich noch lebe, ist ein Bonus, eine Zusatzzeit, die ich bedenkenlos aufs Spiel setzen kann.»

«Sie sind verrückt.» Eriksson lachte. «Sie glauben, weil Sie den Teufel einmal beim Schachspiel besiegt haben, gelingt Ihnen das auch beim nächsten Mal.»

«Nein, das denke ich nicht», widersprach Vogtländer. «Deshalb brauche ich die stärksten Schmerzmittel, die Sie haben. Morphiumsüchtig bin ich sowieso.»

«Die stärksten Schmerzmittel haben eine kleine Nebenwirkung: Sie werden Sie in einen Dämmerzustand versetzen.»

«Ich vertraue darauf, dass jemand in der Nähe ist, der mich auf-
weckt.»

IIIII

Jemand rüttelte an seinem Arm. Er schrak hoch. «Wo bin ich?»

«In Longyearbyen. Sie müssen das Flugzeug verlassen.»

Vogtländer schaute sich um, der Innenraum war leer, die anderen Passagiere bereits ausgestiegen. Man hatte ihm einen Sitzplatz
ganz vorne zugewiesen, eine komplette Reihe sogar, wohl aus
Rücksicht auf die übrigen Reisenden.

«Entschuldigung, ich bin eingeschlafen.»

«Kein Problem.» Die Stewardess schwenkte eine Plastiktüte in
der Hand, Vogtländers Handgepäck.

Der Biologe erhob sich mühsam.

«Soll ich einen Rollstuhl besorgen?»

«Nein, es geht schon.» Er nahm der Frau die Tüte ab und machte
ein paar wackelige Schritte. «Halten Sie mir einen Platz in der
Maschine frei, ich fliege in zwei Stunden wieder zurück nach
Tromsø.»

Das Lächeln der Stewardess wirkte eingefroren. Vogtländer
erinnerte sich daran, dass sein Anblick und sein Geruch die Menschen verunsicherte. Außer Dr. Eriksson gab es eigentlich niemanden, der sich freute, ihn zu sehen.

Auf dem Weg zur Halle bereute er, das Rollstuhl-Angebot aus-
geschlagen zu haben. Aber er blieb auf den Beinen und schlurfte
hinaus zum Taxistand. Erleichtert ließ er sich auf die Rückbank
eines wartenden Taxis fallen.

«Wohin?» Der Taxifahrer schaute ihn im Rückspiegel an.

Vogtländer nannte seine Adresse. Er wollte nur die Umschläge
mit den *Baba*-Samen, einige Wäschestücke zum Wechseln und ein

paar Kosmetikartikel in einen Rucksack packen und gleich wieder zurück zum Flughafen fahren. Für seine letzte Reise brauchte er keinen Koffer, Handgepäck reichte völlig aus. Die Flüge hatte er schon in Tromsø gebucht: einmal Spitzbergen und zurück, dann über Oslo und Berlin bis nach Münster-Osnabrück. Von dort aus war es nicht weit bis Lengerich, wo Frederik wohnte.

Vogtländer lehnte sich zurück und schloss die Augen. Er hoffte, dass ihn der Taxifahrer nicht erkennen würde, auf ein Gespräch über das, was in der Samenbank passiert war, verspürte er nicht die geringste Lust.

«Sind Sie nicht der Wissenschaftler, der fast erfroren wäre?»

Vogtländer brummte.

«Wieso waren diese Schweine hinter Ihnen her?»

Ja, warum eigentlich? Dr. Eriksson hatte zwar die Anfrage der Polizei, die Vogtländer sprechen wollte, mit Hinweis auf den labilen Gesundheitszustand seines Patienten abgewimmelt, dafür mehrere große Berichte aus Zeitungen und Magazinen ausgeschnitten und auch eine Fernsehreportage auf dem Tablet-Computer gezeigt. Daher wusste Vogtländer, dass der überlebende Täter, der von der Polizei verhaftet worden war, jegliche Aussage verweigerte. Allerdings hatte man bei ihm ebenso wie bei seinen toten Komplizen russische Papiere entdeckt und herausgefunden, dass sie schon von Deutschland aus in Longyearbyen ein Boot gechartert hatten, das sie nach Barentsburg bringen sollte. Von dort wollte sich das Trio offenbar nach Russland absetzen. Das Unternehmen war also von langer Hand geplant worden. Aber hatte er, Ulrich Vogtländer, von vornherein auf der Todesliste gestanden? So sorgfältig die Morde an Mergentheim, den Weigolds, Helene und ihrem Assistenten inszeniert worden waren, so überhastet und letztlich stümperhaft hatte sich das Trio bei seiner Verfolgung angestellt. War seine Ermordung ursprünglich gar nicht beabsichtigt gewesen, sondern spontan beschlossen worden? Bloß von wem? Und warum? Die Polizei in Münster, die in den Berichten ausführlich zitiert wurde, machte kein Geheimnis daraus, dass sie die Verbindung zwischen den Morden in der Firma Lambert-Pharma und dem Patent auf den *Baba*-Wirkstoff sah. Die Polizei glaubte, dass die Täter aus politischen Motiven gehandelt hatten. Doch Vogtländer war weder an der Firma beteiligt, noch profitierte er von dem Patent. Blieben als Erklärung für die Jagd auf ihn nur die mehr als zwanzig Jahre zurückliegenden Ereignisse in China. Konnten die Täter davon gewusst haben? Dann wären sie besser informiert gewesen als alle Journalisten, die sich bislang in die Geschichte vertieft hatten. Natürlich war man auf die Forschungsreise gestoßen, die Vogtländer zusammen mit Christian Weigold und Helene Lambert ins Land der Mosuo gemacht hatte. In keinem der Texte, die Vogtländer gelesen hatte, wurden jedoch die toten Mosuo-Frauen erwähnt. Nicht einmal die junge Mosuo, die zusammen mit dem deutschen Kripo-Mann nach Longyearbyen gekommen war, hatte sich den Medien offenbart. Wenn aber die geballte journalistische Macht daran scheiterte, die damaligen Verbrechen aufzuklären, wie konnte das dann drei Amateuren gelingen? Hatte ein Insider sie eingeweiht? Und wer war dieser Insider?

«Wir sind da.»

Vogtländer schaute auf. Das Taxi stand vor seinem Haus.

«Warten Sie bitte hier!» Er drückte dem Taxifahrer ein paar Scheine in die Hand. «Ich packe nur rasch ein paar Sachen zusammen. Dann möchte ich zurück zum Flughafen.»

Der Taxifahrer nickte mürrisch. Hatte Vogtländer eigentlich die Frage des Mannes beantwortet? Oder nur darüber nachgedacht? Er wusste es nicht.

Einunddreißig

Mutter hat sich schon gut eingelebt», sagte Mia, als müsste sie sich selbst überzeugen.

«Wer sagt das?», fragte Bastian. Sie standen vor dem Eingang des Altenheims in der Nähe der Aegidiistraße. Seit drei Tagen wohnte Hilde jetzt in dem Heim. Bislang hatte sich Bastian davor gedrückt, sie zu besuchen, deshalb war ihm Mias Angebot, zu einem dreiköpfigen Familientreffen mitzukommen, ganz recht gewesen.

«Die Schwester. Aber ich hatte gestern auch den Eindruck, dass sie ruhiger geworden ist.»

«Heißt das in einem Altenheim eigentlich Schwester?»

«Schwester, Pflegerin – was spielt das für eine Rolle?» Mia verdrehte genervt die Augen. «Willst du mit mir über Berufsbezeichnungen diskutieren oder unsere Mutter besuchen?»

Bastian nickte. «Okay. Gehen wir.»

Bevor sie die *Station Sonnenschein* betraten, hielt Bastian instinktiv die Luft an. Ein paar Sekunden später wusste er, dass der Uringestank genauso intensiv war wie bei seinem ersten Rundgang. Etwas anderes dagegen war neu: Zittrige, alte Stimmen, begleitet von einer kräftigen weiblichen Altstimme, sangen: «Im Frühtau zu Berge wir gehn, fallera …» Das war wohl der Singkreis, von dem die Heimleiterin geschwärmt hatte. Auffrischung der frühkindlichen Emotionen.

«… Wir wandern ohne Sorgen, singend in den Morgen …»

Mia lächelte Bastian an. «Wer hätte gedacht, dass unsere Mutter noch mal zur Sängerin wird?»

«Das glaube ich nicht», sagte Bastian. «Sie hat dieser Lagerfeuerromantik noch nie etwas abgewinnen können.»

«Da siehst du mal, wie schlecht du unsere Mutter kennst.» Mia zog ihren Bruder zu einem Fenster im Flur, von dem aus ein gläserner Erker an der Hinterfront des modernen Gebäudes zu sehen war. Tatsächlich, Hilde saß mit anderen Senioren an einem Tisch und öffnete an den richtigen Stellen den Mund. Ihre Wangen glühten vor Begeisterung.

«Werft ab alle Sorgen und Qual, fallera.»

Wahrscheinlich praktizierte man in diesem Heim eine Art von Gehirnwäsche, dachte Bastian. Oder der koffeinfreie Kaffee war mit einer ganz besonderen Substanz versetzt.

Er ließ Mia den Vortritt und blieb an der Wand stehen. Hilde hatte ihr Kommen bemerkt und erwiderte Bastians zum Gruß erhobene Hand mit einem Lächeln. Der Blick der Chorleiterin mit der praktischen grauen Kurzhaarfrisur fiel erheblich kritischer aus. Und als Bastian das nächste Liedende nutzte, um seiner Mutter einen flüchtigen Kuss auf die Stirn zu drücken, fing er sich prompt einen strafenden Kommentar ein: «Die Liederstunde dauert noch zwanzig Minuten. Danach können Sie sich gerne mit Ihren Angehörigen unterhalten.»

«Lassen Sie sich nicht stören», gab Bastian zurück und verzog sich wieder an die Wand.

Die *Blauen Berge* und *Wir lagen vor Madagaskar* ertrug er stoisch, aber als die Chorleiterin *Maikäfer flieg* ankündigte, zog Bastian sein Handy aus der Tasche und schaute so konzentriert auf das Display, als habe er soeben eine wichtige SMS bekommen.

Mia folgte ihm vor die Tür. «Du willst doch nicht gehen?»

«Tut mir leid, ich muss eine halbe Stunde früher zum Dienst, anscheinend ist heute die Hölle los.»

Mia schnaubte. «Erzähl mir nichts, du hast einfach keinen Bock.»

«Stimmt, die Singerei geht mir tierisch auf die Nerven», flüsterte Bastian. «Außerdem komme ich mir als Zuschauer überflüssig vor. Morgen bleibe ich länger. Versprochen.»

«Mir musst du nichts versprechen», rief Mia ihm hinterher.

«Dein Vater ist im Krieg ...», sang der Chor zum Abschied. «... Deine Mutter ist im Münsterland. Münsterland ist ...»

Schnell schloss Bastian die Stationstür hinter sich.

IIIII

Langsam radelte er durch die Innenstadt von Münster in Richtung Polizeipräsidium. In dieser Nacht würde er zum ersten Mal seit seiner Rückkehr von Spitzbergen wieder arbeiten. In der K-Wache. Kaum waren Yasi und er in Münster angekommen, hatte sich Kriminalrat Biesinger bei ihm gemeldet und ihn ins Präsidium zitiert. An Biesingers sachlichem Tonfall war nicht zu erkennen gewesen, was Bastian bevorstand, zwischen sofortigem Rauswurf und Versetzung ins KK 11 schien alles möglich.

Und auch am nächsten Tag, als Bastian nach einer unruhigen Nacht im Büro des Kriminalrats aufgekreuzt war, hatte Biesinger es spannend gemacht.

«Sie brauchen sich gar nicht erst zu setzen», verkündete der Kriminalrat mit schneidendem Tonfall. «Wir haben einen Termin beim Präsidenten. Er möchte selber mit Ihnen reden.»

Schweigend dackelten sie durch den Flur, Biesinger voraus, Bastian hinterher. Normalerweise mischte sich der Präsident nicht in die Arbeit der Kriminalpolizei ein, das überließ er seinem für die Kripo zuständigen Stellvertreter. Als Chef der Behörde war

Walter Terbrock in erster Linie Politiker – und Medienmensch. Es verging kaum eine Woche, in der sein Foto nicht in der Zeitung abgedruckt wurde.

Biesinger und Bastian warteten ein paar Minuten im Vorraum, dann wurden sie ins Allerheiligste vorgelassen. Auf dem runden Besprechungstisch standen Tassen und Kekse.

«Möchten die Herren einen Cappuccino?», fragte Präsident Terbrock, der seinen Stabschef zur Unterstützung mitgebracht hatte. «Ich finde, in Deutschland gibt es viel zu wenig italienische Lebensart.»

Bastians Magen hatte sich vor geraumer Zeit in einen harten Klumpen verwandelt, trotzdem wagte er nicht, das Angebot abzulehnen.

Der Kaffee kam. Der Präsident, sein Stabschef und Biesinger rührten in ihren Tassen. Terbrock nahm einen vorsichtigen Schluck. Ganz großes Kino. Wenn man darauf stand.

«Sehen Sie, Herr Matt», sagte der Präsident schließlich. «Sie sind ein Held der Boulevardpresse. Man feiert Sie dafür, dass Sie entscheidend zur Aufklärung einer Mordserie beigetragen haben. Dass Sie der norwegischen Polizei zur Seite gesprungen sind, als es darauf ankam, und Menschenleben gerettet haben. Wir wären doch mit dem Klammerbeutel gepudert, wenn wir nicht anerkennen würden, dass Sie unter den gegebenen Umständen das Richtige getan haben. Nicht wahr, Herr Biesinger?»

«Unter den gegebenen Umständen war das ordentliche Arbeit», sagte Biesinger.

«Gegebene Umstände, das ist das Stichwort», fuhr Terbrock fort. «Sie wissen selbst, Herr Matt, dass Sie sich in den letzten Wochen einige Verfehlungen haben zuschulden kommen lassen. Sie haben eigenmächtig und gegen die Anweisungen Ihrer Vorgesetzten gehandelt. Sie haben eine Tatverdächtige über den Stand der Ermittlungen informiert, Sie sind zusammen mit dieser Tatverdächtigen, Frau ...»

«Dr. Yasi Ana vom Rechtsmedizinischen Institut», half der Stabschef.

«... Dr. Ana ins Ausland gereist, ohne irgendjemanden in der Mordkommission zu informieren.» Er machte eine gewichtige Miene. «Hätten die Ereignisse kein so glückliches Ende genommen – für *Sie* glücklich, Herr Matt, verstehen Sie mich da nicht falsch! –, dann wären wir jetzt auf jeden Fall gezwungen, ein Disziplinarverfahren einzuleiten, das empfindliche Folgen für Sie hätte. Stellen Sie sich nur mal vor, Frau Dr. Ana hätte die Absicht gehabt, auf Spitzbergen weitere Morde zu begehen.»

Bastian wollte widersprechen, sah jedoch, dass Biesinger unterhalb der Tischkante beschwichtigend mit der Hand wedelte.

«Stellen Sie sich das mal vor!» Der Präsident schaute Bastian mit seinem besorgten Fernsehgesicht an.

Bastian senkte den Blick. *Nun sag schon*, dachte er, *ihr habt doch längst beschlossen, was ihr mit mir machen wollt.*

«Aber so, wie es gelaufen ist, würde uns die Presse steinigen, wenn wir Ihnen den Prozess machen.»

Na also, dachte Bastian. «Darf ich fragen ...»

«Herr Biesinger wird Ihnen jetzt sagen, was wir uns überlegt haben.»

«Folgendes Angebot», sagte Kriminalrat Biesinger schnell. «Kein Disziplinarverfahren, keine Eintragung in die Personalakte. Aber Ihrem Antrag auf Versetzung ins KK 11 wird nicht entsprochen, Sie bleiben vorläufig in der K-Wache.»

Scheiße, dachte Bastian.

«Gucken Sie nicht so traurig», setzte der Präsident hinzu. «Wir wissen Ihre Fähigkeiten bei Mordermittlungen durchaus zu schätzen. Aber wir würden gegenüber den Kolleginnen und Kollegen in den Dienststellen ein falsches Zeichen setzen, wenn wir Ihr Fehlverhalten auch noch belohnen würden. Drehen Sie ein, zwei Runden in der K-Wache, dann sehen wir weiter.»

«Heißt das, ich werde in zwei Jahren ins KK 11 versetzt?», fragte Bastian.

«Das heißt, dass wir Ihr Anliegen dann wohlwollend prüfen werden», sagte Terbrock. «Vorausgesetzt, Sie halten sich bis dahin an die Regeln.»

IIIII

Das war vor einem Tag gewesen. Heute wurde Bastian in der K-Wache mit großem Hallo begrüßt. Die Kollegen schienen sich wirklich zu freuen, dass er wieder zu ihnen gehörte, der Leiter des Kommissariats hatte sogar seinen Feierabend um eine Stunde verschoben und hielt eine seiner berüchtigten Ansprachen. Am herzlichsten fiel die Umarmung bei Udo Deilbach aus, der seinen früheren und Nun-wieder-Kollegen an die breite Brust drückte.

«Mensch, Basti», flüsterte Udo in das Ohr des Rückkehrers, «ich habe deinen Arsch schon im Atlantik schwimmen sehen. Mach das bloß nicht wieder, hörst du?»

Bei Kaffee und Streuselkuchen vom Supermarkt musste Bastian die Schießerei im Tunnel der Samenbank detailliert schildern. Obwohl alle die Geschichte schon kannten – schließlich führte Fahlens Mordkommission weiterhin die Ermittlungen, und der Flurfunk im Präsidium funktionierte ausgezeichnet. Die Norweger hatten Annika Buschs verletzten Komplizen nach Deutschland überstellt, er saß mittlerweile in Münster in U-Haft. Da die Morde an Helene Lambert und ihrem Assistenten auf einem unter deutscher Reiseleitung stehenden Schiff begangen worden waren und der Angriff auf Ulrich Vogtländer in der Samenbank ein vergleichsweise geringeres Delikt darstellte, war man auf diplomatischer Ebene übereingekommen, den Deutschen den Vortritt zu lassen. Die Mordkommission hatte also die Aufklärung von insgesamt fünf Mordfällen übernommen, keine leichte Aufgabe, zumal der mutmaßliche Täter weiterhin die Aussage verweigerte. Wie es aussah, würde es auf einen langwierigen Indizienprozess hinauslaufen.

Als die ersten Zweierteams aufbrachen, um Meldungen von Hauseinbrüchen und häuslicher Gewalt nachzugehen, löste sich die Kaffeerunde auf.

«Sieht so aus, als würde es heute eine ruhige Nacht werden», sagte Werner Broschek, der nach dem Abgang des Chefs als Schichtleiter das Kommando übernommen hatte. «Wir haben da eine Anfrage von den Rauschgiftkollegen. Es geht um die Verhaftung eines kleinen Dealers, Haftbefehl liegt vor. Seine Wohnung wurde den ganzen Tag observiert, ohne Ergebnis. Wahrscheinlich taucht er auch heute Nacht nicht auf, aber für den Fall der Fälle möchte das Rauschgiftkommissariat gerne, dass wir vor Ort sind.» Broschek schaute Bastian und Udo Deilbach an. «Wäre das nicht was für euch? Ihr könnt in Ruhe quatschen und müsst nur ab und zu mal einen Blick auf die Haustür werfen.»

«Ist gebongt», sagte Udo und griff nach dem Blatt mit dem Foto und den Personendaten. «Irgendwelche Besonderheiten, die wir beachten sollen?»

«Nein. Nach den Erkenntnissen der Kollegen neigt der Mann nicht zur Gewalt und ist auch nicht bewaffnet.»

«Wir nehmen ihn also fest, wenn wir ihn sehen?», vergewisserte sich Bastian.

«Richtig», bestätigte Broschek. «Falls es Probleme gibt, ruft ihr Verstärkung. Ein SEK wird wohl nicht notwendig sein.»

Bastian schaute sich das Foto an. Der Typ hatte halblange glatte Haare und einen Fusselbart am Kinn, dazu trug er eine Nickelbrille. Er war dreiunddreißig Jahre alt und hieß Mark Stephan.

Zweiunddreißig

Vogtländer zwang sich, ein paar Bissen hinunterzuschlucken. Er musste essen. Und trinken. Obwohl er weder Hunger noch Durst hatte. Unter anderen Umständen hätte er es für total sinnlos gehalten, seinen Körper und damit die Krebszellen zu füttern. Doch jetzt, wo er Berlin bereits erreicht hatte und auf dem Weg nach Münster war, wollte er auch noch die letzten Stunden bis zum Ziel überstehen. Und dafür musste er bei Kräften bleiben.

Wenigstens erfüllten Dr. Erikssons Tabletten ihren Zweck. Sie hüllten ihn in eine fast schmerzfreie Gelassenheit. Ohnehin schlief er die meiste Zeit. Einen oberflächlichen, von intensiven Träumen zerstückelten Schlaf. Helene kam häufig darin vor, die junge Helene, die despotische Helene, die als Fischfutter durchs Meer treibende, tote Helene. Auch Frederik trat auf, meist anklagend. Mal war er ein zehnjähriger Junge, der Vogtländer fragte, warum er sich nicht für ihn interessiere. Dann war er ein junger Mann, der Vogtländer vorwarf, ihn zu verleugnen. Die Gesichtszüge des jungen Mannes entsprangen dem Fernsehbericht, den Dr. Eriksson Vogtländer gezeigt hatte. Dem Reporter war es gelungen, Frederik zu interviewen. Vogtländer hatte sich diese Passage des Berichts mehrfach angesehen.

Obwohl der junge Mann seine Trauer nur mühsam beherrschte und nach Worten rang, um die Abscheu über den feigen Mord an seiner Mutter auszudrücken, war nicht zu verkennen, dass Helenes Sohn ihr Selbstbewusstsein geerbt hatte. Und ein bisschen ihre Selbstverliebtheit. Beim dritten Abspielen hatte Vogtländer den Ton weggedreht und nach Ähnlichkeiten zwischen sich und Frederik geforscht. Die Nase und die Mundpartie stammten offensichtlich aus seinem Gen-Pool. Ohne Zweifel war Frederik sein Sohn.

In dem Fernsehbericht kam Frederik noch ein zweites Mal vor. Der Reporter hatte sich Filmmaterial besorgt, das während der Kreuzfahrt vor dem Mord aufgenommen worden war. Offenbar befand sich an Bord der MS Albertina ein Videofilmer, der im Auftrag des Reiseveranstalters ständig seine Kamera laufen ließ. Vogtländer fand es unfair, dass man Frederik in inniger Umarmung mit der späteren Mörderin zeigte. Die Szenen, in denen Frederik diese Annika Busch – oder wie immer sie hieß – küsste oder mit ihr Händchen haltend an einer Bar saß, suggerierten, dass Frederik eine gewisse Mitschuld am Tod seiner Mutter trug. Dabei war er lediglich das Opfer einer professionellen Verführungskünstlerin geworden. Hatte Annika Busch nicht als Prostituierte gearbeitet? Sie hatte Frederik überrumpelt, da war sich Vogtländer sicher. Denn wie hätte der Junge ahnen können, dass ihm diese gutaussehende Frau nur etwas vorspielte?

IIIII

Es war Nacht, als Vogtländer den Flughafen Münster-Osnabrück erreichte. Das enorme Terminal, das für den Airport einer Großstadt gebaut zu sein schien, leerte sich blitzschnell. Vogtländer schlurfte seinen Mitreisenden, die zu ihren Autos oder den Taxis eilten, hinterher. Leichte Panik befiel ihn, als er sah, wie die Taxischlange immer kürzer wurde. Nur jetzt nicht auch noch warten müssen. Nicht so kurz vor dem Ziel seiner endlosen Reise. Es kam ihm so vor, als sei er seit Tagen unterwegs, dabei hatte er erst am frühen Morgen das Krankenhaus in Tromsø verlassen. Flugzeuge und Flughäfen verschwammen in seiner Erinnerung zu einem einzigen Gefühl des Unterwegsseins. Wenn man ihn danach gefragt hätte, hätte er nicht sagen können, was den Flughafen in Oslo von dem in Berlin unterschied. Er wusste nur, dass er Frederik treffen und dann schlafen wollte. Morgen würde er sich in Münster ein Krankenhaus zum Sterben suchen.

Er erwischte das vorletzte Taxi und nannte dem Fahrer die Adresse in Lengerich. Länger als eine Viertelstunde würde die Fahrt nicht dauern. Vogtländer war zwar seit vielen Jahren nicht mehr im Münsterland gewesen, doch seit seiner Kindheit kannte er sich in der Gegend aus. Bereits nach wenigen Metern Autofahrt kam ihm die Landschaft vertraut vor. Heimat mochte er sie trotzdem nicht nennen. Heimat bedeutete Sehnsucht, und Sehnsucht verspürte er nicht nach Bäumen, Wiesen und Äckern. Die karge und abweisende Natur Spitzbergens entsprach viel mehr seinem Charakter.

Er hatte Frederik nicht angerufen. Er hätte nicht gewusst, was er sagen sollte. *Hallo, ich bin dein Vater.* Das klang banal und dumm. Nein, er musste Frederik dabei in die Augen schauen.

Die eigens für den Flughafen gebaute Autobahnauffahrt war neu, die kannte Vogtländer noch nicht. Der Taxifahrer beschleunigte auf der A 1 in Richtung Norden.

Zum ersten Mal kam Vogtländer der Gedanke, dass Frederik gar nicht zu Hause sein könnte. Vielleicht war er verreist. Andererseits gab es nach dem Tod Helenes vieles zu regeln, was die Anwesenheit des Junior-Chefs erforderte. Vogtländer beruhigte sich etwas. Aber die Unsicherheit blieb. War es richtig, dass er Frederik die Wahrheit sagte? Wollte der sie überhaupt wissen?

Wäre es nicht besser für Frederik, wenn er den Mann, den er Zeit seines bewussten Lebens als seinen leiblichen Vater angesehen hatte, auch weiterhin dafür hielt? Und ihn nicht gegen einen neuen, unbekannten, todkranken Vater eintauschte?

Noch fünfhundert Meter bis zur Autobahnausfahrt Lengerich. Noch konnte er dem Taxifahrer sagen, dass er es sich anders überlegt hatte.

Vogtländer griff nach dem Rucksack und hörte, wie die *Baba*-Samen im Inneren raschelten. Auch darum musste er sich kümmern. Der Biologe war verwirrt. Solange er seinen Verstand nur dazu benutzt hatte, das richtige Gate im Flughafen zu finden, waren Dr. Erikssons Tabletten ein Segen gewesen. Jetzt, wo es darauf ankam, Entscheidungen zu treffen, verfluchte er den Nebel in seinem Kopf. Am schlimmsten war, dass er alles so schnell vergaß. Morgen würde er sich vielleicht nicht mehr an Frederiks Worte erinnern können.

Dreiunddreißig

Mark Stephan wohnte in der zweiten Etage eines Mietshauses im Hansaviertel, keine vierhundert Meter vom Bremer Platz auf der Ostseite des Bahnhofs entfernt, einem der meistbesuchten Handelsplätze für Drogen in Münster. Hätte nicht ein Straßenzug im Weg gestanden, wäre der Dealer in der Lage gewesen, von seinem Küchenfenster aus die Kundschaft zu begutachten.

Bastian und Udo Deilbach lümmelten sich auf den vorderen Sitzen eines Audis, den sie im Polizei-Fuhrpark ergattert hatten. Abends kam man leichter an die größeren Autos.

«Ich verstehe diese Typen nicht», sagte Udo und biss in sein mitgebrachtes Butterbrot.

«Welche Typen meinst du? Dealer wie diesen Mark Stephan?»

Udo kaute. «Nein. Ich meine die Braut, die vermutlich Mergentheim und die anderen kaltgemacht hat.»

«Annika Busch, die Frau, der ich von Anfang an misstraut habe?», warf Bastian ein.

«Punkt für dich», gab Udo zu. «Aber mal davon abgesehen: Man bringt doch nicht fünf Leute um, nur weil in China ein Sack Reis umgefallen ist.»

«Das war schon mehr als ein Sack Reis.» Bastian dachte an Yasi, die immer noch darauf hoffte, dass Vogtländer aufwachen und die Wahrheit ans Licht bringen würde. Aus Rücksicht auf ihre Familie am Lugu-See und Bo in Peking wollte sie sich nicht als Erste an die Öffentlichkeit wenden. Vor allem weil sie nichts von dem, was Bo ihr erzählt hatte, beweisen konnte.

«Meinetwegen», sagte Udo. «Trotzdem haben die einen an der Waffel. Die hätten doch auch Flugblätter verteilen können. Oder eine Demo vor der Fabrik veranstalten. Aber nein, sie mussten alle killen, die an diesem komischen Kraut verdient haben.»

«*Baba*», sagte Bastian.

«Das hat meine Tochter auch zu mir gesagt, als sie ein Jahr alt war.»

Bastian ignorierte Udos Kalauer. «Du kannst mit politischen Fanatikern nicht über Vernunft diskutieren. Warum bringen Neonazis türkische Gemüsehändler um? Oder warum schießen bibeltreue Christen in den USA auf Ärzte, die Abtreibungen vornehmen?»

«Weil sie krank sind.» Udo beobachtete, wie die letzten Sonnenstrahlen hinter den Hausgiebeln verschwanden. Nach der Hitzeperiode hatten sich die Sommertemperaturen auf mitteleuropäisches Normalmaß eingepegelt. Die Nächte waren nicht mehr schwülwarm, aber man konnte immer noch ohne Pullover im Biergarten sitzen.

«Eine andere Frage finde ich beinahe interessanter», nahm Bastian den Faden wieder auf. «Woher hatten sie die Kohle?»

«Welche Kohle?»

«Für die Kreuzfahrt, die russischen Papiere, die eine Menge gekostet haben dürften. Ich habe gehört, dass sie auch schon eine teure Wohnung in Moskau gemietet hatten. Zusätzlich hat man bei allen dreien beträchtliche Summen auf den Konten gefunden.»

«Als Luxusnutte hat Annika Busch wahrscheinlich nicht schlecht verdient.»

«Nein. Sie hatte nur wenige Einsätze. Sie war ausschließlich darauf aus, mit Mergentheim in Kontakt zu kommen.»

«Was ist mit der Organisation in Hamburg?», fragte Udo.

«Die distanziert sich von jeglicher Gewalt. Angeblich hat man seit einem Jahr keinen Kontakt mehr zu dem Trio.»

«Ist das glaubwürdig?»

«Das wird natürlich noch überprüft. Yasi ist allerdings auch davon überzeugt, dass die drei aus Hamburg keine Unterstützung bekommen haben.»

«Dann bleibt noch ein unbekannter Hintermann», schlug Udo vor.

Bastian hatte eine Vermutung, wer dafür in Frage kam: Frederik Lambert. Aber der Verdacht war so ungeheuerlich, dass er nicht wagte, ihn auszusprechen. Nachdem die drei Verletzten und die beiden Leichen zum Flugzeug nach Tromsø gebracht worden waren, hatten Bastian und die inzwischen eingetroffenen norwegischen Kripo-Kollegen die Besatzung und die Passagiere der MS Albertina eingehend befragt. Viele Zeugen erinnerten sich an den liebevollen Umgang, den Annika Busch und Frederik Lambert miteinander gepflegt hatten. Allerdings konnte kein Zeuge Frederiks Aussage bestätigen, dass die Beziehung allein von Annika Busch ausgegangen sei. Damit konfrontiert, verwahrte sich Frederik gegen jegliche Unterstellungen, er habe etwas mit dem Mord an seiner Mutter zu tun. Und da Annika Busch tot war, würde ihm vermutlich auch niemand das Gegenteil nachweisen können.

«Ich geh mal pissen», sagte Udo und stieg aus. «Bleib brav im Auto sitzen, bis ich zurück bin.»

Als Udo zehn Minuten später zurückkam, roch Bastian eine Bierfahne.

«Der Wirt hat gesagt, ich müsste was bestellen, wenn ich aufs Klo will», grinste Udo. Er fischte eine Schachtel aus der Außentasche seines Blousons und schob sich ein Bonbon in den Mund. «Sag mal, wie läuft's eigentlich mit dir und deiner Perle?»

«Kleiner Themenwechsel, was?»

«Na ja, wir werden nicht alle Probleme der Mordkommission heute Nacht lösen können. Außerdem interessiert's mich wirklich.»

Bastian dachte daran, wie erleichtert Yasi gewesen war, als er sie nach der überstandenen Schießerei umarmt hatte. Und an ihre anschließende Enttäuschung, als sie erfuhr, wie kritisch Vogtländers Zustand war, sodass er, ohne aus der Bewusstlosigkeit zu erwachen, sofort nach Tromsø gebracht werden musste. Ihre Hoffnung, Vogtländer könne doch noch sein Gewissen erleichtern und die Wahrheit enthüllen, erhielt am nächsten Tag einen weiteren Dämpfer. Die Ärzte im Tromsøer Krankenhaus hatten den Biologen in ein künstliches Koma versetzt und waren skeptisch, ob er daraus jemals wieder erwachen würde.

Am darauffolgenden Tag waren Yasi und Bastian nach Deutschland zurückgeflogen, beide in gedrückter Stimmung. Bastian hatte sich gefragt, was ihn in Münster erwartete, und Yasi war frustriert, weil das, was sich vor über zwanzig Jahren im Land ihres Volkes ereignet hatte, wohl niemals vollständig aufgeklärt werden würde.

«Gut. Es läuft gut», sagte Bastian.

Udo grinste. «Geht's ein bisschen ausführlicher? Ich meine, wer von uns hat schon die Chance, eine Frau aus Fernost … du weißt schon.»

Bastian überlegte, ob er Udo einen Vortrag über die besonderen Gebräuche der Mosuo halten sollte, speziell den Umgang von Männern und Frauen betreffend. Yasi hatte auch nach ihrer Rückkehr und der gemeinsamen Nacht in ihrer Wohnung nicht davon abgelassen. Und Bastian wusste nicht, ob er sich jemals daran würde gewöhnen können. Doch bevor er sich entschieden hatte, was er Udo sagen sollte, kam ihm dieser zuvor: «Ist das nicht der Typ, den wir suchen?»

Mark Stephan schloss die Haustür auf und verschwand im Hausflur.

«Okay, schnappen wir ihn uns», sagte Bastian.

Sie stiegen aus, versteckten ihre Pistolenholster unter Sakko und Blouson und schlenderten über die Straße zum Hauseingang. Für die schusssicheren Westen, die im Kofferraum lagen, war es viel zu warm.

Der alten Frau im Erdgeschoss, die auf ihr Klingeln den Türöffner betätigte, zeigten sie ihre Polizeiausweise, verbunden mit der Empfehlung, in der Wohnung zu bleiben und die Tür geschlossen zu halten. Dann gingen sie zur zweiten Etage hinauf.

Aus der Wohnung von Mark Stephan drang laute Musik.

Udo öffnete das Holster und legte die rechte Hand auf den Pistolengriff, während er mit der linken Hand auf den Klingelknopf drückte. Bastian folgte dem Beispiel seines Kollegen. Gewohnheitsmäßig stellten sie sich links und rechts des Türrahmens auf.

Der Dealer hörte nichts oder war nicht auf Besuch eingestellt.

Udo klingelte erneut. Diesmal schickte er ein «Polizei. Öffnen Sie bitte die Tür!» hinterher.

Stephan stellte sich taub.

Udo benutzte die Faust und hämmerte gegen das Türholz. «Polizei …»

Weiter kam er nicht. In der Wohnung fiel ein Schuss. Bastian sah das Loch in der Tür, auf der anderen Seite des Flurs bröckelte Putz von der Wand.

«Scheiße.» Udo machte einen Satz nach hinten. «Der Wichser schießt auf uns.»

Wie zur Bestätigung fiel ein zweiter Schuss. Noch ein Loch in der Tür.

Endlich überwand Bastian seine Verblüffung. Ebenso wie Udo zog er seine Pistole und richtete die entsicherte Waffe auf die Wohnungstür.

«Du blöder durchgeknallter Junkie!», brüllte Udo.

Überall im Haus waren plötzlich Stimmen zu hören.

«Polizei!», rief Bastian. «Bleiben Sie in Ihren Wohnungen und halten Sie sich von den Türen fern.»

Es wurde wieder leiser.

«Was machen wir jetzt?», fragte Udo.

«Das SEK soll kommen», sagte Bastian. «Ich habe keinen Bock, mich von einem Drogi wegpusten zu lassen.»

IIIII

Das Sondereinsatzkommando erschien nach einer Stunde. In der Zwischenzeit hatten Bastian und Udo Verstärkung durch zwei Streifenwagenbesatzungen erhalten, wobei einer der Uniformierten die Aufgabe übernommen hatte, regelmäßig den Schalter für das Flurlicht zu betätigen. In Mark Stephans Wohnung dudelte nach wie vor Musik, er selbst und seine Waffe blieben stumm.

Die SEKler wiederholten das Spiel mit dem Klingeln, dem Gegen-die-Tür-Hämmern und dem «Polizei!»-Rufen. Dann brachen sie die Tür auf.

Bastian und Udo warteten im Hausflur, während sich die schwerbewaffneten Spezialisten Meter um Meter durch die Wohnung vorarbeiteten. Nach zwei Minuten winkte einer der Schwarzuniformierten sie hinein: «Ihr könnt reinkommen. Euer Kunde hat die Flatter gemacht.»

«Er ist abgehauen?», fragte Bastian erstaunt.

«Nein, er hat sich den goldenen Schuss gesetzt.»

In den letzten Monaten war der Dealer anscheinend nicht dazu gekommen, die Wohnung aufzuräumen oder zu putzen. Alle Flächen, einschließlich des Bodens, waren mit leeren Flaschen, Fastfood-Verpackungen und Essensresten bedeckt. Bastian und Udo wateten knöcheltief durch den Müll, bis sie in einen Raum kamen, der ursprünglich als Wohnzimmer geplant war. Mark Stephan lag mit blauem Gesicht auf dem Rücken, in seinem Arm steckte eine Spritze.

IIIII

«Und so was nennt Broschek eine ruhige Nacht …», sagte Udo, als sie zwei Stunden später auf dem Innenhof des Polizeipräsidiums parkten. «Der Mann neigt nicht zur Gewalt», äffte er den Schichtleiter nach. «Mann, Mann, Mann, der Arsch hätte mir die Eier wegschießen können!»

«Hat er aber nicht», sagte Bastian und stieg aus. «Wahrscheinlich habt ihr das nur inszeniert, damit es mir in der K-Wache nicht zu langweilig wird.»

«Davon träumst du wohl.» Udo, der ebenfalls das Auto verlassen hatte, streckte sich. «Ich brauche das nicht. Ehrlich.»

«Sind Sie Bastian Matt?», fragte eine junge Polizistin, die eine Plastiktüte in der Hand hielt.

Bastian hatte gesehen, dass sie aus der Polizeiwache neben dem Präsidium gekommen war. «Ja, der bin ich.»

«Das hier ist für Sie abgegeben worden.» Sie überreichte ihm die Plastiktüte.

Bastian schaute hinein: große weiße Briefumschläge. «Wer hat das gebracht?»

«Ein Taxifahrer. Sein Fahrgast hat ihn gebeten, die Briefe im Präsidium abzugeben. Aber da die Pforte schon geschlossen war, ist er zu uns gekommen.»

Bastian zog einen Brief heraus. Er war schwer und dick, als ob er einen ganzen Stapel Papiere enthielte. Im Inneren rasselte es, kleine, harte Objekte kullerten herum. Bastian schaute auf den Adressaten: eine Universität in den USA. Absender: Dr. Ulrich Vogtländer, *Svalbard Global Seed Vault*. «Hat der Taxifahrer sonst noch was gesagt?»

«Ja. Es klang ziemlich merkwürdig. Falls sein Fahrgast sich nicht innerhalb der nächsten vierundzwanzig Stunden bei Ihnen meldet, sollen Sie die Briefe zur Post bringen. Sie wüssten, um was es sich handelt.»

«Danke», sagte Bastian. «Wohin hat der Taxifahrer den Gast gebracht?»

«Das habe ich nicht gefragt. War das ein Fehler?»

«Nicht unbedingt. Sie haben sicher die Daten des Fahrers aufgenommen?»

«Selbstverständlich.» Die Polizistin deutete einen Gruß an. «Ich schicke Sie Ihnen per E-Mail.»

«Hast du wirklich eine Ahnung, was das bedeutet?», fragte Udo, nachdem sich die Polizistin entfernt hatte.

«Ja. Es bedeutet, dass Vogtländer aufgewacht ist und sich hier in der Nähe aufhält.»

«Vogtländer ist der Typ aus der Kühlkammer, stimmt's?»

«Richtig», bestätigte Bastian. «Aber die Briefe bedeuten noch mehr. Nämlich dass Vogtländer bereit ist, das Versprechen einzuhalten, das er Yasi und mir gegeben hat. Yasi wird vor Freude tanzen, wenn sie das erfährt.»

«Das muss ich nicht verstehen, oder?»

Sie gingen in Richtung K-Wache.

«Sagen wir mal so: Vielleicht ist es besser, du weißt nicht alles.»

«Hauptsache, die Dinger, die in den Briefen rasseln, können nicht explodieren.»

«Nein.» Bastian lachte. «Das glaube ich nicht.»

Die K-Wache war verwaist, alle Kollegen, bis auf den Schichtleiter, anscheinend unterwegs. Bastian ließ die Briefe schnell in einer Schublade seines Schreibtisches verschwinden. Keine Sekunde später kam Broschek aus seinem angrenzenden Büro.

«Ich hab's schon gehört.» Der Schichtleiter machte ein betrübtes Gesicht. «Tut mir echt leid, aber dass der Mistkerl eine Waffe hat, konnte wohl niemand ahnen.»

«Ich sag nur: *ruhige Nacht*», höhnte Udo.

«Und es kommt noch dicker.» Broschek schaute auf den Notizblock in seiner Hand. «Ein unklarer Todesfall in Lengerich. Wahrscheinlich keine Fremdeinwirkung, doch die Umstände sind etwas seltsam. Der Hausbesitzer sagt, ein Unbekannter habe bei ihm geklingelt und sei ein paar Minuten später tot zusammengebrochen. Der Notarzt hat ältere Hämatome und Anzeichen für eine schwere innere Erkrankung entdeckt, allerdings keine frischen Verletzungen. Trotzdem erschienen ihm die Angaben des Zeugen so merkwürdig, dass er die Polizei eingeschaltet hat.»

«Lass mich raten», sagte Bastian. «Der Tote heißt Ulrich Vogtländer. Und der Mann, der den Notarzt gerufen hat, ist Frederik Lambert.»

Broschek guckte auf seinen Zettel. «Bist du Hellseher oder was?»

«Nein, ich habe nur gehört, dass Vogtländer sich im Münsterland aufhält. Und Frederik Lambert wohnt in Lengerich.»

«Vogtländer ist der ...»

«Ja. Und Frederik Lambert ist der Sohn von Helene Lambert.»

«Scheiße.» Broschek kratzte sich am Kopf. «Dann solltest du da nicht hinfahren, Bastian. Ich schicke ein anderes Team.»

«Warum nicht?» Bastian stand auf. «Ich kenne Frederik Lambert. Ich habe auf Spitzbergen mit ihm gesprochen.»

«Ebendeshalb. Ich will keinen Ärger mit Fahlen und der Mord-kommission.»

«Kriegst du auch nicht.» Bastian nahm dem Schichtleiter den Notizzettel ab. «Ich werde total nett und höflich mit Frederik umgehen. Kommst du, Udo?»

Ächzend stemmte sich Udo aus seinem Stuhl hoch. «Ich hatte auf eine Pause gehofft.»

«Später. Ich möchte die Leiche sehen, bevor sie weggeschafft wird.»

«Mach bloß keinen Scheiß, Bastian!», rief Broschek ihm nach.

Vierunddreißig

Bastian hatte das Bild während seiner nächtlichen Einsätze schon oft gesehen. Doch jedes Mal aufs Neue wurde ihm bewusst, dass nichts so trostlos wirkte wie ein abgedunkelter Rettungswagen, der nutzlos am Straßenrand parkte. In diesem Fall stand der Notarztwagen in einer sehr sauberen und aufgeräumten Straße mit lauter herrschaftlichen Häusern und Villen, deren Besitzer einen unverbaubaren Ausblick auf die Ausläufer des Teutoburger Waldes genossen. Und er war nicht vor irgendeiner, sondern vor der größten und herrschaftlichsten Villa der Straße abgestellt. Alles andere hätte auch nicht zu Helene Lambert gepasst.

Bastian und Udo stoppten hinter dem Rettungswagen und gingen zu den Sanitätern, die bei geöffneten Fenstern in der Fahrerkabine saßen und über Fußball diskutierten.

«Kripo Münster», sagte Bastian. «Die Leiche ist noch im Haus?»

«Korrekt», sagte der Sanitäter hinter dem Lenkrad. «Dr. Kleinwalter wartet drinnen auf Sie.»

Die asphaltierte Auffahrt gabelte sich am Ende in die Zufahrt zu den Garagen und einem Kreisel mit Blumeninsel in der Mitte. Vom Kreisel führte eine breite Treppe zum Eingangsportal der Villa hinauf.

«Du kannst ja über dieses *Baba*-Zeugs sagen, was du willst», meinte Udo. «Arm macht es jedenfalls nicht.»

«Glücklich aber auch nicht, wie wir inzwischen wissen.» Bastian drückte auf die Türklingel.

Sie lauschten dem klassischen Ding-dong.

Der Hausherr kam höchstpersönlich zur Tür. Er trug Jeans und einen dunkelblauen Blazer. Die beiden obersten Knöpfe seines weißen Designer-Hemdes waren geöffnet. Der leicht verschwommene Blick seiner glitzernden Augen ließ darauf schließen, dass er sich nach dem Schreck über den plötzlichen Todesfall ein hochprozentiges Beruhigungsmittel gegönnt hatte.

«Sie schon wieder?», sagte Frederik Lambert zur Begrüßung.

«Die Welt ist klein», antwortete Bastian. «Wie es der Zufall will, habe ich heute Nacht Dienst.»

«Hat ein Held wie Sie nichts Wichtigeres zu tun?» Frederik ging voraus und sprach den Satz in den leeren Raum.

Bastian blieb nichts anderes übrig, als mit dem Hinterkopf des Firmenerben zu kommunizieren: «Was wollte Dr. Vogtländer denn bei Ihnen?»

«Keine Ahnung. Bevor er dazu kam, es zu erklären, war er schon tot.»

Nachdem sie die quadratische, über drei Stockwerke offene Eingangshalle durchquert hatten, gelangten sie in einen puristisch gestalteten Wohnbereich. Den einzigen Kontrast zum Weiß der Wände und der hellen Möbel bildeten der eichenbraune Parkettboden – und die Leiche von Ulrich Vogtländer. Tot und ohne gefütterte Wetterjacke sah der Biologe aus wie ein Haufen Knochen, der von einem Hautsack zusammengehalten wird.

Der Notarzt, der sich in seiner weißen Kleidung kaum von dem Sessel abhob, in dem er saß, kritzelte noch etwas auf sein Klemmbrett, bevor er aufstand und den beiden Kriminalbeamten die Hand reichte: «Dr. Kleinwalter.»

Bastian schätzte den Arzt auf Ende zwanzig. Trotzdem machte

der Mann einen besonnenen und kompetenten Eindruck. Bastian konnte sich vorstellen, dass Frederik Lambert erheblichen Druck ausgeübt hatte, um Kleinwalter von einem Anruf bei der Polizei abzuhalten.

«Was können Sie uns zu der Todesursache sagen?», fragte Bastian, nachdem er Udo und sich selbst vorgestellt hatte.

«Nicht viel. Wie Sie auf den ersten Blick sehen, befand sich der Mann in einer sehr schlechten körperlichen Verfassung. Ich tippe auf Krebs.»

«Er hatte Lungenkrebs», bestätigte Bastian.

Dr. Kleinwalter zog die Augenbrauen hoch. «Sie kannten ihn?»

«Ich habe Dr. Vogtländer vor ein paar Tagen das Leben gerettet. Kurzfristig jedenfalls.»

Kleinwalter nickte. «Lungenkrebs passt. Hinzu kommen Hämatome an Kopf und Körper, die auf Schläge und Tritte zurückzuführen sind. Keine frischen Verletzungen, wie ich ausdrücklich betone. Wenn Sie dem Mann begegnet sind, kennen Sie vielleicht auch dafür den Grund?»

«Nun», mischte sich Frederik Lambert ein. «Ich habe dem Doktor bereits erklärt, dass Vogtländer von den Mördern meiner Mutter überfallen worden ist.»

«Von den mutmaßlichen Mördern», korrigierte Bastian. «Das ist richtig.» Er wandte sich an den Arzt: «Können die Verletzungen und die Krebserkrankung zu dem plötzlichen Tod geführt haben?»

«Ja und nein.» Dr. Kleinwalter hob die Schultern. «Das lässt sich nur durch eine Autopsie klären.»

«Eine vorläufige Einschätzung?», bat Bastian.

«Sagen wir mal so: Seine Lebenserwartung war stark limitiert. So oder so wäre er vermutlich bald gestorben. Anscheinend hat er aber auf beiden Beinen das Haus betreten, deshalb würde ich die Krebserkrankung als akute Todesursache ausschließen. Das Gleiche gilt für die Verletzungen. Allerdings kann eine Stresssituation in Kombination mit Dehydrierung und anderen Faktoren bei einem derartigen körperlichen Zustand auch zum plötzlichen Tod führen.»

«Sag ich doch», knurrte Frederik.

Dr. Kleinwalter guckte gereizt. «Einen natürlichen Tod kann ich nur bescheinigen, wenn ich die Todesursache kenne. Das ist hier nicht der Fall. Und da Sie und der andere Herr bestritten haben, den Toten zu kennen, blieb mir sowieso nichts anderes übrig, als die Polizei zu informieren.»

«Welcher andere Herr?», fragte Udo.

Frederik seufzte. «Ich hatte Besuch.»

«Von wem, wenn ich fragen darf?»

«Von mir.»

Bastian kannte die Stimme. Und auch das rundliche, von leuchtenden roten Flecken auf den Wangen dominierte Gesicht des Mannes, der soeben durch die hintere Tür den Raum betrat. Veit Constantin Mergentheim. Der Unsympath, der Susanne und ihn aus der Wohnung der Witwe Mergentheim vertrieben hatte.

«Herr Mergentheim junior», sagte Bastian. «Was für eine Überraschung.»

Veit Constantin schnaufte. «Meine Freude hält sich in Grenzen. Ich erinnere mich noch gut an Ihren Auftritt bei meiner Mutter.»

«Wir hatten ein Meeting», erklärte Frederik. «Es ging um die Zukunft von Lambert-Pharma. Herr Mergentheim vertritt eine der Anteilseignerfamilien.»

«Ist mir bekannt», sagte Bastian.

Auch Veit Constantin musste erheblich getrunken haben.

Was nicht gegen ein geschäftliches Treffen sprach, dachte Bastian, es kam vermutlich häufig vor, dass Geschäftstermine bei diesen Schnöseln in einem Besäufnis endeten. Aber warum betonte Frederik Lambert ungefragt den sachlichen Charakter ihrer Begegnung? Waren die beiden vielleicht befreundet? Und warum hatte Frederik zunächst geleugnet, Ulrich Vogtländer zu kennen? Selbst wenn er dem Biologen nie persönlich begegnet war, musste er von dem früheren Bekannten seiner Mutter aus den Medien erfahren haben. Vogtländers Porträtfoto war in vielen Berichten aufgetaucht.

Bastian tat so, als würde er Notizen auf seinem Schreibblock lesen. «Sie haben bei Ihrem ersten Anruf gesagt, dass ein Unbekannter vor Ihrer Tür gestanden habe?»

«Ja, und?», fragte Frederik zurück.

«Wollen Sie damit sagen, dass Sie Dr. Vogtländer nicht erkannt haben?»

Der junge Lambert schüttelte den Kopf. «Wir haben den Toten nicht angerührt. Ich nehme an, das war in Ihrem Sinn. Erst als der Doktor hier seinen Ausweis fand, wurde mir klar, um wen es sich handelt.»

«Es ist in diesen Tagen schwierig, Vogtländers Anblick in den Medien zu entgehen.»

Frederik machte ein ernstes Gesicht. «Ich versuche, diese ganze Sensationsberichterstattung zu vermeiden. Der Tod meiner Mutter geht mir immer noch sehr nahe.»

«Das Gleiche gilt wohl für Sie?», wandte sich Bastian an Mergentheim junior.

«Mir gefällt Ihr Ton nicht», gab Veit Constantin zurück. «Er gefiel mir schon damals nicht, als Sie meine Mutter belästigt haben. Frederik und ich sind Leidensgenossen. Falls Sie es vergessen haben: Mein Vater wurde ebenfalls ermordet.»

Frederik? Die beiden Firmenerben duzten sich also. Auch das musste nichts bedeuten.

«Ich versuche nur, den Ablauf zu rekonstruieren», sagte Bastian. «Gehen wir mal zurück zu dem Zeitpunkt, als Dr. Vogtländer an der Tür klingelte. Wer von Ihnen beiden hat geöffnet?»

«Ich», sagte Frederik.

«Und was geschah dann?»

«Vogtländer, ich meine, der Mann, von dem ich jetzt weiß, dass es Vogtländer war, kam herein. Er torkelte, konnte sich kaum auf den Beinen halten. Ich wollte ihn zu einem Sofa führen, damit er sich hinlegt, aber da fiel er auch schon um.»

«Dr. Vogtländer hat seinen Namen nicht genannt?»

«Nein.»

«Auch nicht den Grund seines Besuches? Immerhin hat er sich auf den weiten Weg von Nordnorwegen hierher gemacht – und das in seinem Zustand.»

«Nein», antwortete Frederik gereizt. «Das heißt, vielleicht hat er sogar etwas gesagt, allerdings so leise, dass ich es nicht verstanden habe.»

«Warum haben Sie diesen Mann, den Sie angeblich nicht kannten, überhaupt hereingelassen?»

«Herrgott noch mal, was hätten Sie denn an meiner Stelle gemacht? Ihn von der Treppe geschubst, damit er sich das Genick bricht? Es war doch zu sehen, dass er körperlich am Ende war. Ich wollte helfen, nichts weiter.»

«Kein Grund zur Aufregung», mischte sich Udo ein. «Für unseren Bericht brauchen wir ein paar Fakten, nichts weiter. Niemand wird beschuldigt, niemand muss sich rechtfertigen.»

«Ihr Kollege ist weniger an Fakten als an Unterstellungen interessiert», tönte der junge Mergentheim. «Ich finde, wir müssen uns das nicht länger bieten lassen. Du solltest kein Wort mehr sagen, Frederik. Falls es weitere Fragen gibt, beantworten wir sie gerne morgen. Im Beisein unserer Anwälte.»

«Vielleicht hast du recht.» Frederik sah enttäuscht aus.

Ein wenig zu demonstrativ enttäuscht, fand Bastian. Er glaubte dem jungen Lambert kein Wort. Frederik log. Die Frage war nur: Warum? Was hatte er zu verbergen?

«Ich werde wohl nicht mehr gebraucht?», durchbrach Dr. Kleinwalter die plötzlich eingetretene Stille. «Ich wünsche eine gute Nacht.»

«Warten Sie.» Bastian hielt den Notarzt auf. «Können Sie die Leiche zur Rechtsmedizin in Münster bringen?»

«Wir sind nicht für Leichentransporte zuständig. Rufen Sie doch einen Bestatter.»

«Ich möchte die Herren nicht länger belästigen. Aber auch den Leichnam nicht hier zurücklassen.» Bastian hoffte, dass der Arzt den Wink verstand. «Wäre es möglich, die Übergabe vom Rettungswagen aus zu machen?»

Dr. Kleinwalter zögerte. «Ja, gut. Meinetwegen.»

|||||

«Denkst du, was ich denke?», fragte Udo, als sie den beiden Sanitätern folgten, die Vogtländers Leiche zu ihrem Transporter trugen.

«Du meinst, dass Frederik und Veit Constantin unter einer Decke stecken und etwas zu verbergen haben?», sagte Bastian. «Der Gedanke ist mir tatsächlich gekommen.»

Udo steckte sich eine Zigarette zwischen die Lippen. «Du kannst sie nicht leiden, das habe sogar ich gemerkt. Und das will was heißen.»

«Mergentheim junior ist ein Kotzbrocken. Und der junge Lambert gibt den trauernden Sohn wie ein Laienschauspieler. Das war schon auf Spitzbergen so.»

«Beides ist nicht strafbar.» Udo zündete die Zigarette an und nahm einen tiefen Zug. «Wenn die Rechtsmedizin nichts findet, sind die Jungs aus dem Schneider. Da beißt die Maus keinen Faden ab.»

Dr. Kleinwalter beendete das Telefonat, das er geführt hatte, und trat zu den Polizisten. «Der Leichenwagen ist in zwanzig Minuten da.»

«Danke für Ihre Hilfe», sagte Bastian. «Haben Sie, als Sie ankamen, die Kleidung von Dr. Vogtländer durchsucht?»

«Nur so lange, bis ich die Brieftasche mit dem Ausweis gefunden hatte. Ich kann aber nicht dafür garantieren, dass nicht schon jemand vor mir in den Taschen gewühlt hat.»

«Halte ich für unwahrscheinlich», sagte Udo. «Das dadrin sind Leute, denen man Zeit ihres Lebens Zucker in den Arsch geblasen hat. Die ekeln sich vor Leichen.»

«Dann will ich mal mein Glück versuchen.» Bastian streifte zwei Latexhandschuhe über, schwang sich in den Rettungswagen, öffnete die Gurte, mit denen die Leiche festgebunden war, und begann, die Kleidung von Vogtländer abzutasten.

Das Handy steckte in der Innentasche des Jacketts. Als Bastian es herauszog, sah er gleich, dass eine Funktion aktiviert war. Auf den zweiten Blick konnte er sein Glück kaum fassen.

«Du glaubst es nicht.» Bastian sprang auf die Straße.

«Was denn?» Udo schnippte seine Zigarettenkippe in den Rinnstein.

«Vogtländer hat alles aufgenommen. Der Track läuft immer noch. Seit über zwei Stunden.»

«Dann lass mal hören.»

Bastian stoppte die Aufnahme und ging auf Anfang. Zu hören waren Geraschel und Kratzgeräusche.

«Wo steckte das Handy?», fragte Udo.

«In seinem Jackett.»

«Scheiße.»

«Wart's ab!» Bastian wollte die Hoffnung nicht aufgeben. «Selbst wenn wir nichts verstehen, kann die KTU mit ihren Supergeräten sicher noch etwas rausholen.»

Aus dem Handy klang schwach das bekannte Ding-dong.

«Die Türklingel», kommentierte Bastian überflüssigerweise.

Es folgte ein Gespräch. Von dem Jackett und den Bewegungsgeräuschen seines Trägers so gedämpft und überlagert, dass man lediglich zwei verschiedene Stimmen identifizieren konnte.

«Frederik hat gelogen», flüsterte Bastian. «Vogtländer hat mit ihm geredet.»

Etwa zwei Minuten lang ging das Gemurmel, begleitet von Vogtländers keuchendem Atem, weiter. Dann brüllte Frederik laut und deutlich: «Was sagst du da? Du willst mein Vater sein? Ich brauche keinen Vater. Mein Vater ist tot. Verpiss dich ins Grab, du wandelndes Gerippe. Dahin, wo du längst hingehörst!» Hektisches Keuchen, ein klatschendes Geräusch, gefolgt von einem erstickten Schmerzensschrei, schließlich ein Ton, der sich wie der Aufprall eines Kopfes auf dem Parkett anhörte.

Bastian tippte auf das Pausezeichen. Seine Hände zitterten vor Aufregung. Unverhofft waren seine Ahnungen doch noch bestätigt worden.

«Ein nettes Bürschchen», sagte Udo. «Macht seinen eigenen Vater platt.»

«Damit haben wir ihn», triumphierte Bastian.

«Lass es erst mal weiterlaufen», forderte Udo. «Es war gerade so spannend.»

Bastian tippte erneut auf das Gerät. Der Ton wurde jetzt klarer, die durch Vogtländers Bewegungen verursachten Nebengeräusche waren verschwunden.

Erstmals kam jetzt auch Mergentheims Stimme aus dem Lautsprecher: «Was ist mit ihm?»

«Sieht tot aus», antwortete Frederik gelangweilt. Dann lauter, offenbar näher am Mikro: «Ich fühle keinen Puls.»

Wieder Mergentheim: «So eine Scheiße. Wieso hat deine Tussi ihn nicht auf Spitzbergen erledigt? Jetzt haben wir seine Leiche an der Backe.»

«Das lässt sich nun mal nicht ändern.»

Mergentheim, aufgebracht: «Und wie erklären wir die Sauerei?»

«Gar nicht. Wir sagen, er ist hier aufgetaucht und tot umgefallen.»

«Einfach so?»

«Ja. Je weniger wir erklären, desto schwerer fällt es den Bullen, uns in Widersprüche zu verwickeln.»

«Scheiße, Scheiße, Scheiße.»

«Reg dich ab. Ich habe dafür gesorgt, dass dein Vater verschwindet und du die Leitung der Bank übernehmen kannst. Also bleib cool.»

«Und was, wenn der Typ, den sie verhaftet haben, redet?»

«Wird er nicht.»

«Bist du sicher?»

«Von dir weiß er sowieso nichts, okay? Und *ich* habe immer nur mit Annika gesprochen. Ich habe ihr eingebläut, dass ich unter allen Umständen im Hintergrund bleiben muss. Dass unser Vorhaben, die Firma L-Pharma in den Dienst der unterdrückten Völker zu stellen, nur dann gelingen kann, wenn nicht einmal der Schatten eines Verdachts auf mich fällt. Verstehst du? Ich habe ihr die Robin-Hood-Nummer vorgespielt und versprochen, mit ihr die Welt zu retten. Dafür musste sie die Drecksarbeit alleine erledigen. Der Typ, den sie eingebuchtet haben, hat mich vor der

Kreuzfahrt nie gesehen. Und auch da hat er nicht begriffen, dass ich hinter allem stecke.»

«Glaubst du.» Mergentheim schnaubte: «Und wenn sie ihm doch alles erzählt hat? Dann schwärzt er dich an, sobald er merkt, dass du gelogen hast.»

«Es wird ihm nicht gelingen. Ich habe dafür gesorgt, dass mich nichts mit den Morden in Verbindung bringt. Es gibt keine E-Mail, kein Telefonat, keine Geldzahlung, die man bis zu mir zurückverfolgen kann. Wenn er mich reinreißen will, streite ich alles ab. Es gibt nichts, *nada*, was an mir hängen bleibt. Und jetzt chill endlich. Wir müssen den Notarzt rufen.»

Bastian stoppte die Aufnahme. Er fühlte eine gewisse Genugtuung. Endlich konnten alle Leerstellen bei der Aufklärung der Mordserie gefüllt werden.

«Das ist es also», sagte er. «Der eine wollte seinen Vater loswerden und der andere seine Mutter. Damit das nicht auffällt, haben sie es so aussehen lassen wie einen Rachefeldzug durchgeknallter Aktivisten.»

«Und sie haben drei Idioten gefunden, die ihnen auf den Leim gegangen sind.» Udo fingerte eine neue Zigarette aus der Schachtel. «Ich denke, für heute haben wir echt genug geleistet.»

«Du hast nicht ernsthaft vor, zum Präsidium zurückzufahren?», fragte Bastian empört.

«Doch. Wir übergeben das Material der Mordkommission. Soll die sich um Haftbefehle kümmern.»

«Bis dahin können Mergentheim und Lambert längst außer Landes sein.»

«Die gehen nirgendwohin.» Udo zog heftig an der Zigarette. «Hör zu, Basti. Eine Schießerei pro Nacht reicht mir. Ich bin mit den Nerven ein bisschen zu Fuß.»

«Wenn wir es clever anstellen, ist das ein Kinderspiel.»

«Dann lass uns wenigstens das SEK holen.»

«Für zwei Milchbubis wie die beiden?» Bastian zischte. «Komm schon, Udo, stell dich nicht so an.»

«Scheiße, Basti.» Udo warf die Zigarette auf den Boden und trat sie aus. «Du machst mich echt krank. Aber, verdammt noch mal, holen wir uns die blöden Wichser.»

‖‖

«Entschuldigen Sie», sagte Bastian. «Wir haben noch ein oder zwei Fragen.»

«Sie nerven, Herr Kommissar.» Frederiks Intonation war seit ihrer letzten Begegnung vor zwanzig Minuten deutlich unsauberer geworden, er schwankte leicht auf den Beinen.

Bastian stellte einen Fuß in die Tür, damit der Firmenerbe sie nicht mehr schließen konnte. «Es geht ganz schnell. Sie haben mein Wort.»

«Unsere Anwälte sind schon unterwegs», dröhnte Mergentheim aus der Eingangshalle. «Wir sagen kein Wort mehr ohne unsere Anwälte.»

«Ist auch nicht nötig.» Bastian drückte die Tür auf.

Frederik war nicht in der Lage, ernsthaft dagegenzuhalten. Er taumelte rückwärts und nuschelte: «Hey, was soll das?»

Bastian wartete, bis Udo ebenfalls das Haus betreten hatte, dann zog er seine Pistole aus dem Holster. «Sie sind festgenommen. Stellen Sie sich an die Wand und stützen Sie sich mit den Händen ab.»

«Sie machen einen großen Fehler!», kreischte Mergentheim.

«An die Wand.» Bastian winkte mit der Pistole. «Sofort.»

«Ihre Karriere ist so was von am Arsch», keuchte Mergentheim, stellte sich aber brav neben Frederik Lambert, der von Udo bereits in die richtige Position gebracht worden war.

«Wir legen den Herren jetzt Armbänder an», sagte Udo und klinkte ein Paar Handschellen aus der Gürtelbefestigung. «Ist ein bisschen unbequem, aber macht die Situation für uns alle entspannter.»

Fünfunddreißig

Gebannt sah Bastian zu, wie Yasi die Lunge aus der aufgeschnittenen Leiche hob. «Kein schöner Anblick», sagte die Rechtsmedizinerin durch ihren Mundschutz hindurch. «Mehr als ein paar Tage oder Wochen hätte er nicht gehabt.»

Susanne Hagemeister verzog angewidert den Mund. «Schön zu wissen. Uns interessiert aber, woran Dr. Vogtländer in der letzten Nacht gestorben ist.»

Yasi bedachte die Hauptkommissarin mit einem ironischen Augenaufschlag. «Die Rechtsmedizin ist eine Wissenschaft, Frau Hagemeister. In Fällen wie diesen reicht ein oberflächlicher Blick auf die Leiche nicht aus, um eine exakte Analyse liefern zu können. Da müssen wir schon ein bisschen suchen, bis wir das Salz in der Suppe finden.»

«Das Haar», sagte der blonde Rechtsmediziner, der die Obduktion gemeinsam mit Yasi durchführte.

«Was?»

«Es heißt: das Haar in der Suppe.»

«Was auch immer Sie suchen», knurrte Susanne. «Hauptsache, Sie finden es.»

Bastian verdrehte die Augen. So etwas Ähnliches hatte er befürchtet, als Fahlen Susanne und ihn zum Rechtsmedizinischen Institut geschickt hatte. Und prompt löste sich Susannes gute

Laune in dem Moment in Luft auf, in dem sie den Namen Yasi Ana auf der Schiefertafel im Eingangsbereich des Institutsgebäudes erblickte.

Die Tücken des Schichtplans, die dazu führten, dass Yasi die Obduktion von Vogtländers Leiche übernehmen musste, beschworen jetzt die Gefahr eines Zickenkriegs herauf.

Zum Glück ließ sich Yasi von den Sticheleien seiner Kollegin nicht provozieren. Sie begnügte sich damit, in Bastians Richtung zu zwinkern, und wandte sich dann wieder ihrer Arbeit zu.

Bastian hörte, wie Susanne die Luft einsaugte. Doch bevor sie erneut loslegen konnte, stoppte er sie mit einer Handbewegung. «Wir hier drin sind die Guten. Die Bösen sind da draußen. Okay?»

Davon, dass er so schnell wieder bei einer Mordkommission mitmachen würde, hatte Bastian nicht mal zu träumen gewagt. Eine Grippewelle im Polizeipräsidium sowie die nicht zu leugnende Tatsache, dass er zu einer entscheidenden Wendung der Ermittlungen beigetragen hatte, und ganz sicher auch Susanne Hagemeisters Fürsprache hatten jedoch bewirkt, dass Kriminalrat Biesinger kurz vor Bastians Dienstende in der K-Wache aufgetaucht war und ihn gefragt hatte, ob er nicht vorübergehend wieder Mitglied der MK werden wolle. Und Bastian hatte natürlich ja gesagt. Lediglich drei Stunde Pause hatte er sich ausbedungen, angeblich, um kurz zu schlafen. Tatsächlich aber ging es ihm darum, mehrere andere Dinge zu erledigen.

Zuerst hatte er mit Udo Deilbach geredet, danach mit der Polizistin, die in der Nacht Vogtländers Briefe in Empfang genommen hatte. Udos Bedenken, dass es sich bei den Briefen um Beweismittel handele, die man nicht leichtfertig in alle Welt verschicken dürfe, konnte Bastian nicht zerstreuen. Allerdings hatte Udo eingesehen, dass die *Baba*-Samen im Lagerraum der KTU verdorren und damit für die Menschheit unbrauchbar werden würden. Schließlich hatten sie sich darauf geeinigt, dass Udo die Briefumschläge mit keiner Silbe erwähnen und, falls Nachfragen kämen, sich einfach dumm stellen solle. Notfalls, versprach Bastian, werde er die Verantwortung allein übernehmen.

Der Polizistin, die inzwischen ihren Dienst beendet hatte und nach Hause gegangen war, erzählte Bastian am Telefon eine glatte Lüge. Die Briefe seien privater Natur, behauptete er, es tue ihm leid, dass sie da hineingezogen worden sei, am besten vergesse sie die Angelegenheit so schnell wie möglich. Ob die Frau ihm die Geschichte abnahm, wusste Bastian nicht. Seiner Einladung zu einem Kaffee in der Kantine bei nächster Gelegenheit schien sie jedenfalls nicht abgeneigt zu sein.

Erst nachdem er diese beiden Gespräche geführt hatte, war Bastian zur Postfiliale am Domplatz gefahren und hatte Vogtländers Briefe aufgegeben. Anschließend hatte er sich in das Café nebenan gesetzt, einen Cappuccino getrunken und Yasi angerufen, die gerade auf ihrem Fahrrad zum Institut fuhr. Ihr Jubelschrei zerriss ihm fast das Trommelfell.

Kein Wunder also, dass Susanne Hagemeisters schlechte Laune an Yasi abprallte wie ein Haufen Vorwürfe an einer Salzsäule.

Der Sektionsassistent hatte inzwischen Vogtländers Kopf aufgesägt.

«Was haben wir denn da?» Yasi schaute konzentriert in den geöffneten Schädel. «Sieht mir ganz nach einer subduralen Blutung aus.»

Der blonde Rechtsmediziner nickte.

«Eine Blutung unter der harten Hirnhaut», erklärte Yasi den beiden Polizisten, «verursacht durch einen Brückenvenenabriss.»

«Und was verursacht einen Brückenvenenabriss?», fragte Bastian.

«Ein seitlicher Schlag gegen das Kinn. Der Schädel bewegt sich dann schneller als das Gehirn, und es kann zu einem Riss der Vene kommen. Wenn Boxer im Ring sterben, ist das nicht selten die Todesursache.»

«Wir sprechen demnach von einem Tötungsdelikt?», hakte Susanne nach.

«Richtig. Dr. Vogtländer ist gestorben, weil ihm jemand brutal ins Gesicht geschlagen hat.»

«Das muss ich Fahlen mitteilen.» Susanne zog ihr Handy aus der Tasche und verließ den Sektionssaal.

Bastian wollte seiner Kollegin gerade nach draußen folgen, als sich Yasi räusperte. «Ach, Bastian.» Sie winkte ihm mit dem blutigen Handschuh zu. «Ich hätte Lust, heute Abend ein Feuer in meinem Blumenzimmer anzuzünden.»

«Feuer im Blumenzimmer klingt gut», sagte Bastian und lächelte.

Anmerkung des Verfassers

Münsterland ist abgebrannt ist ein Roman. Die in diesem Buch agierenden Personen sind ebenso frei erfunden wie die Handlung selbst. Ähnlichkeiten mit lebenden oder bereits verstorbenen Menschen sowie real existierenden Unternehmen wären rein zufällig.

Nicht erfunden ist das Volk der Mosuo, eine in den chinesischen Provinzen Yunnan und Sichuan lebende, rund vierzigtausend Menschen zählende ethnische Minderheit. Die matriarchalischen Strukturen und ungewöhnlichen Liebesbeziehungen der Mosuo erregten zuerst das Interesse der Anthropologen, später der Reisejournalisten und Touristen. Mittlerweile stellt der Tourismus einen nicht unerheblichen wirtschaftlichen Faktor an den Ufern des Lugu-Sees dar. Einen guten Einblick in das Leben der heutigen Mosuo gibt der Reisebericht von Ricardo Coler: «Das Paradies ist weiblich» (Berlin, 2009). Ihre eigene Kindheit und Jugend im Land der Mosuo (oder Moso) schildert Yang Erche Namu zusammen mit der Co-Autorin Christine Mathieu in «Das Land der Töchter» (München, 2005).

Zehn Jahre altes Schweinefleisch gilt bei den Mosuo tatsächlich als Delikatesse, die Haltbarkeit der Speise hat jedoch nichts mit dem meiner Fantasie entsprungenen *Baba* zu tun. Überhaupt enthält die Küche der Mosuo keine Kräuter, die für Pharmakonzerne von Interesse wären.

Anders sieht das bei den im Buch erwähnten Pflanzen Gamuga (Teufelskralle) und Hoodia aus. Die im südlichen Afrika lebenden San nutzten die Pflanzen schon, lange bevor die ersten weißen Siedler ins Land kamen. Von den Wirkstoffen der Pflanzen profitierten aber ausschließlich der Staat Südafrika und global operierende Konzerne.

Seit der im Juni 1992 auf der UNO-Konferenz über Umwelt und Entwicklung in Rio de Janeiro beschlossenen «Konvention über die biologische Vielfalt» gibt es immerhin ein Regelwerk, das die Ausbeutung der weltweiten pflanzlichen Ressourcen einschränkt. Die unterzeichnenden Staaten verpflichteten sich, die biologische Vielfalt anderer Staaten zu respektieren.

Fälle von Biopiraterie ereignen sich jedoch bis heute. Seitdem sich das Erbgut von Pflanzen leichter entschlüsseln lässt, häufen sich Patentanträge auf einzelne Eigenschaften von Pflanzen und deren Wirkstoffe. Hintergrundwissen zu diesem Thema liefert das Buch von Michael Frein und Hartmut Meyer: «Die Biopiraten» (Berlin, 2008).

Umstritten ist in diesem Zusammenhang auch die Rolle der *Global Seed Vault*, der globalen Samenbank auf Spitzbergen. Dabei steht nicht die Absicht, die biologische Vielfalt der Nutzpflanzen für die Zukunft zu erhalten, in der Kritik, sondern die Veröffentlichung der detaillierten Saatguteigenschaften in einer Datenbank. Zugriffe auf diese Datenbank erfolgen fast ausschließlich von den Agrarkonzernen der Industriestaaten, und zwar mit der Absicht, daraus Patente zu entwickeln. So kann es geschehen, dass Bauern weniger entwickelter Länder, deren Familien seit Generationen eine bestimmte Pflanzenart anbauen, plötzlich gegen ein Patent verstoßen.

Aus all dem folgt, dass nicht nur die «Konvention über die biologische Vielfalt» den heutigen Bedingungen angepasst werden müsste, sondern dass es auch notwendig wäre, die in den Industriestaaten des Nordens übliche Vergabe von Patenten auf lebende Organismen, Pflanzen sowie Tiere, viel stärker zu reglementieren.

Münster, Januar 2013
Jürgen Kehrer

Danksagung

Dieses Buch wäre nicht möglich gewesen ohne die Hilfe vieler Menschen, die mich mit Informationen versorgt, mir Tipps und Ratschläge gegeben oder die verschiedenen Fassungen des Textes kritisch gelesen und Fehler korrigiert haben.

Den Beamten des Kriminalkommissariats 11 im münsterschen Polizeipräsidium, insbesondere meinem persönlichen Tutor KHK Herbert Mengelkamp, danke ich dafür, dass sie mir Einblicke in den Arbeitsalltag ihres Kommissariats erlaubten. Das Gleiche gilt für die Beamten der K-Wache, die sich die Zeit genommen haben, mit mir über ihre Einsätze zu reden. Ebenso danke ich KHK Jochen Wirz, der mich in die Welt der Spurensicherung eingeführt hat. All diese Recherchen wären jedoch nicht möglich gewesen ohne die freundliche Unterstützung von Polizeipräsident Hubert Wimber.

Auf große Unterstützung bin ich auch im Institut für Rechtsmedizin der Universität Münster gestoßen. Hier danke ich Dr. Helga Köhler für einen wertvollen Tipp. Ein ganz besonderer Dank gilt dem stellvertretenden Direktor Prof. Andreas Schmeling, der die Geschichte mit seinen Ideen wesentlich bereichert und rechtsmedizinische Fehler noch in der Überarbeitungsphase korrigiert hat.

Nicht nur in juristischer Hinsicht danke ich meinen lieben Nachbarn Petra Pheiler-Cox und Matthias Pheiler sowie dem akribischen Testleser Marc Lechleitner.

Zum ersten Mal zusammengearbeitet habe ich bei diesem Buch mit der Lektorin Ditta Kloth. Sie hat ihre Finger nicht nur auf alle möglichen inhaltlichen und sprachlichen Schwachstellen gelegt, sondern den Text durch viele Vorschläge verbessert. Natürlich ist das ihr Job – aber so gut wie sie muss man ihn erst mal machen.

Die wichtigste, kritischste und liebste Leserin war auch diesmal wieder – meine Frau Sandra. Da sie selbst Krimiautorin ist, entgeht ihr leider gar keine Textschwäche. Oder zum Glück. Dafür und für vieles andere bin ich ihr dankbar.

Und letztlich trägt für das, was jetzt noch falsch und schlecht ist, nur einer die Verantwortung: ich.